FREQUÊNCIA VIBRACIONAL

PENNEY PEIRCE

FREQUÊNCIA VIBRACIONAL

AS NOVE FASES DA TRANSFORMAÇÃO
PESSOAL PARA UTILIZAR TODO
O POTENCIAL DA ENERGIA INTERIOR

Prefácio de
MICHAEL BERNARD BECKWITH

Tradução
MARTA ROSAS

Editora
Cultrix
SÃO PAULO

Título original: *Frequency — The Power of Personal Vibration*.
Copyright © 2009 Penney Peirce.
Publicado mediante acordo com a editora original, Atria Books / Beyond Words, uma divisão da Simon & Schuster, Inc.
Copyright da edição brasileira © 2011 Editora Pensamento-Cultrix Ltda.
1ª edição 2011.
11ª reimpressão 2024.
Todos os direitos reservados. Nenhuma parte desta obra pode ser reproduzida ou usada de qualquer forma ou por qualquer meio, eletrônico ou mecânico, inclusive fotocópias, gravações ou sistema de armazenamento em banco de dados, sem permissão por escrito, exceto nos casos de trechos curtos citados em resenhas críticas ou artigos de revistas.
A Editora Cultrix não se responsabiliza por eventuais mudanças ocorridas nos endereços convencionais ou eletrônicos citados neste livro.
Coordenação editorial: Denise de C. Rocha Delela e Roseli de S. Ferraz
Preparação de originais: Maria Sylvia Correa
Diagramação: Fama Editoração Eletrônica

Dados Internacionais de Catalogação na Publicação (CIP)
(Câmara Brasileira do Livro, SP, Brasil)

Peirce, Penney
   Frequência vibracional : as nove fases da transformação pessoal para utilizar todo o potencial da energia interior / Penney Peirce ; prefácio de Michael Bernard Beckwith ; tradução Marta Rosas. — 1. ed. — São Paulo : Cultrix, 2011.

   ISBN 978-85-316-1131-5
   1. Desenvolvimento pessoal 2. Energia vital 3. Vibração I. Beckwith, Michael Bernard. II. Título.

11-05273   CDD-131.2

Índices para catálogo sistemático:
1. Frequência vibracional : Energização : Ciências ocultas 131.2

Direitos de tradução para o Brasil
adquiridos com exclusividade pela
EDITORA PENSAMENTO-CULTRIX LTDA.
Rua Dr. Mário Vicente, 368 — 04270-000 — São Paulo, SP
Fone: (11) 2066-9000
E-mail: atendimento@editoracultrix.com.br
http://www.editoracultrix.com.br
que se reserva a propriedade literária desta tradução.
Foi feito o depósito legal.

A todos que vivem o mais penoso sofrimento,
que se sentem presos e sem esperança,
que acham que a vida não tem sentido e parece absolutamente cruel —
há um lugar no centro de cada momento,
disponível agora,
onde a liberdade e a verdade compassiva aguardam
para receber-nos de volta ao lar.

Sumário

Agradecimentos 9
Prefácio de Michael Bernard Beckwith 11
Ao leitor 15
Buscando a frequência 24

1 Nossa transformação é como a da fênix 31
2 Vivendo entre as frequências 53
3 Conscientizando-se de hábitos emocionais 80
4 Libertando-se de vibrações negativas 103
5 Sentindo a frequência original 124
6 "Intuindo" a vida com sensibilidade consciente 150
7 Dominando a ressonância nos relacionamentos 180
8 Encontrando as melhores soluções, opções e planos 209
9 Criando uma vida de alta frequência 233
10 Rumo à transparência 259

Glossário 287

Agradecimentos

Algumas pessoas foram-me especialmente úteis na criação deste livro. Rod McDaniel sugeriu vários termos importantes, como "frequência original", que me alinharam e abriram imediata e drasticamente para novas percepções e informações. Sou-lhe grata também pela esclarecedora crítica ao manuscrito e por algumas de suas belas traduções de Rainer Maria Rilke. Outros leram pacientemente o primeiro rascunho e também me propiciaram grandes revelações. Sou muito grata a Darryl Lundahl, Cameron Hogan, Pam Kramer, Henry Smiley, Anne Lewis, Barbara Haury, Anthony Wright, Jim White e Joan Charles. Sou profundamente grata também a minha mãe, Skip Eby, e a minha irmã, Paula Peirce, pelo interesse, pelos "testes da realidade" e pelo apoio leal, mesmo que nem sempre saibam direito do que estou falando. Agradeço ainda a Chris Lenz e Karen Malik, do The Monroe Institute, pelas contribuições precisas.

Trabalhar com Cynthia Black e a equipe da Beyond Words Publishing foi uma doce experiência. Elas já haviam apostado em mim há muito tempo, quando publicaram *The Intuitive Way*, e estou feliz por estarmos juntas novamente. Ambas são sofisticadas e acolhedoras, e Cindy representou um verdadeiro apoio para mim, à medida que comecei a entrar nesse novo território. Além de alegre, Marie Hix tem sido de uma solicitude infalível, sempre "amarrando" os fios desse projeto. Eu não poderia desejar uma editora mais talentosa, experiente e atenciosa que Julie Steigerwaldt. Agradeço também a Lindsay Brown, Sara Blum, Devon Smith e Bill Brunson.

Finalmente, sou grata a Michael Bernard Beckwith por dar-se ao trabalho de escrever um prefácio tão maravilhoso.

Prefácio

O livro que você tem nas mãos não é matéria inerte, simples papel sobre o qual se espalhou tinta numa determinada fonte e formato. A verdade é mais — muito mais — profunda do que aquilo que os olhos físicos veem, as mãos tocam e a mente traduz. Ela tem que ver, antes de mais nada, com o que colocou este livro em seu campo eletromagnético: uma ressonância energética entre você e a mensagem de sabedoria contida em suas páginas. Esse campo energético é o que Penney Peirce identifica como sua "frequência original", ou a vibração de sua energia pessoal. As palavras destas páginas também vibram numa frequência energética específica, originada na existência que dá vida e mantém a Inteligência cósmica, e podem transmitir-lhe sua graça e força. Quando Penney descrever a dança extática do Espírito e da Matéria, você ficará ansioso para conhecer as etapas de suas nove fases de transformação pessoal para poder participar dessa celebração.

As comunidades científicas do mundo concordam em que a energia abarca todas as coisas e que os sistemas de energia são conscientes. A terra gira, dizem-nos, dentro de um campo eletromagnético infinito. Tudo participa dessa energia giratória, oscilante, vibrante. É curioso que consideremos a energia cósmica como algo que está *fora*, crepitando em algum lugar remoto além da terra em que pisamos. A verdade é que essa mesma energia está presente *aqui*, em nossa existência como eu individual e presente em todos os lugares da atmosfera em que vivemos. Somos seres espaciais que vivem e se movem de um modo que afeta energeticamente cada canto do cosmos. Portanto, quando lidamos com o tema das frequências energéticas, não se trata de uma "coisa" misteriosa que vibra lá na estratosfera, mas sim diretamente em nosso *espaço interior* individual. O paleontólogo e padre jesuíta Pierre Teilhard de Chardin referia-se a esse espaço interior como nossa "interioridade", palavra que cunhou em decorrência de sua relação intuitiva com o mundo natural, uma cosmologia que ele via como uma progressão energética que está em constante evolução rumo à complexidade material e à consciência.

Chardin pagou caro por suas teorias: sua obra foi proibida pelo Vaticano, e ele passou a ser malvisto em seu país de origem, a França, de modo que se mudou para a China e, depois, para Nova York. Uma prova de nosso progresso evolucionário é o fato de hoje gente como Penney Peirce ter liberdade para divulgar abertamente os resultados de suas explorações interiores no laboratório da consciência sem censuras nem condenações religiosas ou governamentais. Os avanços do século XXI na compreensão da relação entre corpo, mente e espírito e de nossa interconexão com o cosmos mudaram nossas opiniões e nos abriram à percepção da inteligência nata da Terra. A humanidade evoluiu em sua compreensão e, por isso, está muito mais consciente da relação energética — ou melhor, unidade — com nossa mãe Terra e de que precisamos viver em harmonia com as leis energéticas invisíveis que subjazem a toda a vida. Penney criou algo que prefiro chamar de "modelo energético". Trata-se de um modelo que oferece meios hábeis, aplicações práticas para nossa vida cotidiana e aspectos mais profundos daquilo que significa ser um ser espiritual que tem uma encarnação humana.

A descrição detalhada que Penney faz do sistema hindu de energias dos *chakras* pode nos proporcionar um meio de purificar nosso campo energético, de liberar energia coagulada. Aplicando antigas verdades como essa aos desafios da vida moderna, poderemos passar da Era da Informação à Era da Intuição, na qual o consciente coletivo se coloca cada vez mais à vontade diante de nossa capacidade inata de sintonizar a frequência mais alta de um "eu expandido", que chamo de Eu Autêntico.

Suas brilhantes escalas de vibrações do dia a dia descrevem do início ao fim o modo como influenciamos nosso corpo, nossas emoções e nossos pensamentos ao longo do dia. Juntamente com seus nove estágios de transformação, podemos aplicar capacidades que nos ajudam a entrar em sintonia com a frequência energética de nossa atual vibração e, em seguida, acelerar para atingir frequências de oitavas superiores. Penney sem dúvida está empenhada em transmitir seu conhecimento de maneira impecável e generosamente compartilha com seus leitores uma profunda compreensão de nossa anatomia energética. Ela apresenta de maneira irrefutável o fato de termos não só a capacidade, como também a responsabilidade de calibrar e recalibrar nossa "frequência original" para viver nosso propósito sublime.

Que estimulante é constatar que a aplicação da energia intuitiva não está reservada apenas aos médiuns ou místicos! Ela é uma faculdade que todos nós possuímos e usamos, consciente ou inconscientemente, em graus variáveis, a depender de nosso desenvolvimento individual. Penney nos dá esta boa-nova: praticando os exercícios que ela nos ensina, poderemos desenvolver conscientemente nossa faculdade intuitiva e assim extrair energia do manancial original de percepção, intuição e inspiração: da própria Fonte da Vida que temos dentro de nós e ao nosso redor.

O cultivo e a aplicação conscientes da energia do pensamento são agentes poderosíssimos de transformação pessoal. Eles fizeram Carl Jung descrever assim uma experiência que teve aos 12 anos de idade: "De repente, tive a experiência avassaladora de acabar de sair de uma densa nuvem. Soube naquele mesmo instante: agora sou eu mesmo! Era como se um muro de neblina se erguesse às minhas costas e, atrás desse muro, ainda não houvesse um 'eu'. Mas naquele momento eu subitamente me encontrei. Antes eu também existira, mas tudo simplesmente havia me acontecido. Agora eu fazia acontecer".

Quando despertarmos para nossa verdadeira natureza como seres energéticos e mergulhamos nossa interioridade para dar início à exploração consciente do mistério da consciência, vamos "fazer acontecer". Ainda há aqueles que consideram a reflexão pessoal, a contemplação, a meditação e outras práticas interiores uma espécie de absorção condescendente. Entretanto, estudos clínicos e avanços revolucionários em diversas disciplinas da ciência moderna continuam a fornecer provas empíricas de que as práticas espirituais sem dúvida alteram as frequências energéticas do praticante. A ciência — seja ela baseada na física clássica ou física quântica— está revelando o que os gigantes espirituais de todas as épocas e tradições nos dizem desde o início dos tempos: somos seres energéticos luminosos, dotados de inteligência criadora e plenamente equipados para participar do impulso evolucionário do universo de modo consciente e nos realizar por inteiro.

Em *Frequência Vibracional*, Penney Peirce alia com inteligência e compaixão ensinamentos precisos, experiências pessoais, seu trabalho com os clientes e hábeis métodos para que possamos nivelar por cima nossa frequência original e elevar não só a nossa própria vida, mas também a vida em todo o cosmos. O remédio que ela nos propõe é energético e excelentíssimo, de aplicação universal nos tempos em que vivemos.

Michael Bernard Beckwith,
autor de *Spiritual Liberation*

Ao leitor

A convergência entre o misticismo e a nova física
nos levou ao limiar de nossa natureza humana.
Mais à frente jaz algo que está
literalmente além da nossa linguagem.

Michael Talbot

Você sem dúvida percebeu que vivemos numa época caótica, porém assustadoramente poderosa. Assim como os animais inquietos pressentem um terremoto iminente, talvez você pressinta que uma grande mudança está em fermentação. É difícil deixar de notar que tudo hoje em dia é tão volátil quanto água fervente. O lado bom é que essa volatilidade nos obriga a reorganizar-nos e experimentar-nos de um modo inteiramente novo: menos como corpos físicos sólidos, separados por um espaço vazio, e mais como seres energeticamente vibracionais, que vivem em interdependência com outros seres vibracionais num mundo em constante vibração.

Estamos ficando cada vez mais conscientes da *energia* interior e exterior, de suas características e dos princípios conforme os quais ela funciona: frequência, vibração, ressonância, ondas, oscilações, ciclos, oitavas e espectros. Estamos descobrindo que esses conceitos estão no cerne das mais novas técnicas para saber, fazer e ter seja o que for. Em outras palavras, sua *vibração pessoal* — a frequência da energia que você traz a cada momento em seu corpo, suas emoções e sua mente — é o recurso mais importante que você tem para criar e viver sua vida ideal. Se a frequência de sua energia é alta, rápida e cristalina, a vida se desenrola sem esforço e em sintonia com seu destino. Já uma frequência mais baixa, mais lenta e mais distorcida produz uma vida de obstáculos e decepções.

Frequências em alta!

Há certas coisas essenciais a entender agora: (1) você está sendo afetado por um processo evolucionário que avança com base em estágios específicos, e isso faz a frequência energética de seu corpo, das suas emoções e da sua mente acelerar-se, (2) como a frequência ascendente de sua energia é paralela a seu nível de percepção, você está gradualmente se tornando mais consciente, sensível, visionário, empático e amoroso e (3) o maior desafio dos próximos anos será trabalhar com sua sensibilidade, manter sua *vibração pessoal* cristalina e aprender a usar "princípios de frequência" para viver bem nos tempos que virão.

As pessoas que têm sensibilidade aos reinos invisíveis — e eu me considero uma delas — já intuíram há muito que a frequência sutil de nosso corpo e da própria terra está em ascensão a um ritmo constante. Isso inicialmente mexe conosco, fazendo com que nos sintamos incomodados sem saber por quê. Então o mundo exterior se acelera e parece cada vez mais intenso ou até mesmo caótico. Por fim, nós nos ajustamos ao novo nível de energia, mais alto, e nossa percepção aumenta igualmente. Sabíamos instintivamente que o aumento da energia viria numa série de ondas, elevando nossa conscientização até a uma mudança de percepção, na qual nossa noção do eu evoluiria da identidade baseada na separação, no medo e no ego para outra identidade, baseada na inter-relação, no amor e na alma. Pressentíamos que, àquela frequência elevada, nosso mundo funcionaria de acordo com princípios novos, mais elegantes e eficientes.

> Nosso estilo e nosso modo de pensar sofreram uma revolução... Vemos com outros olhos, ouvimos com outros ouvidos e pensamos com outros pensamentos que não os que anteriormente usávamos.
> **Thomas Paine**

Essa mudança está em andamento e parece evidente à maior parte da sociedade, enquanto tentamos agir num clima em que tudo está aumentando, desde o volume de dados que precisamos digerir até o número de horas que precisamos permanecer acordados para dar conta do trabalho e o tsunami de negativismo que começa a parecer normal. Só permanecer centrado hoje em dia já é uma tarefa que intimida! Estamos saindo da Era da Informação para entrar na Era da Intuição, que traz consigo nada menos que uma grande transformação no modo como percebemos a realidade. Agora as questões são: como aprender as regras desse mundo vibracional expandido e cultivar as habilidades relativas à energia e à consciência que nos ajudarão a agir nele? Como estabilizar nossa nova percepção, identidade e comportamento enquanto nosso modo anterior de viver está em seus últimos estertores?

As frequências estão clamando pela sua atenção?

Como muita gente, talvez você esteja reagindo à frequência mais acelerada da vida tentando ajustar o estado de sua própria energia de diversas formas — tanto saudáveis quanto prejudiciais —, na tentativa de encontrar equilíbrio, segurança e alívio do stress. Ou então pode estar buscando avidamente pistas para prosperar neste mundo agitado de complexidade impenetrável. As respostas não estão em truques ou engenhocas e geringonças nem em meios eletrônicos de processar mais dados. A verdade simples é que a passagem à Era da Intuição diz respeito ao que você pode saber e fazer com a energia e como desenvolver uma sensibilidade efetiva, expandida.

Talvez você tenha escolhido este livro porque gostaria de deter a espiral de quedas emocionais que impede que sua vida vá para a frente. Talvez você se sinta esgotado por pessoas perturbadas e reativas ou deprimidas e apáticas. Talvez sinta-se subjugado por estímulos incessantes e não queira continuar a sentir-se como se estivesse anestesiado ou hiperativo. Talvez sinta-se confuso pelo excesso de informações sutis, não verbais, que captou de outras pessoas, dos noticiários, do futuro e dos fatos de sua vida. Você quer entender, mas não sabe dizer exatamente o que o está afetando.

Talvez você queira reaver sua natureza espiritual sensível, que se perdeu em meio a interesses acadêmicos, administrativos ou materialistas. Sua mente analítica pode ter-lhe trazido sucesso na profissão, mas talvez seja necessário ser loucamente inovador, motivar as pessoas e revolucionar sistemas que parecem dinossauros. Você fez progressos compreendendo a "lei da atração" e quer conhecer melhor os novos princípios de nossa realidade emergente? Está tentando encontrar o equilíbrio certo entre a vontade e a confiança para criar sua vida?

Caso se sinta quase paralisado diante do desafio de purificar-se ou mudar rapidamente, não se preocupe. Tudo está acontecendo no tempo certo, e nós estamos nesse processo juntos, todos aprendendo a ajustar-nos ao fato de as frequências mais altas de percepção serem a norma. Estamos saindo de um mundo onde aprendemos a usar a esperteza e a força de vontade para suprir lacunas imaginadas entre nós e os outros — e aquilo que desejamos — para outro mundo em que não há lacunas a suprir, onde o amor, o apoio, a materialização fácil dos resultados e a liberdade estão ao alcance da mão.

> A verdade é que nossos melhores momentos têm maior probabilidade de ocorrer quando estamos nos sentindo profundamente incomodados, infelizes ou insatisfeitos. Pois apenas nesses momentos é que, impelidos pelo desconforto, nós nos inclinamos a sair da rotina e a começar a buscar modos diferentes ou respostas mais verdadeiras.
> **M. Scott Peck**

Sua frequência mais alta pode ser normal

Tenho absoluta certeza de que você, sozinho, pode livrar-se da casca que o separa de uma experiência sublime do Eu e de uma vida muito melhor. Você não precisa ter gurus nem ser catapultado a experiências *sobre*naturais por fatos drásticos — está se tornando um ser de frequência tão alta aqui mesmo, em seu corpo físico, que aquilo que antes era *meta*físico, *trans*pessoal e *para*normal agora é quase banal. Algumas das peças que faltam a uma visão mais ampla do conjunto estão aflorando à sua consciência, e essa nova compreensão facilita-nos a todos atingir o "ponto crítico" que conduzirá à Era da Intuição.

Muitas das pessoas com quem eu falo estão prestes a entender que nós nunca deixamos o Lar — a experiência do "céu" — e que, ao mesmo tempo, temos sonhado o Sonho mais impressionante e cativante, chamado "vida na Terra". Para despertar completamente do sonho, você precisará ter uma experiência cotidiana da alma, do seu estado de frequência mais alta, que aceite como normal. Essa experiência é, entre outras coisas, uma experiência de empatia e compaixão, na qual um sentimento de alta qualidade o transporta através e além da sedução do sofrimento, das limitações da lógica e da obscura hipnose do mundo. Você tem de *sentir-se* digno do amor, amado e amante, até nas próprias células, para poder apreender a verdade de sua identidade iluminada, conhecer a unidade e acostumar-se a um modo expandido de viver. Sendo conscientemente sensível às informações sutis codificadas em frequências de energia, você fará o caminho mais rápido para chegar à experiência desse estado prenhe de certeza do amor e da alma.

Para descobrir as informações e a experiência armazenadas em nossas vibrações mais refinadas, estamos empreendendo um movimento evolucionário para "baixo", de nossa visão impetuosa da vida para o conhecimento de nosso corpo. Entretanto, como deparamos com a emoção quando fazemos isso — e como a emoção às vezes catalisa confusão, resistência e pânico, além de alçar-nos a um sublime transe místico, nós tendemos a evitá-la. Evitando a emoção, criamos uma lacuna onde não experimentamos todo o nosso eu. Escrevi *Frequência Vibracional* para ajudá-lo a transpor as últimas barreiras que o separam do despertar pleno e da *sensação* real da experiência do eu expandido que será seu estado normal na Era da Intuição.

Há mais além da Lei da Atração

Nos últimos anos, surgiu uma série de livros e DVDs que serviram como uma "trilha de migalhas", ajudando-nos a encontrar o caminho nesta época estimulante. Eles popularizaram ideias metafísicas e científicas de ponta de um modo que prendeu o coração e a imaginação do público. Entre eles estão *O Caminho do Guerreiro Pacífico*,[1] *A Profecia Celestina*, The Intuitive Way [O Caminho da Intuição], The Field [O Campo], Quem Somos Nós?, Hado – Mensagens Ocultas na Água,[2] *O Código da Vinci*, *The Law of Attraction* [A Lei da Atração] e *The Secret* [O Segredo]. Essas e outras obras ajudaram-nos a esclarecer o que sentíamos acontecer nos reinos invisíveis e estimularam-nos a cultivar habilidades rudimentares no trabalho com a energia e a percepção interior.

Ao mesmo tempo, graças ao caráter introdutório do material, à ampla gama de tópicos interconectados apresentados em tão pouco tempo e ao clima de medo no mundo, o conteúdo foi mal interpretado de várias maneiras. Eu comparo isso à disposição dos pontos e números de um desenho do tipo "ligue os pontos" — depois que ele é feito, você ainda precisa conectar os pontos para que o esqueleto do elemento apareça e você possa preenchê-lo com suas preferências artísticas, com seus lápis de cor ou aquarelas favoritos. Escrevi *Frequência Vibracional* para ajudá-lo a completar o desenho.

Quero auxiliar seu processo de transformação

Um dos efeitos secundários de minha prática com a intuição foram as visões. A partir de meados dos anos 1970, comecei a ter muitas sobre o que está acontecendo nos bastidores do mundo de hoje, em que tudo parece estar se intensificando. Reconheci logo que estávamos vivendo o início de uma transformação pessoal de um tipo que não se via em milhares de anos e talvez nunca em

---

1. Publicado pela Editora Pensamento, São Paulo, 1993.
2. Publicado pela Editora Cultrix, São Paulo, 2006.

nível global. Na década de 1980, comecei a fazer palestras sobre esse processo de aumento de frequência com títulos como "Previsões e futuras tendências", "A percepção holográfica e o novo paradigma" e "Eliminando a lacuna entre o eu e a alma". Nessas ocasiões, eu delineava os componentes do processo de transformação e, depois, o pessoal que estava na plateia costumava me dizer: "Isso me ajuda a ter uma compreensão mais ampla do que estou vivendo. Antes de saber que o processo tem um propósito sublime e um desfecho positivo, estava confuso/amedrontado/deprimido".

> Talvez uma transformação interior radical e a chegada a um novo nível de consciência sejam a única verdadeira esperança que temos na atual crise global provocada pela preponderância do paradigma mecanicista ocidental.
> **Stanislav Grof**

Portanto, quero ajudá-lo a compreender esse processo semi-invisível que está influenciando você, para que possa atravessar suas fases com fluência. Quero indicar-lhe técnicas que permitem transformar a emoção bloqueada numa delicada sensibilidade de modo que você possa decifrar as mensagens contidas nos inúmeros estados vibracionais. Quero que você se saia bem, que seja mais fácil decidir viver de sua vibração pessoal mais elevada e natural, que é a que corresponde à sua própria alma. Quero que você saiba como voltar a centrar-se nela quando as vibrações inferiores de outras pessoas o puxarem para baixo. *Existe* uma maneira de tornar-se um "sensitivo" saudável e saber trabalhar com a sua vibração pessoal *é* uma grande força.

Um diário torna seu crescimento mais consciente

Manter um diário é um meio infalível de acompanhar seu processo de crescimento. Com ele, você poderá documentar o que acontece à medida que penetra nesse corpo de informações. Ao longo dos capítulos deste livro, você encontrará diversos exercícios simples que o ajudarão a praticar os conceitos que estou propondo. Procure fazê-los e escrever sobre os seus resultados. A que revelações você chegou? Que dificuldades ou surpresas você encontrou?

Você pode tentar a *escrita direta*, deixando que o texto emane de seu âmago e que as palavras fluam espontaneamente sem censura. Comece fazendo uma pergunta que funcione como um ímã para atrair uma resposta da parte mais profunda de sua consciência. Deixe que as primeiras palavras venham; elas atrairão as seguintes. Não pense adiante nem tente adivinhar ou criticar o que está sendo dito. Se alguma palavra estranha vier-lhe à mente, escreva-a. O que deve acontecer em seguida simplesmente acontecerá. Para manter o fluxo, é melhor não ler o que escreveu antes de terminar. Você ficará surpreso com o frescor e a precisão daquilo que escreverá.

> Para conhecer uma coisa, mergulhe nela como a pena na tinta; deixe que ela a escreva com suas próprias palavras.
> **Elizabeth Ayres**

Ao fim de cada capítulo, sua percepção pode mudar!

Ao fim de cada capítulo, incluí um trecho de escrita direta oriundo de minha *frequência original* — meu eu nuclear ou vibração anímica — no momento de tranquilidade de um estado de percepção superior. A voz das mensagens é apenas a voz simples de nossa unidade, uma voz a que todos igualmente temos acesso; não se trata de nenhuma entidade recebida. Quando escrevi esses trechos mais inspirados, nem minha personalidade nem minha voz normal na escrita ocupavam a linha de frente. As palavras surgiram como a descrição mais simples e direta de sensações — ou realidades — mais profundas que se revelavam *à medida que eu escrevia*. Nelas pouco se perde, e cada oração tem o poder de transportá-lo. Decidi incluir essas mensagens por diversas razões:

1. Elas constituem um exemplo do tipo de orientação sábia e centrada que o seu eu interior pode acessar quando você está muito tranquilo e sensitivo. Com sorte, a leitura das mensagens o estimulará a tentar encontrar uma fonte própria e clara de direcionamento e respostas.
2. Quero que você veja que a comunicação que provém do coração e da alma de qualquer um de nós — ao contrário das opiniões cacófonas de nossa mente, que não para de mudar — tem um apelo universal e contém verdades universais.
3. As mensagens oferecem *insights* sinceros que muitas vezes ampliam o sentido dos pontos desenvolvidos em cada capítulo. Como faz a poesia, quando comparada à prosa ou à escrita técnica, as mensagens levam-no além da lógica pura e simples, permitindo-lhe ver que nem todo saber precisa encaixar-se em compartimentos ligados para fazer sentido.

4. Quero que você sinta o contraste entre a compreensão de cada capítulo com o lado esquerdo do cérebro — que é analítico e gosta de andar rápido — e a sensação de mudar intencionalmente para um ritmo mais lento, para que você possa *intuir* sentidos mais profundos, menos intelectuais e mais pessoais com sua "mente intuitiva do coração". Vivendo essa mudança da superfície para o âmago, da "velha" percepção lógica linear a que estamos tão acostumados para o saber experiencial "novo", imediato, que esses trechos exigem, você começará a entender como entrar no modo altamente vibracional, instantâneo e transformado de conhecer o mundo que estou descrevendo em *Frequência Vibracional*.

Se ler estas mensagens *muito* mais lenta e deliberadamente do que em geral faria, lê-las em voz alta para si mesmo ou fechar os olhos e escutá-las na leitura de outra pessoa, você perceberá que elas têm um ritmo e uma vibração diferentes das dos textos comuns. Talvez elas lhe pareçam piegas — e até mesmo *New Age* (ou Nova Era) — se você as ler com espírito demasiado rápido ou tangencial. Porém, se desacelerar e conseguir "ficar com" elas e senti-las no próprio corpo, elas assumirão uma dimensão maior e o abrirão para novas realidades. Às vezes, deixar uma frase ou oração na mente por mais alguns momentos que de hábito faz surgir um sentido oculto. Essa é uma pequeníssima demonstração de quanto a realidade parece e se faz sentir diferente quando percebida só pela mente e quando percebida a partir da unidade entre mente, coração e corpo.

Você pode saltar estas *mensagens da frequência original* ou usá-las para praticar a entrada em sua própria frequência original (que descrevo detalhadamente no Capítulo 5). Talvez você prefira ler todas elas de uma vez quando chegar ao fim; na verdade, não importa. O interessante seria observar sua reação à mudança de ritmo, vibração e foco que as mensagens provocam. Caso se sinta, por exemplo, irritado — ou aliviado — ao ler alguma, isso pode ser uma pista sobre seu progresso nas transições fundamentais de seu próprio processo de evolução pessoal.

Usar a intuição contribui para que você vivencie mais

À medida que você ingerir e digerir o material contido em *Frequência Vibracional*, será útil prestar atenção à sua intuição. A intuição é uma percepção direta e imparcial que provém da unificação de partes fragmentadas de sua consciência — seu corpo, suas emoções, sua mente e seu espírito — e surge quando você está concentrado no momento presente, alerta porém não tenso, ligado a seu corpo e seus sentimentos, não usando da força de vontade e sentindo-se simples e aberto. A intuição pode se expressar, a partir de diferentes níveis do cérebro, como atração ou repulsa instintiva, como impressões de um dos cinco sentidos ou como um súbito lampejo de compreensão acerca de um sentido, sistema, visão ou padrão de informação complexo. Como disse eu em *The Intuitive Way,* "Nossa intuição é um catalisador do nosso aperfeiçoamento e realização pessoais porque, quando se trata de promover mudanças profundas e duradouras na vida pessoal, só a experiência subjetiva, e não os fatos, é que registramos como real".

Quando você faz pausas na leitura e divaga um pouco, podem lhe ocorrer *insights* intuitivos. Quando você está vivendo no mundo lá fora, podem surgir experiências que se relacionam com o capítulo que está lendo. E quando diz aquele "a-ha" intuitivo que equivale a um "Eureca!", a informação ganha ainda mais realidade aos seus olhos. Muitas vezes, você terá de sentir ou pressentir como uma coisa funciona para entender plenamente os conceitos apresentados. Enquanto desenvolve sua sensibilidade, será sua intuição que lhe trará revelações sobre os significados das vibrações que você percebe. A intuição é uma porta que revela uma realidade superior e uma experiência mais clara do Divino. E, no final, é sua interpretação subjetiva daquilo que sua intuição lhe traz que libera ou inibe sua capacidade de agir e crescer.

Buscando a frequência

A ideia de que o universo invisível é mais real que o visível de fato nunca foi tão amplamente aceita pelos cientistas quanto neste século climático. Só que ela está longe de ser nova para filósofos e visionários porque, não esqueçamos, Aristóteles chamava a vida de "espírito que permeia a matéria", conceito que todas as grandes religiões endossariam com ardor [...] a filosofia do misticismo surge como eminentemente razoável [...] a recém-percebida realidade do mundo não material, de campos que influenciam, de ondas que transmitem, de mentes que permeiam.

Guy Murchie

Desde o início dos anos 1970 estou profundamente envolvida no desenvolvimento da intuição e interesso-me por aquilo que os budistas chamam de *percepção hábil* (basicamente, saber como usar a mente para sanar o sofrimento). Meu entusiasmo pela intuição e pelos mistérios que a ela se relacionam nunca decresceu e, por meio de seu estudo, encontrei verdades unificadoras semelhantes em todas as religiões e caminhos espirituais, além de muitos segredos para maximizar um fluxo mais fácil na vida. Tem sido parte de minha prática da intuição trabalhar com a "arte de questionar" — inquirir regularmente o que sei para ver se esse saber se dissipa ou evolui para algo mais abrangente, específico ou totalmente diferente. Houve momentos em que um interesse — como a reencarnação e o conhecimento de minhas vidas passadas, que constituiu grande parte de minha visão de mundo durante muitos anos — cresceu até tornar-se algo tão grande e impessoal que não teve mais o mesmo sentido ou importância, e eu parei de concentrar-me tanto nele. Sempre é surpreendente ficarmos muito fascinados com alguma coisa e depois muito indiferentes. Porém aprendi que a intuição é mais precisa quando continuamos honestos e flexíveis.

Apesar de minha prática de questionar, não havia me ocorrido que poderia haver outro estágio além do desenvolvimento da intuição, uma habilidade mais específica que pudesse nos levar mais longe em termos de nosso potencial humano. Há pouco tempo, ocorreu-me que eu havia não só me tornado intuitiva, mas também, por intermédio de minha prática do aconselhamento e da assistência social, desenvolvido sensibilidade empática a vibrações, texturas de energia, frequências da consciência e padrões de emoção, crença e finalidade entremeados. E que trabalhar com tudo isso seria a etapa seguinte.

Estamos todos evoluindo para um aumento da sensibilidade

Todos nascemos sensíveis e empáticos, mas por falta de reconhecimento e treinamento, essa capacidade muitas vezes se fecha ou é posta numa prateleira "para uso em data posterior". É uma sorte que a minha esteja ativa. Agradeço a minha mãe por ter plantado cedo em mim as sementes da sensibilidade; costumávamos esperar no carro enquanto meu pai dava uma passadinha no escritório em Chicago aos sábados. Para passar o tempo, brincávamos de adivinhar o que as pessoas estavam pensando. Líamos a mente dos transeuntes e criávamos para eles vidas imaginárias. Para disciplinar-me, ela geralmente invocava a Regra de Ouro, dizendo: "Como você se sentiria se estivesse no lugar dessa pessoa e alguém lhe fizesse isso?". Eu interpretava a pergunta literalmente e me transportava, pela imaginação, à realidade do amigo injustiçado. Estava aprendendo a "intuir" as pessoas.

Quando comecei a trabalhar profissionalmente com a intuição, ali pelos 20 anos, as informações vinham predominantemente através dos sentidos interiores da visão e da audição, e eram rápidas e impessoais. Logo minha intuição passou a ser mais tátil, voltada para as sensações: aquilo que os metafísicos chamam de "clarissenciência", o sentido espiritual do tato. Percebi que estava sentindo as pessoas com todo o meu corpo, e não só com a cabeça, e que estava pessoalmente muito mais ligada, embora o processamento fosse mais lento. Comecei a me sentir do mesmo modo que meus clientes se sentiam. Eu olhava para um cliente cujo rosto estava contorcido e sentia meu próprio rosto assumir exatamente aquele padrão muscular. Em poucos instantes, conhecia a repulsa com que ele convivia. Se eu me sentasse diante de uma cliente que tinha o peito e os ombros encolhidos, sentia em mim sua postura interior, o que me levava a compreender a razão pela qual ela se sentia triste ou derrotada.

> Somos como ilhas do mar:
> separadas na superfície, mas ligadas nas profundezas.
> **William James**

Enquanto fazia as leituras, muitas vezes eu sentia os sintomas físicos, digamos, da angina ou do tornozelo quebrado do cliente, ouvia música se ele tivesse vocação para música ou sentia o cheiro das flores ou do mar se ele se voltasse para os odores. Às vezes, eu sentia uma textura energética como se fosse lixa, ou cinzas ou seda e, por fim, percebi que era assim que a outra pessoa estava sentindo a realidade dela. Comecei a chamar esse fenômeno de "impressão direta". Achei que isso é que era ser impressionável, só que num nível muito sutil, como se a informação e o sentimento estivessem de fato sendo impressos em mim. Também aprendi a não deixar que esse modo de saber representasse uma desvantagem, pois assim que me concentrava novamente em meu próprio corpo e em minha alegria nata, eu voltava a meu eu normal, relativamente bem equilibrado.

> Todo o mundo exterior e suas formas
> são uma característica do mundo interior.
> **Jacob Böhme**

Há alguns anos, recebi para consulta uma mulher que havia sofrido abuso físico e sexual na infância. Eu ignorava o fato, e ela estava tensa e taciturna. Eu não tinha experiência suficiente para reconhecer ali o fenômeno que isso havia então se tornado. E quando ela se sentou com hostilidade na cadeira em frente à minha, com os braços bem cruzados, agindo como se não quisesse estar ali, eu me senti intimidada e amedrontada e, em seguida, zangada. Porém, recorri à gentileza profissional e comecei a fazer a leitura. À medida que ia penetrando nas camadas defensivas dela, descobri o abuso e senti o quanto ela estava ferida e vulnerável. Percebi que tinha captado os sentimentos *dela* alguns minutos antes; *ela* é que estava intimidada e tinha medo e raiva. Então, quando senti o amor que ela guardava sob tudo, fui invadida por uma compaixão pelo que ela havia corajosamente enfrentado.

Contei-lhe como eu sentia seu verdadeiro eu, e ela rompeu em soluços. Entendi então que ela havia inconscientemente mimetizado as emoções de seu agressor (uma forma negativa de empatia ou sensibilidade corporal) e estava pondo para fora os mesmos traços que ele lhe havia mostrado, só que de um modo diferente. Pensei: "Quantas pessoas reagiram a essa mulher como eu quase fiz, refletindo-lhe a falta de carinho, a rejeição, a raiva e a rudeza, e reforçando sua ferida?". Aprendi com ela uma lição valiosa sobre a relação entre o que eu sinto e o que as pessoas a meu redor estão sentindo. Somos como diapasões: copiamos as ressonâncias que "tocamos" energeticamente.

Quero frisar que esse aprofundar da orientação principalmente visual-mental para um modo mais voltado para a sensação e, por fim, para uma ultrassensibilidade voltada para o corpo ainda mais profunda foi o caminho que minhas capacidades tomaram para se desenvolver, e que esse caminho não é melhor que nenhum outro. Certas pessoas conseguem permanecer mais distantes, trabalhando com a parte superior do cérebro, ou recebem informações por meio de um único sentido preferencial, como a audição. Meu caminho através dos níveis do cérebro até a fusão com o corpo tem sido meu professor, levando-me gradualmente direto aos princípios da vibração pessoal que tanto desejo mostrar com este livro.

"Intuindo" a vida, será possível aprender muita coisa

Já fiz dezenas de milhares de leituras de vida particular e profissional. Durante as sessões, relaxo até adquirir uma identidade pessoal suave, menos definida, e me expando até abarcar mais espaço e tempo, elevando a frequência de meu corpo, minhas emoções e minha mente até um nível superior. À medida que me concentro na pessoa e procuro fazer com que a frequência de minha energia corresponda à dela, conscientizo-me de uma porção igualmente expandida dessa pessoa, um campo de informações que contém o potencial dela. Na verdade, eu me fundo a ela ou a *intuo*. Essas informações energéticas então vêm à tona em mim como se eu fosse ela e, imediatamente, descubro um padrão complexo que inclui seus desejos terrenos, intenções anímicas, permissões, bloqueios, lições de vida, talentos e qual será a provável sensação quando ela atingir seu potencial. Sei isso por meio de meus próprios sentimentos e sensações corporais. O desafio então é articular esse corpo de informações numa sequência lógica que possa ser entendida pela outra pessoa. Muitas vezes já constatei que, nesses níveis mais profundos, é impossível que nós de fato estejamos separados dos outros. Muita coisa é compartilhada. No entanto, paradoxalmente, somos todos únicos. Como tudo isso funciona realmente confunde a mente!

> Às vezes sinto como se estivesse espalhado na paisagem e dentro das coisas e vivo eu mesmo em cada árvore, no quebrar das ondas, nas nuvens e animais que vêm e vão, no suceder das estações.
> **Carl Jung**

O mesmo processo de *intuir* pode ser usado para compreender profundamente qualquer coisa: uma dinâmica familiar, uma planta doente, uma empresa, uma tendência de mercado, um país. Sei que isso é uma habilidade que todos estamos desenvolvendo. Na verdade, a sensibilidade que nasce da capacidade de entrar em comunhão com a vida é o nosso meio mais normal de conhecer as coisas. Quando conhecemos e interagimos por intermédio de vibração expandida, de nível superior, o resultado é sempre compreensão, apreço e compaixão. Estou contando essas coisas porque talvez você, leitor, também possa conhecer outras pessoas de maneiras inexplicáveis ou sinta um aumento da sensibilidade que o encha de informações e percepções que não tem certeza de que são suas ou não. Quero tranquilizá-lo de que sua sensibilidade pode tornar-se um trunfo incomparável para viver neste mundo, fazer negócios ou alcançar a sabedoria. Além de aprofundar seu saber, o trabalho com a força de sua vibração pessoal pode ajudá-lo a dissipar seus medos e a ser mais amoroso, a promover uma verdadeira estabilidade, ter relacionamentos melhores, tornar manifesta a vida que você precisa e quer e acelerar seu crescimento espiritual.

Como este livro me sugeriu seu título

Adoro a sincronicidade porque as experiências de alinhamento são divertidas e reconfortantes, e elas chamam-me a atenção para a ação de uma força superior que coordena a vida. Embora a ciência nos diga que a coincidência é normal 20% do tempo, continuo prestando atenção a prenúncios e sinais. No caso da criação deste livro, recebi um sinal que foi direto ao meu coração e demonstrou os princípios sobre os quais escreveria.

Meu pai morava sozinho na Flórida, a quase 2 mil quilômetros de mim, e tinha muitas emoções conflitantes escondidas por trás de uma fachada estoica. Ele nunca demonstrava muita efusão nem gostava de conversar sobre o que realmente importava — por medo de perder o controle e virar um bobo chorão, acho eu —, de modo que sempre me sentia um pouco tensa quando estávamos juntos. Em 2000, ele morreu de repente, sentado em sua poltrona após o jantar: seu coração parou. Um vizinho o descobriu quatro dias depois. Mal pude acreditar que não tinha percebido que isso poderia acontecer, que não tinha telefonado ou feito uma visita a ele antes. Talvez ele não quisesse que ninguém interferisse na sua tranquila passagem e tenha impedido que eu visse sua morte. Mas, mesmo assim, continuei me sentindo mal por não ter estado lá com ele.

No dia em que ele morreu, eu estava escrevendo um livro sobre sonhos e não conseguia me concentrar. Deixava o computador a todo momento e andava pela casa, parando e olhando para o nada. O que eu estaria tentando fazer? Por que meu fluxo criativo estava bloqueado? No início da tarde resolvi desistir, sair um pouco e ir ao cinema. Eu não sabia o que estava em cartaz, mas cheguei a tempo de assistir à sessão de um filme chamado *Alta Frequência*, com Dennis Quaid e Jim Caviezel. Nesse filme, um filho descobre que, graças a estranhas condições atmosféricas, pode falar com o pai, já morto, por meio de seu rádio de ondas curtas. Comunicando-se desse modo — encontrando uma frequência comum que atravessa tempo e dimensões —, eles solucionam mistérios, curam antigas feridas e criam um futuro melhor, no qual o pai não morre tão cedo. Calculei que estava assistindo a esse filme enquanto meu próprio pai morria, e isso foi o mais perto que cheguei de estar ao lado dele nesse momento. Desde então, esse filme tem para mim uma carga emocional especialmente forte.

Corte para o presente. Estou esquematizando umas ideias para este livro, e minha mente está cheia de possibilidades em termos de coesão, estrutura e oportunidade. Como o chamarei? Encho as páginas de um caderno com uma variedade de frases inteligentes e subtítulos que as modificam quando minha mão — por si só — escreve FREQUÊNCIA, assim mesmo, em maiúsculas. Fiquei encarando a palavra. Senti meu pai muito perto, ouvi sua risada, como se estivesse esperando que eu entendesse a graça de uma de suas inúmeras brincadeiras. Pensei: "Hum, talvez seja bom. Certo, talvez seja bom *mesmo*! Não, é simples demais. Não, é o nome de um filme. Mas, sim, na verdade tem a vibração certa". Estremeci, parei um instante e percebi que havia acabado de vivenciar a mesma frequência comum, que atravessa as dimensões entre a vida e a assim chamada "morte", que os personagens vivenciaram no filme. E meu pai estava desfrutando imensamente das camadas de significados. Eu havia acabado de vivenciar a força e a magia da *frequência*.

> Não se pergunte do que o mundo precisa; pergunte-se que faz você despertar. Então vá e acorde, pois o que o mundo precisa é de gente desperta.
> **Harold Whitman**

Escrever este livro foi, por si só, um aprendizado para mim. Eu achava que sabia sobre vibração e sensibilidade quando comecei, mas as informações e *insights* que me vieram espontaneamente no curso da escrita foram muitas vezes avassaladores. Foi muito divertido penetrar nesse corpo de conhecimento e transformá-lo em palavras; na verdade, quanto mais o explorava, mais alegre eu ficava. As visões e a compreensão da realidade vindoura a que cheguei não são nem um pouco terríveis; são boas e brilhantes. Dou-lhe as boas-vindas nesta fascinante investigação dos potenciais que estão pacientemente aguardando dentro de você o momento de ver a luz. O momento é este, e espero que você o desfrute ao máximo.

Penney Peirce
Condado de Marin, Califórnia

1

NOSSA TRANSFORMAÇÃO É COMO A DA FÊNIX

> Em cada ser vivo, há uma parte que quer se transformar nela mesma: o girino, no sapo; a crisálida, na borboleta; o ser humano fragmentado, num ser pleno. Isso é espiritualidade.
>
> **Ellen Bass**

Talvez você já tenha se sentido como se fosse um balão que está sendo inflado com gás hélio. Ele fica cada vez maior, expandindo-se até ficar imenso, e o gás continua entrando... Pare um minuto para tomar consciência de tudo o que interessa, agrada e chateia. Depois inclua todas as inovações, fatos novos e cotidianos, sensacionalismos e curiosidades que existem no mundo. Em seguida, acrescente todas as opiniões, queixas, hipocrisias, tragédias, dramas e medos. Sinta tudo isso dentro de você, querendo ser conhecido, tentando romper os limites da tênue membrana que mantém a existência de nossa realidade. Quanto espaço ainda existe ali? Quanta pressão você consegue aguentar até que a sua realidade exploda? Deve haver outro modo menos limitado de saber das coisas! Felizmente, estamos no meio de um processo evolucionário cujo resultado final será novos tipos de percepção, identidade e realidade totalmente livres de restrições.

Existe uma boa razão para nos sentirmos animados e pressionados

Caso você queira entender plenamente a realidade energética emergente e sua alta frequência e ilimitada percepção, é bom saber que há uma boa razão para nos sentirmos abalados, ultrassensíveis ou desorientados. A realidade da Era da Intuição será o resultado de um processo gradual, porém razoavelmente rápido, de transformação pessoal e social. Ele pode nos expor a uma experiência emocional e energeticamente muito difícil, mas no fim nos levará a um destino impressionante que iremos adorar. E — sim — há um conjunto de instruções que nos ajudarão a chegar lá. É crucial entender o processo de transformação como um todo, caso não queiramos saltar de uma tendência popular no pensamento para a última técnica energética e, nisso, perder de vista componentes-chave que podem tornar essa experiência mais tranquila, rápida e integrada.

Neste capítulo, quero fazer um resumo da jornada de transformação em que embarcamos, para que você possa ter uma referência do que está acontecendo conosco e com o mundo. Nos capítulos subsequentes, mergulharemos na exploração da força da vibração pessoal para percorrer os estágios do processo de transformação, para que você aprenda a desenvolver uma sensibilidade saudável e consciente que beneficie tanto os outros quanto você mesmo.

> Estamos numa fase de transição entre uma era e outra, quando tudo é possível.
> **Václav Havel**

Já faz anos que ouvimos falar de *mudança de paradigma, salto quântico, nova ordem mundial, ponto de virada, nova era* e *realidade holográfica* no mundo da física, dos negócios, da espiritualidade e até da política. Mesmo *Guerra nas Estrelas* deu-nos uma imagem poderosa do "salto para o hiperespaço". Thomas Kuhn popularizou o conceito de mudança de paradigma em 1962, definindo a evolução como "uma série de interlúdios pacíficos pontuados por revoluções intelectualmente violentas" na qual "uma visão conceitual do mundo é substituída por outra". Então, basicamente, a mudança de paradigma implica uma mudança em nossa forma de pensar a vida que acarreta, por sua vez, uma mudança de comportamento. Lembremos de como os avanços na agricultura mudaram as sociedades primitivas, baseadas na coleta e na caça. Ou de como a invenção da imprensa libertou-nos do domínio da igreja e da Idade das Trevas. O mesmo vale para os computadores pessoais e a Internet, que tanto nos ajudaram a deixar de ser isolados e locais para nos tornar cidadãos globais interconectados. Por mais significativos que tenham sido, esses avanços situam-se no âmbito da *mudança*. Acredito que o que está acontecendo hoje é mais que mudança; estamos vivendo uma época de *transformação*. Qual é a diferença?

Mudança + Próxima dimensão = Transformação

Imagine uma mesa de jantar com copos, pratos e talheres, travessas de comida, bebidas e um arranjo decorativo no centro. Agora misture essa arrumação: coloque o saleiro dentro de uma taça de vinho, os guardanapos sobre os pratos, a comida na toalha da mesa, em vez de nas travessas, quebre a saladeira em pedaços e vire o arranjo de centro de cabeça para baixo. Pronto! Temos mudança. Rearrumamos as coisas que existiam, criando novas formas e relações, mas todas elas continuam existindo em cima da mesa em tempo e espaço. Além disso, ainda há a percepção de que essas coisas estão separadas umas das outras, sólidas e inertes.

Transformação, metamorfose ou *transmutação* é algo completamente diferente. Essas palavras implicam uma mudança alquímica na natureza básica de alguma coisa, a passagem de um estado de energia para outro, uma mudança espantosa que ocorre miraculosamente, como se num passe de mágica. A lenda da fênix exemplifica essa "morte" do eu comum pelo fogo que transmuta e purifica (crescimento espiritual) e seu "renascimento" das cinzas como uma criatura do ouro (luz e amor). Em nosso exemplo da mesa de jantar, a água poderia passar para o estado gasoso e dar a impressão de ter desaparecido, ou a mesa inteira poderia transmutar-se numa experiência de seu sentido sublime — abundância ou amor entre os membros de uma família — e deixar inteiramente de ser uma coisa física.

Estamos prestes a viver uma grande mudança de identidade

Imagine um ponto único flutuando no espaço e você é esse ponto. A vida não tem dimensão nem movimento, e você praticamente não tem nenhuma noção do eu. Agora imagine uma série de pontos que se reúnem como as contas de um colar, até que seja atingida uma misteriosa massa crítica de percepção e nasça uma nova realidade, chamada "a linha". Você se funde inteiramente a esse mundo novo, esquecendo sua identidade de ponto. Você se torna uma "linha". Você tem um eu expandido e vive num mundo de novas regras: há um *movimento* oscilante de ida e vinda. Você é muito mais livre do que quando era um ponto.

Quando minha identidade muda, a realidade simultaneamente muda.
Quando a realidade muda, minha identidade simultaneamente muda.

Agora veja se consegue sentir o que ocorre quando uma série de linhas se reúne e se acumula numa dimensão antes desconhecida, precipitando um novo estado de percepção chamado "o plano". Você esquece sua identidade de linha; agora pode movimentar-se não só em duas, mas sim em quatro direções, para qualquer lugar e até em curvas. A vida como "plano" lhe dá muito mais opções, e você mal consegue lembrar seu antigo eu limitado.

Em seguida, tente sentir o que ocorre quando uma série de planos se reúne, se empilha e se expande em uma *outra* dimensão, catalisando a realidade do "cubo" tridimensional. Você esquece sua identidade de plano porque agora se abriu para algo que parece um sem-fim de espaço e possibilidade. Seu mundo contém tempo, espaço e matéria: objetos finitos e espaço vazio, um mundo exterior e um mundo interior, passado, presente e futuro, e uma ideia de eu baseada no que outros seres refletem para você. Isso lhe parece familiar? Esse mundo "cúbico" tridimensional é onde vivemos agora, quem pensamos que somos e o que definimos como normal.

Eis-nos aqui, seres tridimensionais um tanto insatisfeitos e extremamente empolgados, aproximando-nos do momento do próximo salto evolucionário. O que poderia transformar o mundo e nossa noção do eu? Provavelmente não terá muita relação com computadores que funcionem em menos *tempo* nem com viagens pelo *espaço* em espaçonaves tridimensionais. A transformação de nosso mundo ocorrerá quando a dimensão seguinte em grandeza, a quarta, integrar-se à realidade de nosso "cubo". Podemos pensar na quarta dimensão como o reino da alma, do espírito — mais uma experiência que um lugar —, no qual tudo existe simultaneamente num *campo unificado* de energia e percepção, onde tudo contém tudo o mais, tudo é conhecido e o "amor" é a substância primária da qual tudo se cria.

Como será a realidade quando a terceira e a quarta dimensões se mesclarem? Aqui vai uma dica: não nos interessaremos pelo pensamento linear de causa e efeito nem por formas angulares. Pensaremos em espirais, e a vida se processará em ondas oscilantes. Pensaremos nos fractais e hologramas como a base da consciência; não se pensará em distância, passado nem futuro. Na nova realidade, a alma será a força suprema, a consciência da interpenetração dos reinos visíveis e invisíveis será a coisa mais valiosa e tudo será possível.

Profecia inca sobre a próxima Idade do Ouro

No livro *The Tenth Insight: An Experiential Guide,* James Redfield e Carol Adrienne citam Elizabeth Jenkins, diretora da Wiraqocha Foundation: "Os profetas dos Andes, homens e mulheres santos, dizem que o período entre 1993 e 2012 é crítico para a evolução da consciência humana. Atingimos o ponto que eles chamam de 'Era do Nosso Reencontro com Nós Mesmos'. Os povos andinos acreditam que nós faremos a transição do terceiro para o quarto nível de percepção durante essa fase. O desafio consiste em livrar-nos dos medos coletivos e reunirmos energia espiritual suficiente para que toda a humanidade possa passar à consciência de quarto nível".

Willaru Huayta, um mensageiro espiritual inca do Peru, afirma: "Os filhos do Sol existem desde tempos imemoriais — desde a última Idade do Ouro. Assim como o ano tem quatro estações, as quatro grandes eras cósmicas se sucedem. Após a Idade do Ouro, veio a da Prata. Em seguida, a do Bronze e, por fim, a do Ferro, que é a era atual, a qual consiste nos últimos mil anos. Esta era metálica tem uma forte característica materialista e tem sido uma era de trevas, já que as pessoas se renderam ao egoísmo, usando as forças da Mãe Natureza de um modo negativo. Trata-se de uma época de guerras, fria como o metal. [...] Como um longo inverno, a Idade do Ferro está chegando ao fim agora. Como a primavera, a nova Idade do Ouro está anunciando-se no mundo inteiro.

"Precisamos voltar a conviver com a Natureza para chegar à iluminação, para reconhecer as leis cósmicas e ver nosso corpo como um templo. Cada ser humano é um Templo Sagrado. O altar desse templo é o coração. O fogo do amor, um reflexo da luz maior, arde nesse altar. Essa luz interior deve ser reconhecida, cuidada e venerada. Essa é a religião dos filhos do Sol."

É possível compreender a transformação — eis aqui a minissérie

Ao longo de vários anos de trabalho num plano nuclear, anímico, com as pessoas, individualmente e em grupo, e de tentativas de compreender o rápido crescimento interior que elas vivem, fui elaborando uma descrição extremamente detalhada do processo da transformação. Para simplificar, optei por dividi-lo aqui em nove fases. Porém, esse processo é bem fluido e orgânico, e muitas vezes as fases misturam-se umas com as outras. Você reconhecerá se já viveu total ou parcialmente cada estágio, ou se já tem muitos ou apenas alguns dos sintomas que descrevo. Talvez você tenha passado depressa por uma fase e ficado tempo extra em outra ou tenha ido e vindo entre duas ou três fases durante um certo tempo. É possível inclusive achar que já tinha concluído o processo e, de repente, perceber que foi afetado por uma nova onda de energia de frequência ainda mais alta, e agora percorrer o processo outra vez para acessar mais de sua alma — só que, desta vez, com muito mais facilidade. O tempo que se leva para atravessar uma fase não é fixo; o seu processo será seu exclusivamente, e as partes que têm importância especial para você serão destacadas. Por fim, todos viverão o processo da transformação porque ele está afetando todo o planeta. Quanto mais consciente e proativo você for, mais fácil e rápido você passará pela experiência.

> Não importa que você não vá rápido, contanto que não pare.
> **Confúcio**

Conhecer a lógica da progressão dos estágios nos ajuda a entender a vida e os fatos. Devemos observar que cada etapa flui naturalmente para a seguinte, e em cada uma temos uma opção: resistir à mudança ou confiar em que esse fluxo nos levará a uma vida melhor. Se tentarmos contê-lo para manter o antigo nível de conforto, atrasaremos o progresso, reforçando nosso medo e criando tensão e agitação desnecessárias. Se tivermos certeza de que uma lucidez superior dirige o fluxo e que o certo é viver as experiências de que precisamos, a frequência de nosso corpo, de nossas emoções e de nossa mente se elevará, permitindo que obtenhamos os benefícios de cada fase.

Agora, vamos familiarizar-nos com os nove estágios do processo de transformação e analisar os possíveis sintomas com que cada um deles pode manifestar-se em nossa vida e na sociedade. As primeiras fases do processo dizem respeito à depuração de tudo aquilo que interfere na expressão da alma e na experiência do amor ou os bloqueia. Isso significa que geralmente as pessoas ficam incomodadas porque têm de encarar o medo e as coisas que antes negavam. Felizmente, essas fases não duram para sempre! Há um momento de virada, mais ou menos na metade do processo, quando a luz irrompe e sentimos um profundo alívio. Depois disso, todos os sintomas importunos desaparecem, e começamos a desabrochar como uma flor, vivendo o nosso destino com alegria. O processo de transformação começa quando:

1. O espírito se funde ao corpo, às emoções e à mente

O mundo físico, tridimensional, que julgamos ser a realidade começa a reagir ao influxo de uma energia de alta frequência, como o aroma delicioso de biscoitos assando no forno pode despertar uma criança que está dormindo. A quarta dimensão, o nível de percepção que vem logo em seguida, está se revelando. Alguns dizem que isso é decorrente de eventos cósmicos distantes ou da passagem de um "campo de plasma" de energia cósmica por nossa parte da Via Láctea. Qualquer que seja a causa, à medida que a frequência da energia superior dessa dimensão mais espiritual "cair" e começar a permear nossa vida, despertaremos e reagiremos, ansiando pelo mistério e "elevando" a nossa própria frequência.

Estou animado e sei que a vida não é só isso! Quero algo melhor!

Percebemos que os limites entre o céu e a terra estão ficando mais tênues, tornando-nos mais leves, acelerando a percepção e dando-nos a sensação de que algo importante está à espera por trás de uma cortina. Tem início um processo de interpenetração, que vem em ondas que gradualmente se intensificam até a fusão final da terceira e da quarta dimensões. Enquanto eleva os níveis de consciência e sensibilidade, vislumbramos o que está por vir.

Um dos sintomas desse primeiro estágio é a ênfase na unidade entre mente e corpo que vemos na psicologia, na medicina integrada, no atletismo e em práticas espirituais como o yoga e a meditação. Quando mente e corpo tornam-se um, o espírito — ou alma — se revela e, de repente, sabemos que era ele que estava em tudo o tempo todo. Temos uma revelação do que realmente é estar em um corpo *como nosso corpo* e da consciência de cada célula. Então, imediatamente sabemos qual a reação instintiva do corpo a qualquer situação e por quê. Entendemos que tudo o que é físico de algum modo é consciente.

Podemos ficar interessados em frequentar grupos religiosos ou espirituais, em espiritualizar aquilo que é mundano, em ter mais consciência, em desenvolver a intuição, em sonhar intencionalmente, em descobrir um propósito da nossa vida e a nos ligar a reinos "sobrenaturais" por meio de *círculos em plantações*, orbes, mediunidade, misticismo religioso ou experiências de quase-morte. Podemos também explorar as bases sob a superfície da vida por meio da física, da astronomia, da microbiologia, da oceanografia e da pesquisa genética ou nos interessar por lugares com poderes energéticos ou segredos ocultos — coisas como antigos mistérios, novos remédios, espécies extintas, elos perdidos na cadeia da vida ou "civilizações" intraterrestres.

> Muita gente começa agora a sentir a decantação de uma nova energia, varando a densidade da consciência da massa. Essa energia impele o espírito a encontrar liberdade de expressão e amplifica a voz do coração. Essa nova energia planetária induz as pessoas a pensar mais no coração e seus potenciais em todas as questões humanas.
> **Doc Childre**

2. A frequência da vida aumenta de todos os modos, em toda parte

À medida que a frequência espiritual penetra o mundo físico — que inclui tanto o planeta quanto o próprio corpo —, ela satura também a mente e as emoções. O corpo se acelera para adaptar-se à vibração mais alta, o que a princípio perturba o nível de conforto. A energia de alta frequência ativa emoções não só positivas, como também negativas, o que nos torna mais consciente delas.

O coração pode bater mais forte ou em descompasso. É possível que sintamos ondas de calor, não só porque o corpo está mais quente e mais vibrante, mas também porque os sentimentos estão mais hiperestimulados, expondo-nos a altos e baixos drásticos, além de descargas emocionais imprevisíveis. É possível que fiquemos excepcionalmente sensíveis e elétricos, como se expostos a uma pressão que não cedesse nunca. Veremos nosso processo de "aquecimento" em paralelo ao aquecimento global. A partir daí, será fácil ficar intolerante aos ruídos, às multidões, aos alérgenos, a certos alimentos ou à mídia.

Sinto-me nervoso e inseguro. Tudo me incomoda. Meu corpo dói. Estou cansado, mas não consigo dormir. Quero o que quero JÁ!

Haverá quem não consiga manter a concentração por períodos prolongados, perca a memória de curto prazo e a motivação ou se sinta desorientado. Fisicamente, talvez se sinta exausto, fique mais doente ou tenha mais dores que de hábito. Além disso, talvez se sinta hiperativo, impaciente, irritável e incapaz de relaxar. A insônia é comum, intercalada por fases de sono pesado. Muita gente se refugia na própria mente, apegando-se à familiaridade da lógica e ao desejo de acesso ilimitado à informação. É fácil tornar-se escravo da gratificação imediata. Pode-se tentar fugir de um corpo incômodo ficando distraído ou vivendo no mundo da fantasia, não se importando com os problemas nem com a vida dos outros ou preocupando-se obsessivamente. Pode haver um aumento das disfunções do corpo por "hiperatividade" da frequência superior, como cânceres, vírus, febres, infecções, dermatoses, alergias, ADHD (transtorno do déficit de atenção/hiperatividade) e distúrbios nervosos.

Os efeitos positivos dessa fase, se deixarmos que a energia de alta frequência flua e que o corpo se ajuste naturalmente, são uma maior vitalidade e resistência, além de uma maior consciência, o que implica não apenas sentimentos de frequência mais alta (amor, generosidade, felicidade, entusiasmo), como também pensamentos e motivações de frequência mais alta (inovação, criatividade, inspiração, perdão, serviço, cura). Então ansiamos por saber mais, explorar os mistérios e vivenciar a alma. Entendemos como o amor e o pensamento positivo podem curar e queremos limpar o nosso corpo (perder peso, desintoxicar, rejuvenescer, exercitar, agir com consciência e habilidade).

3. O subconsciente pessoal-coletivo se esvazia

À medida que a taxa vibratória das emoções e do corpo físico aumenta, os bloqueios subconscientes — que são emoções de baixa frequência baseadas no medo — não podem mais continuar armazenados e reprimidos. Não pode haver baixas frequências num campo de percepção e energia de alta frequência. Os bloqueios reagem como milho de pipoca ao calor: eles explodem, saem dos seus esconderijos e vão para o seu consciente. E quando isso acontece, as lembranças reprimidas vêm à tona e surgem dramas e traumas pessoais, promovendo a reconstituição inconsciente de antigas crenças na limitação e na negatividade. Enfrentamos a vergonha, o pesar, o terror, o ódio e os cantos escuros da psique. É preciso empreender a jornada do herói pelo mundo subterrâneo, penetrando o subconsciente e o desconhecido para encontrar a compreensão. Naturalmente, isso provoca muita resistência, e é preciso coragem. Nesse momento, é bom saber que existem métodos comprovados para ir adiante; essa fase não dura para sempre, e as coisas que estão aflorando não são o que somos.

O pessimismo e o pavor tendem a aumentar. Os sonhos e fantasias podem tornar-se bastante intensos, até mesmo violentos e terríveis, e tudo o que imaginarmos de pior pode acontecer. Sentimos que as coisas que estavam em equilíbrio estão se desestabilizando, temos ansiedade e ataques de pânico, e que vamos enlouquecer ou estamos sofrendo de algum distúrbio de personalidade. Escândalos, tabus, abusos e esqueletos no armário vêm a público. Sigilo e privacidade são coisas do passado. Talvez aconteçam explosões — aneurismas, raiva no trânsito, abusos domésticos, atos de terror e erupções vulcânicas — quando a tampa da panela de pressão for aberta. Ou podem surgir dores crônicas à medida que as lembranças de abusos penosos vierem à tona.

Estou aflito e tenho medo. A vida é intensa demais e não dá trégua. Meus piores receios estão ganhando forma. Não consigo me controlar!

À medida que o subconsciente se abre como a caixa de Pandora, observamos um aumento do pensamento dualístico, que só aceita uma possibilidade ou outra. A crença no medo baseia-se na polaridade. Por exemplo, "Se eu falar, serei punido, então devo ficar calado". Vemos nesse ponto muitas polaridades e as crenças e emoções que a elas se prendem: bom-mau, dentro-fora, preto-branco, masculino-feminino, jovem-velho, inteligente-burro, bonito-feio, vencedor-perdedor, vida-morte. Descobrimos quanta força de vontade é necessária para manter os opostos separados, pois a energia acelerada quer juntá-los para que fluam um para o outro e se transformem um no outro, como no fluxo em forma de 8 do símbolo de yin-yang. Quando isso acontece, vivenciamos o lado sombra a que tanto resistíamos. Então, quando o fluxo da energia nos levar para o lado luz, veremos como o escuro e o claro, em seus aspectos positivos, na verdade levam energia um para o outro. Porém, inicialmente, a pressão do movimento ressalta os bloqueios ao fluxo em forma de 8 — seus preconceitos, fixações e resistências — que possam existir em nós.

Evidentemente, é mais fácil ver as fixações inconscientes quando aparecerem nos outros e pensar que elas *só* existem neles: "Eu tenho de ficar calado, de modo que você está agindo mal ao falar tanto e precisar de tanta atenção". Não conseguimos tolerar e queremos rejeitar as pessoas e as coisas que achamos diferentes — em aparência, caráter, inteligência, capacidade ou nível de energia.

Talvez alguém se sinta intimidado, traído ou com inveja. É possível que julguemos e culpemos a nós mesmos e aos demais, enredando-nos numa cilada sem fim de polaridades como melhor-pior, atrativo-repulsivo, agressivo-defensivo ou possessivo-desapegado.

Há um aumento da contestação, dos palavrões, das situações de contraposição de "nós" a "eles" e da condenação. Os relacionamentos, principalmente os que se baseiam na falta de honestidade e de comunicação, têm problemas, atingem impasses e rompem-se pela culpa, pela crítica ou pela recusa em mudar. Pode-se enfrentar um divórcio, conflito judicial, problemas com vizinhos, divergências familiares ou fixação em encontrar a alma gêmea perfeita. Essas coisas tornam-se mais visíveis: crimes por algum tipo de intolerância, tortura, *voyeurismo*, indulgência em relação a tabus, *reality shows* na TV, programas de detecção de crimes e perícias policiais, críticas políticas partidárias, *talk-shows* com apresentadores cáusticos e psicoterapia. Pode haver aumento dos males relacionados ao pânico e ao caos, como a asma, a esquizofrenia, os distúrbios bipolares e fronteiriços e a epilepsia.

O resultado positivo dessa fase, se deixarmos que a energia de frequência mais alta flua e abordarmos com paciência e amor as situações que surgirem, é que aprenderemos que não podemos evitar as polaridades de que não gostamos, devendo permitir que todas as opções façam parte da vida. Adotamos o conceito do "espelhamento", segundo o qual o que está em um de alguma forma também está no outro e vice-versa. Aprendemos a admitir ambos os lados de qualquer polaridade, a ver como eles alimentam um ao outro e a sentir como receber energia e informação de partes rejeitadas de nós mesmos. Adquirimos uma maior conscientização acerca de "gatilhos" emocionais que antes eram inconscientes.

> Mesmo que você viva 100 anos, o tempo na verdade é curto. Então por que não aproveitá-lo para viver esse processo de evolução, abrir a mente e o coração, entrar em contato com a sua verdadeira natureza — em vez de esmerar-se cada vez mais em fixar, agarrar, congelar, fechar?
> **Pema Chödrön**

4. Você reforça suas trincheiras e fortalezas, resiste e volta a reprimir

Justo quando parecia que íamos nos livrar do medo que guardamos há tantos anos e curar de uma vez por todas as feridas emocionais, o ego — aquele aspecto da mente que se baseia no medo e na autoproteção — aparece e grita: "Eu não quero morrer!". Ele luta para preservar os velhos modos difíceis, porém familiares, e recusa-se veementemente a ceder o controle e confiar. Mergulhamos nos velhos recursos da sobrevivência, seja lutando ou fugindo, mas esses são comportamentos cuja eficácia começa a falhar.

Eu não preciso mudar!
Estou no meu próprio mundo e não estou errado!

Sendo batalhadora, a pessoa consegue comprar uma opulenta mansão ou um carro que mais parece um tanque para sentir-se grande e invulnerável, enfrentar o mundo com sistemas fixos de crenças e vício implacável no trabalho ou toma litros de café bem forte. Pode defender a sua própria personalidade, seu individualismo inflexível e seu patriotismo, tornando-se mais arrogante, presunçosa, narcisista, furiosa ou até violenta. Talvez queira ser famosa, poderosa ou rica, ostentar a opulência ou fazer cirurgia plástica. Pode ser que busque segurança controlando o ambiente e as pessoas e, quando perceber que não pode controlar tudo, talvez assuma uma atitude rígida, cínica e sarcástica ou adote como lema a apatia e o desrespeito, agindo como se fosse bacana fazer coisas impróprias, descorteses e amorais quando bem entender. As estruturas patriarcais de poder, como o governo, as forças armadas, o comércio e a religião, desesperada e engenhosamente influenciam as pessoas e mantêm o controle por meio da sedução, da hipnose, de mentiras deslavadas e da ampliação do medo.

As pessoas estão me deixando louco. Por que não somem de uma vez?
Sinto-me preso num conflito.

Se a pessoa for do tipo que evita os conflitos, pode tornar a reprimir as ideias ameaçadoras, resistir à mudança, ansiar por segurança ou refugiar-se num lar aconchegante, perfeitamente decorado e dotado de uma televisão gigante ou no relacionamento com seus pais ou substitutos autoritários desses pais. Talvez coma mais ou menos, engorde comendo alimentos calóricos que aliviam a ansiedade ou fique anoréxica e anestesie-se com áudio e vídeo injetados diretamente na cabeça por meio de engenhocas minúsculas. Talvez finja que não há nenhum problema adotando uma *persona* alegre ou fuja para uma nostalgia do passado, futuras tendências, fantasias de outros mundos ou até apresente traços suicidas. Pode ser que ache que não tem mais nada a fazer na terra e queira juntar-se a anjos ou extraterrestres. Acontece um aumento das enfermidades ligadas à pouca atividade e à resistência, como transtorno obsessivo-compulsivo, derrame, distúrbios ósseos, artrite, falência de órgãos, dependência, depressão, diversos tipos de paralisia e síndromes de exaustão.

O resultado positivo dessa fase é que a pessoa provavelmente terá avanços repentinos em todas as áreas da vida, inclusive revelações que podem ajudá-la a curar suas feridas. Os problemas decorrentes de uma infância difícil podem até desaparecer, o isolamento pode dar lugar à cooperação abnegada e as coisas que antes a faziam reagir com veemência agora mal a incomodam. Ela vê através do caos em que os outros estão presos, não se deixa levar pela sedução e descobre o próprio rumo com mais lucidez.

5. As antigas estruturas se desmancham e vão abaixo

Mas não podemos resistir indefinidamente ao inevitável. Quando vive a morte do ego no nível pessoal e social, muita gente entra em pânico, achando que é o fim do mundo. No entanto, não é isso — é apenas a cobra que troca de pele. O que realmente está acontecendo é que a maneira como nos identificamos está mudando: estamos trocando uma noção limitada do eu por outra bastante expandida. Se agirmos de modo a nos isolar, nos proteger, controlar ou atacar, provocaremos repercussões negativas imediatas. Nesse momento, vale a pena recorrer a um amigo, terapeuta, pastor, guru, programa de ajuda ou aos anjos.

> **Preciso mudar porque nada está dando certo.
> Tenho de ceder. Não sei quem sou!**

À medida que aprendemos a depurar o passado baseado no medo, muitas coisas que antes considerávamos importantes e tornavam a vida significativa se tornam inúteis, até mesmo chatas, e nós as abandonamos. Os relacionamentos que se baseiam na codependência acabam. Os antigos métodos deixam de produzir resultados. Velhos hábitos morrem, e antigas instituições perdem a eficácia e entram em colapso. Percebemos mais mentiras, descrença, histórias vazias, oportunidades monótonas, gente sem talento, arte sem arte e tentativas patéticas de encobrir fraquezas pessoais. Talvez sintamos repulsa. As mais caras ideias, convicções e visão de mundo não resistirão a um exame mais profundo. Ficaremos fartos de ouvir-nos recitar a litania da nossa própria história e nos sentiremos restringidos por ela.

Caso nos apeguemos a pessoas, posses materiais, situações, ideias ou hábitos, seremos obrigados a abrir mão deles. É possível que venhamos a sofrer perdas financeiras drásticas, abramos falência ou percamos emprego, casa, amigos, animais de estimação ou familiares. Talvez nesse momento haja mais mortes em nossa vida que nunca. Os bem traçados planos podem vir a mudar por circunstâncias além de nosso controle. Do mesmo modo, todas as situações em que a sociedade age egoisticamente — políticos dominadores, executivos que ganham fortunas, cultos a celebridades privilegiadas ou proteção da igreja a padres pedófilos — devem acabar para dar lugar a novos comportamentos de alta frequência.

> Quando o superior flui para o inferior,
> transforma a natureza do inferior na do superior.
> **Mestre Eckhart**

Quando as velhas formas começarem a dissolver-se, talvez sintamos desilusão. Talvez nos restem poucas certezas quanto ao que somos, àquilo em que podemos confiar ou à razão por estarmos aqui. Se os limites ficarem indistintos, ficaremos expostos a invasões, seja de germes, parasitas, alérgenos, amigos dominadores, ladrões, terroristas e entidades não físicas. É possível que nos vejamos obrigados a parar, talvez sofrendo uma queda, um acidente ou lesão. O corpo pode ficar suscetível a males relacionados à perda do controle, como desmaios, diarreia, Parkinson, Alzheimer ou esclerose múltipla. Outras questões que podem vir à tona são: quebras de bolsas de valores, figuras públicas que caem em desgraça, teoria do caos, buracos negros, morte e vida após a morte, Armagedon, reencarnação, transformação, a jornada do herói, monstros e criaturas alheias a este mundo, fantasmas, anjos, perdão, jejum e cura espiritual.

Como resultado positivo dessa fase, se renunciarmos às coisas de que não precisamos, veremos que as regras exteriores não são tão necessárias, que seremos dirigidos por algo íntimo e viveremos conforme princípios universais de ordem e harmonia natural. Começaremos a orientar-nos sem esforço por uma sabedoria própria, mais sublime. O fracasso das antigas estruturas é o meio natural que a vida tem de nos preparar para um novo eu.

6. Você para, desiste e se entrega a um eu mais verdadeiro

Finalmente chegamos a um ponto em que não precisamos mais lutar nem brigar. Nada está funcionando. Talvez cheguemos ao fundo do poço ou um momento misterioso de esclarecimento nos sacuda, revelando-nos a verdade simples. Atingimos inteiramente o momento presente, a salvo de um ego controlador. Não mais conseguimos fazer as coisas que antes funcionavam muito bem e experimentamos pela primeira vez a verdadeira sensação da vibração da alma: simplicidade, amplidão, quietude, liberdade e paz. Porém, quando tivermos o primeiro contato com esse estado, podemos confundi-lo com vazio. A mente talvez entre em pânico e pule fora, voltando à ocupação e a ideias e comportamentos confortáveis. À medida que simplesmente aceitarmos as coisas, sentiremos a profundidade do próprio ser, numa experiência que se transforma em alívio, gratidão e, por fim, regozijo. De repente, sabemos quem somos com todo o corpo! Entregamo-nos, encontramos um centro verdadeiro, e a sensação é maravilhosa! Ego? Quem precisa disso? Ficamos bem — ótimos, na verdade — simplesmente como somos. Chegamos ao "fim do progresso". Fazer mais não é a solução.

Então entramos num período de muito pouca motivação. A sensação é a de estar no limbo; queremos ficar a sós ou em contato com a natureza, ou questionamos metas e tudo o que fizemos até o momento, pois temos a impressão de que nada é interessante ou adequado. Mas não nos sentimos vítimas: temos uma atitude muito mais neutra, como se fôssemos um cientista que observa uma forma estranha de vida. Concentramo-nos em aceitar-nos e aceitar os outros e a vida incondicionalmente, procurando seguir a corrente e confiar em tudo. Esse momento é de amadurecimento, quando nos impregnamos da frequência da alma e recebemos sinais claros, apesar de sutis, diretamente do seu âmago. Vale então a pena entrar mais no próprio corpo, ativar a percepção sensorial e artística, apreciar a beleza e os prazeres simples e agir de uma maneira que permita o envolvimento inocente de uma criança.

Quando eu cedo, sinto-me bem! Sinto meu verdadeiro eu em toda parte e o adoro! Na verdade, prefiro-o a qualquer outro e, a partir de agora, recuso-me a sacrificar esta experiência seja pelo que for.

Nessa imobilidade relativa, percebemos que as prioridades, sistemas de crença e moléculas estão se reorganizando: estamos nos "reenergizando".

Reconhecemos os últimos resquícios do que não é verdadeiro na vida e decidimos não participar do mundo senão com autenticidade. Talvez fique óbvio que não nos encaixamos bem no resto da sociedade, mas devemos resistir à pressão para retomar antigos hábitos.

É essencial encontrar uma "sensação autêntica" da alma — uma experiência de uma *frequência original* ou vibração pessoal mais alta — para que possamos sempre selecioná-la e recentrarmo-nos nela sempre que derivarmos demais e ficarmos confusos. Falaremos mais a respeito disso e discutiremos como fazê-lo no Capítulo 5. À medida que essa experiência de estar "em casa no centro" se tornar rotineira, poderemos preferir o novo eu e a nova realidade — esse é o momento crucial de virada em que escolhemos intencionalmente quem desejamos ser e em que tipo de mundo desejamos viver. Interessamo-nos por temas como o poder do momento presente, a lei da atração, a meditação, a autenticidade, a alma, a prece, as dádivas, a renovação, a busca da visão e todas as formas de prática espiritual.

O resultado positivo dessa fase é que, quando fazemos essa opção, a maré vira e a vida, a saúde e a felicidade aumentam tremendamente. É perceptível quanto nos sentimos física e emocionalmente melhor e como é mais fácil ser criativo e bem-sucedido. Ficamos receptivos à percepção, lembramos de verdades sobre nós mesmos há muito esquecidas e adquirimos uma profunda compreensão, em geral de uma só vez. Trata-se apenas de praticar o novo hábito de permanecer nessa frequência original e administrar o nível de energia e percepção.

> Os métodos do Criador agem por meio da mudança e da transformação, para que cada coisa receba sua verdadeira natureza e destino e entre em acordo permanente com a Grande Harmonia: é isso que vinga e persevera.
> **Alexander Pope**

7. Você ressurge no mundo como uma fênix

Após o grande momento de virada da fase 6, não há mais perturbações a nossa energia e percepção. A partir daí, o percurso é só "para cima"! Parte da identificação com a vibração da alma é que a percepção muda do antigo para o novo eu, e a vida se torna diferente. Agora, não é mais necessário usar de força de vontade para que a vida funcione: dá para ver que está tudo funcionando perfeitamente. Entendemos que estamos interligados a tudo e a todos num estado de apoio e entrosamento, e que a vida nos ajuda a fazer e ter tudo aquilo de que precisamos. Passamos a nos interessar pela realização pessoal e pela responsabilidade por nós mesmos, "enchendo-nos de nós próprios" no melhor sentido, e queremos uma criação inovadora do corpo, mente e alma em conjunto.

Lembro-me da razão para estar aqui e quero tratar de cumpri-la! Estou empolgado com meu destino! Consigo manter minha nova frequência, mesmo quando as pessoas estão vibrando num nível inferior.

Quando encontramos pessoas que ainda não fizeram a transição, não temos medo de que elas ajam como um balde de água fria e nos levem para baixo. Em vez disso, assumimos o papel do mestre, curador ou mentor e usamos a frequência mais alta para o bem de todos. Estamos confiantes, otimistas, entusiasmados e inspirados. A inovação se faz sentir em toda parte. Estamos motivados a reconhecer o nosso destino, a nos comprometer com ele e vivê-lo, empenhando-nos em buscar o trabalho e a expressão pessoal para os quais fomos criados, respeitando as tendências profundas presentes desde que nascemos e eliminando todas as motivações motrizes para encontrar sem esforço uma expressão natural. Agora uma das maiores prioridades será desenvolver a intuição, manter o coração aberto e flexível e descobrir os novos e surpreendentes rumos, locais e benfeitores que surgem quando o medo está ausente. Receberemos apoio, mensagens, oportunidades e milagres, e nos sentiremos dignos e estimulados.

A motivação mais verdadeira não é atingir metas, mas sim ser multifacetado e viver tão entregue ao fluxo que poderemos até *metamorfosear-nos* — ou seja, nos transformar em algo radicalmente diferente — se a vida quiser nos levar a um outro rumo. Realizar metas torna-se mais fácil e divertido, e o conceito de tempo muda completamente enquanto passado e futuro desaparecem num presente cada vez mais expandido.

Transformar significa literalmente ir além da sua forma.
Wayne Dyer

8. A experiência dos relacionamentos, da família e dos grupos sofre uma revolução

Sentimos quanto o consciente individual e o consciente coletivo se interpenetram e sabemos que somos tanto um eu pessoal (eu) quanto um eu coletivo (nós). Vemos como as pessoas afetam a vida umas das outras. Queremos então ser responsáveis por nossos pensamentos e atos para ser gentil com os outros. Não é mais preciso lembrar-se de praticar a Regra de Ouro porque não praticá-la é penoso.

> **Posso usar o conhecimento de minha nova frequência para expandir meus relacionamentos exponencialmente! Os outros gostam de me ajudar, e eu, de ajudá-los!**

Ficamos mais tolerantes e humanitários. Vemos semelhanças entre as pessoas e consideramos as diferenças interessantes e valiosas. Agimos de modo cooperativo por uma questão de companheirismo e afinidade, vemos seus relacionamentos como aspectos de nós mesmos e conseguimos dar e receber livremente conforme o fluxo. Isso tem um efeito tão profundo sobre a noção de abundância e do que nos cabe que nos liberta e nos torna mais imaginativos, criativos e produtivos, pois sabemos que contamos com ajuda e que as pessoas também precisam de nossa ajuda.

Chegamos a uma nova compreensão da energia yin/receptiva e yang/dinâmica e dos hemisférios direito e esquerdo do cérebro. Equilibramo-nos, desenvolvendo igualmente o lado receptivo-intuitivo-fundamental e o lado ativo-concentrado-criador, para que a percepção seja mais fluida, criativa e sempre renovada. À medida que vamos compreendendo o equilíbrio da percepção e energia yin e yang, traçamos paralelos entre essas qualidades e as dinâmicas de gênero masculino-feminino nos relacionamentos. Chegamos a uma nova percepção do que é possível nos relacionamentos entre duas pessoas intimamente equilibradas, além de ver novas possibilidades de comportamento para ambos os gêneros.

> Saudação maia: "In La'kech" (pronúncia: ain la kesh).
> Em tradução literal, "Sou outro você".

Ficamos mais calmos e compassivos no que se refere à formação e ao término de relacionamentos, já que percebemos os desígnios das almas para aproximar-se e separar-se. Muitas vezes nos sentiremos aturdidos pela simples magnificência do amor. É possível que percebamos uma ampliação das definições de casamento, família, trabalho em equipe, organizações e até política internacional. Além de colaboração, polinização cruzada, compartilhamento, troca de papéis e mudança na motivação do lucro, ocorre uma proliferação de novas redes e parcerias e uma rápida globalização.

Sem esforço, somos autênticos e, ao mesmo tempo, podemos trabalhar com a *mente grupal* fundida em qualquer equipe para chegar a respostas, inovações e experiências sociais alegres de alta frequência, mais complexas e completas. Aprendemos a modular a frequência pessoal conforme a de outras pessoas, grupos, lugares, épocas e dimensões de percepção, aumentando tremendamente a compreensão e sabedoria. Assim, podemos nos lançar a um contato real com seres não físicos, conselhos espirituais, um grupo anímico e pessoas que já morreram. Tornamo-nos exímios em habilidades antes consideradas próprias de uma consciência paranormal ou sobrenatural que exigem superação da distância e ressonância, como telepatia, teletransporte, clarividência, cura espiritual e psicocinese (capacidade de mover objetos com a ação da mente).

9. A iluminação se baseia em cada partícula da matéria

Com a criação conjunta e a colaboração inspirada vêm a gratidão ilimitada e a sabedoria compartilhada. O amor passa a ser realmente entendido como *a* força da natureza que é coerente em todo o cosmos e capaz de realizar milagres. Quando ajudar os outros é como preferimos usar a liberdade, todos sentem um grande estímulo.

> **Sinto-me livre e sem limites! Posso ir e vir pelo tempo, espaço e até além se quiser. Posso criar qualquer coisa e saber qualquer coisa instantaneamente!**

Pessoalmente, tomamos medidas para agir sobre os impulsos do destino e ficamos felizes como uma criança ao atingir resultados com base na sabedoria da alma. Quando estamos no momento, no coração, no corpo e ligado a todo o conhecimento, energia, recursos e colaboradores, entendemos a força do campo unificado na materialização de suas visões. Descobrimos como o processo de criação-materialização funciona e sentimos o campo unificado como uma extensão do próprio corpo. Já que o mundo exterior não está separado de nós, as visões, metas, recursos e resultados — aquilo que costumava estar no futuro ou em outro lugar — estão no momento conosco e, assim, podem se materializar e desmaterializar conforme o pensamento. A vida não é só rápida; ela é instantânea. No entanto, não nos sentimos pressionados. Sabemos trabalhar calmamente com o sistema de filtragem natural do momento presente e as lentes do corpo e da mente consciente.

Vemos que o destino evolui com base na interconexão com outras almas e seus destinos e descobrimos novas formas de planejar e atingir metas num mundo fluido. O nascimento e a morte perdem o sentido e deixam de ser grandes sinais de pontuação na vida; temos a experiência de ir e vir quando queremos por meio da ascensão e descensão. O corpo torna-se muito mais leve e transparente, e vivemos o céu na terra.

Experimente isto!

Onde você está nesse processo?

Analise cada estágio do processo de transformação e tome notas em seu diário em relação aos seguintes aspectos:

- Quais dos sintomas de cada estágio você teve?
- Como você abreviou o processo ou resistiu a ele em cada estágio? Que repercussões você observou?
- Como você se rendeu ao fluxo e cooperou com ele em cada estágio? Que benefícios você colheu?
- Qual o máximo a que você chegou até agora no processo?
- De que modo você acha que pode estar impedindo sua própria passagem para a fase seguinte de crescimento?
- Em que ponto do processo de transformação estão as pessoas com quem você se relaciona mais de perto? Sabendo disso, de que modo você acha que pode entendê-las melhor e ser mais compassivo com elas?
- De que modo você vê as diversas fases do processo de transformação se manifestarem em fatos da atualidade ou no cenário mundial?

A transformação pessoal pode ter e tem efeitos globais. À medida que vamos em frente, o mundo faz o mesmo, pois o mundo somos nós. A revolução que salvará o mundo será, em última análise, uma revolução pessoal.
Marianne Williamson

Só para recapitular...

Você está começando a ver a vida como energia e percepção. Isso o deixa ultrassensível e consciente da vibração, pois você está prestes a tornar-se uma pessoa de alta frequência, a transformar sua personalidade e seu corpo relativamente denso em nada menos que sua alma, inteiramente saturada em tempo, espaço e matéria. Juntamente com tudo e todo mundo que há neste planeta, você está evoluindo ao longo de nove fases de crescimento destinadas a conseguir elevar sua vibração à quarta dimensão — onde o espírito e a matéria se fundem — sem para isso precisar morrer. A princípio, esse processo pode levá-lo a sentir-se desorientado, receoso ou incomodado. Mas, se esforçar-se conscientemente para aperfeiçoar sua sensibilidade e escolher a vibração de sua alma, você flutuará pelo processo de transformação como uma folha levada pela correnteza de um rio que sabe para onde está indo. As fases são:

1. O espírito se funde ao corpo, às emoções e à mente
2. A frequência da vida aumenta de todos os modos, em toda parte
3. O subconsciente pessoal-coletivo se esvazia
4. Você reforça suas trincheiras e fortalezas, resiste e volta a reprimir
5. As antigas estruturas se desmancham e vão abaixo
6. Você para, desiste e se entrega a seu eu mais verdadeiro
7. Você ressurge no mundo como uma fênix
8. A experiência dos relacionamentos, da família e dos grupos sofre uma revolução
9. A iluminação se baseia em cada partícula da matéria

Mensagem da frequência original

Como explico na seção *Ao leitor,* incluí estes trechos inspiradores ao fim de cada capítulo para que você troque sua forma normal, rápida, de leitura por uma experiência direta de um tipo mais profundo. Por meio dessas mensagens, você pode mudar intencionalmente sua vibração pessoal.

A mensagem da página seguinte destina-se a transportá-lo a uma forma de conhecer o mundo que se aproxima daquela com que você experimentará a vida na Era da Intuição. Para entrar na *mensagem da frequência original,* basta adotar um ritmo mais lento, menos apressado. Inspire e expire lentamente uma vez e fique o mais calmo e imóvel que puder. Deixe que sua mente fique suave e receptiva. Abra sua intuição e prepare-se para *intuir* a linguagem. Veja se consegue experimentar as sensações e realidades mais profundas que ganham vida *à medida que você ler.*

Sua experiência pode ganhar uma maior dimensão, a depender da atenção que você investir nas frases. Concentre-se em poucas palavras de cada vez, faça uma pausa nos sinais de pontuação e "fique com" a inteligência que está dando a mensagem — ao vivo, agora mesmo — a você. Você pode dizer as palavras em voz alta ou fechar os olhos e escutá-las na leitura de outra pessoa para ver que efeito têm sobre você.

COMECE ESTANDO PRESENTE

Só seja: neste exato lugar, neste exato momento. Escute o silêncio. Sinta o alívio. Não existe outro lugar, nenhum lugar para ir. Você está cercado por uma vastidão, e esse espaço é: consciência. Ela se infiltra em você — é sua própria presença refinada, seu próximo nível do eu, a presença do Divino. A consciência contém tudo o que você já conheceu, foi e será, e tudo o que todas as pessoas foram e serão. Você está centrado no coração aberto do Amor, em um vasto campo de Verdade. Aqui você é verdadeiro; aqui você nasce continuamente. Não há nada que você tenha que fazer. Sinta como a consciência onisciente, oniamorosa, oniapoiadora o envolve. Ela jamais o abandonará. Você está em segurança.

Aqui você tem energia e imaginação infinitas. Se surgir um pensamento, ele não é seu — você só está se apercebendo das coisas que estão flutuando ao redor e, se elas forem interessantes, você as detém por um instante. Você pode identificar-se com elas, deixá-las ir ou insuflar-lhes energia, dar-lhes forma e depois deixá-las ir. Não há nada certo a fazer, só criatividade, só diversão — é apenas sua alma se expressando. Portanto, entre no momento, seja maleável. Deixe que as realidades venham e vão. Sua energia e consciência irradiam através e além de sua pele, não param de sair, e você não termina; simplesmente descobre diferentes tipos e padrões de conhecer. Quando os inclui em si e mescla-se a eles, você se vê de novas maneiras. Você está em todas as coisas e todas as coisas estão em você. Tudo o que se quiser dar a conhecer ou criar simplesmente aparece em você como uma ideia ou se expressa por seu intermédio como um ato. Você não pode fazer nada acontecer: tudo está acontecendo.

Quando deixar essa experiência e o momento, você se sentirá separado do resto da vida. E ficará triste, pois estará sentindo falta de si mesmo. Você sentirá falta da experiência da expressão de sua própria alma por meio de seu corpo, iluminando-o, dando-lhe vida e alegria — a simples alegria de ser. Você tampouco verá o eu que ama nos outros, e vai sofrer. Enquanto isso, no centro de tudo, no centro da consciência que permeia o mundo inteiro, sempre existe: aquilo que você busca. Lá está sua resposta: a tudo, dada livremente, só esperando que você volte a ela. Nesse momento: a resposta, a resposta certa para você, neste exato momento.

2

VIVENDO ENTRE AS FREQUÊNCIAS

O universo é mais como música do que como matéria.
Donald Hatch Andrews

Você já imaginou, enquanto está dirigindo seu carro ou tomando um café, quantas ondas e vibrações invisíveis estão se entrecruzando pelo espaço a seu redor? Você tem consciência dos programas de rádio e conversas telefônicas que zunem por seus ouvidos sem ser detectados? Ou dos campos de "poluição" eletromagnética que encontrou hoje? E que dizer das dores físicas e disposições emocionais das pessoas que nos cercam? Tanto movimento e informação invisíveis são transmitidos! Outro dia, deixei a mesa do computador depois de escrever por horas e, quando fui até a cozinha, senti o momento exato em que saí do campo eletromagnético do computador, que se estendia por quase três metros. Eu nunca tinha percebido isso antes. A vibração da cozinha já era mais tranquila. Porém, quando saí para o jardim pela porta dos fundos, a vibração era ainda mais suave e relaxante. Percebi, depois de ter passado a maior parte do dia no campo de força do computador, que havia desenvolvido uma espécie de coerência com aquela vibração sutil, irritável mesmo — tão diferente do tom mais refinado do meu corpo. E percebi imediatamente por que tinha tido tanta dificuldade em pegar no sono desde o mês anterior até aquele momento.

Sentir as ondas e classificar as vibrações são as próximas grandes habilidades

À medida que nos tornarmos mais sensíveis, provavelmente também começaremos a sentir os campos de eletricidade e magnetismo, a discriminar novas energias que perturbam ou acalmam, ou a perceber que o estranho a seu lado está prestes a se casar ou a ficar doente. E o mais importante é que podemos receber essas informações *diretamente das frequências:* não é preciso rádio. Essa sensibilidade direta e ampliada é uma capacidade relativamente nova que está surgindo, sem nenhuma preparação ou treinamento prévio. Ela pode nos desorientar quando percebemos que estamos começando a saber coisas que não sabíamos que *podíamos* saber. Na verdade, não sabemos direito *como* estamos fazendo isso.

Brevemente, conseguiremos captar muito mais influências sutis na vida. Sentiremos os campos de vibração em que entramos e saímos, distinguiremos os que são saudáveis dos que são prejudiciais e saberemos quando as pessoas estão sendo sinceras ou não. Sentiremos a "onda de um acontecimento" começando a nos afetar antes que ele ocorra e quando uma onda de energia mudar de frequência e precisamos nos adaptar para continuar sintonizados. O corpo nos dirá quando uma coisa não vai dar certo, quando uma orientação bater à nossa porta ou quando surgirem problemas a distância e alguém precisar de ajuda. Com a ampliação da sensibilidade, será possível classificar as vibrações que vêm de várias fontes para saber quais são verdadeiras e processáveis, além de irradiar vibrações intencionais para atingir metas específicas.

Deve haver quem já faça muitas dessas coisas sem percepção consciente, mas trabalhar intencionalmente, de maneira detalhada, com os princípios das ondas, ciclos, espectros e campos será uma grande parte de um novo conjunto de habilidades. Cultivaremos a capacidade de sentir o que a energia está fazendo e de sermos fluidos o bastante para nos adaptar a fluxos e ritmos mutáveis sem perder o centro. Sempre é importante primeiro aprender as variáveis do jogo que se está jogando, depois dominar as jogadas e, por fim, soltar-se para jogar da melhor maneira possível. Neste caso, por pretendermos nos tornar peritos em energia e consciência, precisamos nos familiarizar com os tipos de frequência que estão fora e dentro de nós, já que eles constituem as variáveis de nosso jogo.

O mundo não para nunca; até mesmo seu silêncio ressoa eternamente com as mesmas notas, em vibrações que nos escapam ao ouvido.
Albert Camus

Quando contei a um colega que trabalha com líderes do governo, do mundo corporativo e da inovação que estava escrevendo um livro, ele disse: "Espero que você não use o termo 'vibrações' a torto e a direito, como se fosse uma espécie de jargão da Nova Era. Parece que atualmente ninguém está fundamentando as ideias na realidade física". Levei isso a sério, de modo que, neste capítulo, quero fazer um resumo das mais importantes vibrações e espectros "reais" de energia que nos afetam — não porque tenhamos de virar físico ou engenheiro elétrico, mas porque desejo que nos imaginemos e sintamos como se fôssemos um ser poroso, vibracional, fundido num vasto campo de vibrações. Não somos blocos sólidos de rocha num planeta, mas sim um agrupamento de energias que penetram e são penetradas por milhões de outras energias. Também é preciso entender que as energias físicas, como o espectro eletromagnético, o som e o calor, têm paralelos num espectro de consciência superior, que contém diferentes frequências de *percepção*. Nos capítulos subsequentes, aprenderemos a trabalhar com os princípios das ondas e campos para nos tornarmos mais conscientemente sensíveis, mas agora nos voltaremos para o mar de frequências em que vivemos. Enquanto faço uma colagem rápida de alguns dos domínios de frequências, será possível ver de que modo eles se encaixam e se sobrepõem, como nos afetam, como podemos ser mais sensíveis a eles ou como desenvolvê-los e usá-los para criar uma vida mais plena.

Fora de você, o mundo está vibrando

Albert Einstein deu-nos uma grande verdade: $E = mc^2$. Lembro-me perfeitamente do momento em que li isso numa aula de física quando era criança — a ideia de que a massa ou matéria poderia de fato ser energia muito lenta, compactada, armazenada; de que matéria e energia eram versões uma da outra. Foi uma leitura que fez minha mente apitar como um jogo de fliperama ao marcar pontos. Uma rocha é energia, um biscoito é energia, um pedaço de lenha na lareira é energia, meu corpo é energia, eu sou energia! Tudo está se movendo em diferentes velocidades, e a matéria pode se converter em formas mais ou menos ativas de energia — a água, em vapor ou gelo, por exemplo. Então, em que eu poderia converter-me?

Na escola, aprendemos que no interior de objetos aparentemente sólidos existem universos de moléculas e partículas atômicas que vibram, giram e orbitam. E dentro dessas partículas há partículas subatômicas ainda menores. Agora, a mecânica quântica revela que essas minúsculas partículas de matéria são também ondas de energia, que tanto a matéria quanto a energia podem funcionar como partícula ou onda. Em outras palavras, os dois estados, como indicou Einstein, de fato transformam-se um no outro. E, além disso, se procuramos uma partícula, a partícula-onda (*wavicle* ou *entidade quântica* como, por exemplo, um fóton, elétron ou nêutron) torna-se uma partícula; se procuramos uma onda, ela torna-se uma onda. Primeiro, isso aponta para o fato de não estarmos separados do mundo que observamos e definimos como fora de nós. A percepção determina a forma da realidade.

> Um átomo não é uma coisa.
> **Werner Heisenberg**

Segundo, energia e matéria não existem juntas na realidade, mas sim só em probabilidade. Se medirmos a posição de uma partícula, não podemos determinar seu *momentum* e, se encontrarmos seu movimento de onda, a posição se torna imprecisa. Assim, as entidades quânticas são mais coisas que poderiam ser ou acontecer que coisas que são. O resultado é que uma entidade quântica existe em múltiplas realidades possíveis, chamadas de *superposições*. Assim que é feita uma observação ou medição, a superposição torna-se uma realidade de fato, ou seja, a função de onda "colapsa". O muito se torna um. Qualquer momento dado contém futuros ilimitados que podem tornar-se reais. A realidade que ocorre é aquela a que prestamos atenção.

Agora, eis aqui o inesperado: conforme a *teoria dos muitos mundos* da física, nosso mundo se divide, no plano quântico, em inúmeros mundos reais, desconhecidos um do outro, nos quais uma onda, em vez de colapsar ou condensar-se numa determinada forma, evolui, abraçando todas as possibilidades que tem em si. Todas as realidades e desfechos existem simultaneamente, mas não interferem um com o outro. Isso dá uma certa base ao conceito metafísico de *vidas passadas e vidas paralelas,* segundo o qual, para qualquer curso de ação que escolhamos, existem dezenas de outros "nós" vivendo diferentes versões de nossa alma. Tudo isso nos leva a pensar: por que pensamos que somos tão sólidos e finitos, que os milagres são impossíveis ou que a mudança radical é alheia à nossa natureza essencial?

> A nova fórmula da física descreve os seres humanos como seres paradoxais que possuem dois aspectos complementares: apresentam propriedades de objetos newtonianos e também campos infinitos de consciência.
> **Stanislav Grof**

Vivemos num mundo de ondas

Das partículas-ondas nucleares da matéria ao nascer e ao pôr do sol, às frequências invisíveis que transportam informações, o mundo à nossa volta oscila, balançando-se para dentro e para fora, para diante e para trás. Talvez, quando vemos a vida como um aglomerado de partículas, ela se congele em matéria e fato sólidos, e quando a vemos como uma série de ondas, ela se dissolva num oceano de energia e potencial. Agora a vemos e, no instante seguinte, não a vemos mais até que — surpresa! — ela aparece novamente. Certamente, a ciência nos baseou na realidade de que nosso mundo físico exterior é vibracional (ou seja, composto por um amplo espectro de energias, algumas das quais percebemos, mas que são, em sua maioria, imperceptíveis). Sabemos que a energia se move em ondas, que estas podem ter uma ampla gama de amplitudes (intensidades) e frequências (velocidades), o que lhes confere características e comportamentos únicos. Sabemos também que as ondas de energia viajam por intermédio de um meio, ou *campo,* como o ar, a água ou até mesmo a percepção.

Nosso espectro eletromagnético, a medição de uma das quatro forças básicas da física (eletromagnética, fraca, forte e gravitacional), contém ondas de 100 mil quilômetros até ondas que são uma fração do tamanho de um átomo. Nossa linguagem mal consegue descrevê-lo; esboçamos uma frágil tentativa — assim como poderíamos descrever o tamanho de nosso café com leite, rotulando as faixas de frequência apenas do espectro das ondas de rádio como extremamente baixas, superbaixas, ultrabaixas, muito baixas, baixas, médias, altas, muito altas, ultra-altas, superaltas e extremamente altas. Na verdade, a radiação eletromagnética pode ser dividida em oitavas — assim como as ondas sonoras —, o que dá um total de 81 oitavas.

O extremo de baixa frequência do espectro vai das ondas de rádio, micro-ondas, radiação de tera-hertz (raios T), radiação infravermelha, espectro da luz visível, radiação ultravioleta e raios x até, finalmente, aos raios gama. Para quem não está muito familiarizado com a função de todas essas vibrações, aqui vão algumas informações interessantes.

As **ondas de rádio** são usadas para transmissão de dados via televisão, rádio, rádio de micro-ondas, telefones celulares, imagens por ressonância magnética e redes sem fio.

As **micro-ondas** podem fazer certas moléculas dos líquidos absorverem energia e se aquecerem, como no caso dos fornos de micro-ondas, enquanto as micro-ondas de baixa intensidade são usadas nas tecnologias Wi-Fi.

A **radiação de tera-hertz** é usada na criação de imagens e nas comunicações, principalmente pelas Forças Armadas, já que pode penetrar numa ampla gama de materiais não condutores.

Onda de baixa frequência

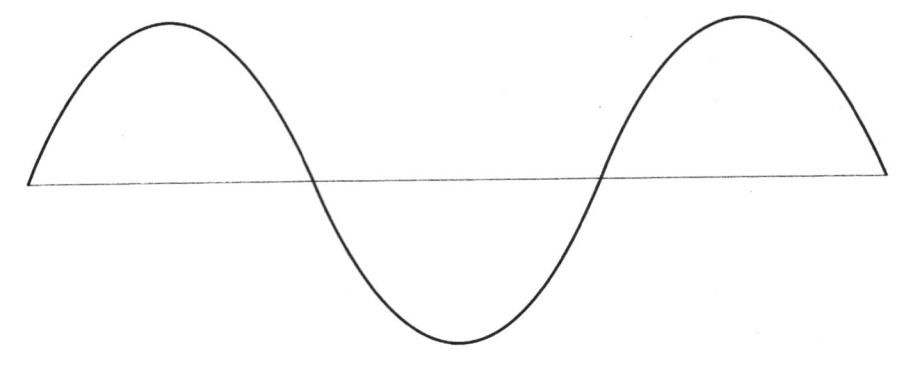

Onda de alta frequência

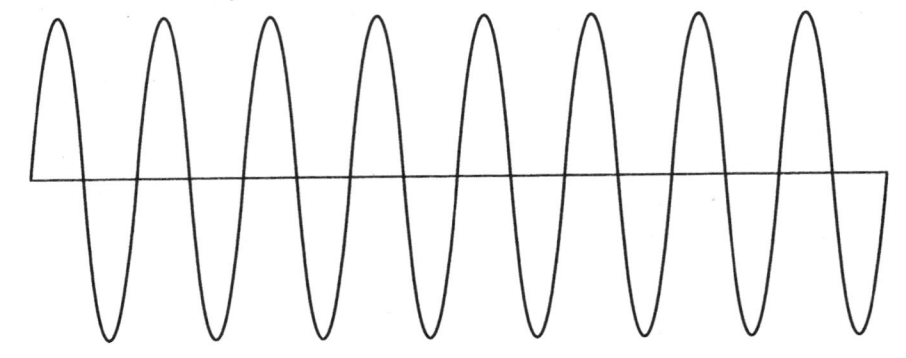

As ondas eletromagnéticas de baixa frequência têm comprimento de onda longo e baixa energia, ao passo que as ondas eletromagnéticas de alta frequência têm comprimento de onda curto e alta energia.

A **radiação infravermelha** é usada na astronomia e nas tecnologias de visão noturna/imagens térmicas, já que os objetos quentes têm forte radiação nessa faixa.

O **espectro da luz visível (arco-íris)** é a faixa em que o Sol e as estrelas emitem a maior parte de sua radiação, a qual corresponde ao nosso mundo da visão — embora os pássaros, insetos, peixes, répteis e alguns mamíferos, como os morcegos, possam ver a luz ultravioleta.

A **radiação ultravioleta** tem alto índice de energia e pode romper ligações químicas, tornando as moléculas excepcionalmente reativas ou ionizando-as. A queimadura de sol, por exemplo, é causada pelas perturbações que a radiação UV provoca sobre as células da pele.

Os **raios X** atravessam a maioria das substâncias, o que os torna úteis na medicina e na indústria, como na radiografia e na cristalografia. Eles também são emitidos por estrelas e nebulosas e, portanto, são usados na astronomia e na física de alta energia.

Os **raios gama** são produzidos pela interação de partículas subatômicas e na verdade são fótons de alta energia. Eles têm grande poder de penetração e podem causar graves danos quando absorvidos por células vivas.

Eis aqui como se apresenta o espectro eletromagnético em sua totalidade:

O espectro eletromagnético

| Rádio | Micro-ondas | Radiação de tera-hertz | Infravermelha | Visível | Ultravioleta | Raios X | Raios gama |

Baixa frequência
Comprimento de onda longo
Baixa energia

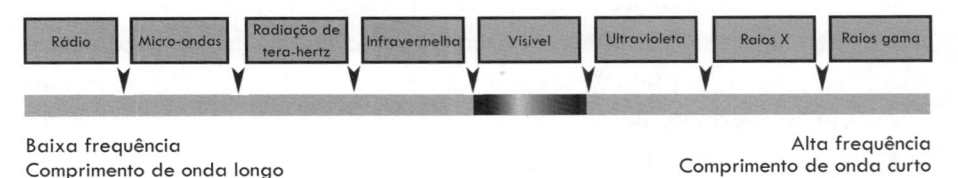

Alta frequência
Comprimento de onda curto
Alta energia

As energias físicas do espectro eletromagnético que conhecemos vão das ondas de rádio aos raios gama. Apenas uma parte ínfima é perceptível por nós por meio dos sentidos.

Além disso, existem duas outras vibrações não relacionadas ao espectro eletromagnético com as quais lidamos no dia a dia.

O **som**, curiosamente, não é uma parte audível da faixa de frequência das ondas de rádio. O som consiste em uma série de ondas de compressão que viajam pela matéria, criadas pela vibração para diante e para trás de um objeto, como um alto-falante. As ondas são percebidas quando fazem um detector — como o tímpano — vibrar. Todo som cujo tom ouvimos como grave ou agudo é composto de ondas regulares, espaçadas de maneira uniforme, de moléculas de ar ou água.

A **temperatura** também não está relacionada ao espectro eletromagnético. O calor que um objeto tem é determinado pela velocidade com que suas moléculas se movem, o que, por sua vez, depende de quanta energia existe em seu sistema. Mesmo os objetos muito frios têm alguma energia térmica porque seus átomos continuam em movimento.

> Conhecer a mecânica da onda é conhecer todo o segredo da Natureza.
> **Walter Russell**

A própria Terra está vibrando

Outras vibrações exteriores a nós vêm da própria Terra. Há indícios cada vez maiores de que as vibrações dentro do "corpo" da Terra influenciam o nosso corpo. É notório que a fertilidade de várias espécies está programada para coordenar-se com as estações, as marés e os ciclos de luz e escuridão, que na verdade são vibrações, ou ciclos de onda lentos. O dr. Joseph Kirschvink, do California Institute of Technology, descobriu que as abelhas, as aves migratórias, os pombos-correio, as baleias e até os seres humanos são capazes de sintetizar cristais de magnetita, um mineral fortemente magnético, em seu tecido cerebral. Esses cristais, que tanto reagem aos campos magnéticos da Terra, podem agir como bússolas internas. Na verdade, os cristais encontrados no tecido cerebral humano são extremamente semelhantes aos cristais que certas bactérias usam para distinguir acima de abaixo. Kirschvink afirma que as baleias usam um sistema sensorial magnético, com base nos ângulos e na intensidade de campos magnéticos do fundo do oceano como mapas, e tendem a encalhar quando há alguma anomalia geomagnética. A maneira como nós podemos estar vinculados a mudanças nos campos magnéticos da Terra por meio da magnetita de nosso tecido cerebral ainda não foi demonstrada.

Gregg Braden, ex-projetista de sistemas de computador e geólogo, fez pesquisas fascinantes sobre os ciclos geofísicos da Terra, que têm se repetido ao longo da história e sido descritos por culturas anteriores à nossa. Braden estudou a frequência ressonante básica da Terra, chamada de ressonância de Schumann, ou RS. Segundo ele, há décadas o valor medido era de 7,8 ciclos por segundo, o qual se pensava ser uma constante. Relatórios recentes mostram que agora a taxa é de 8,6 e está aumentando. Braden afirma ainda que, enquanto a "frequência cardíaca" da Terra está subindo, seu campo magnético está caindo. Segundo alguns pesquisadores, o campo perdeu metade de sua intensidade nos últimos 4 mil anos, e isso pode implicar uma situação que leve a uma mudança nos polos magnéticos. Atualmente há relatórios de anomalias magnéticas, captadas por bússolas, que variam entre 15 e 20 graus de desvio do norte magnético. Braden, que liga as mudanças de frequência da Terra a nossa própria vibração celular e a mudanças de DNA talvez evolucionárias, diz que, com o campo magnético mais fraco e a frequência de base mais rápida, os velhos padrões emocionais e mentais ficam menos fechados, permitindo-nos acesso mais fácil a estados superiores de consciência. Ele afirma que, como a Terra, nós estamos nos acelerando rumo a uma mudança de energia e de percepção.

> Não temos de ir a lugar nenhum. Estamos vivendo numa câmara de iniciação global, com a ocorrência dessas condições geofísicas numa escala mundial.
> É como se a própria Terra estivesse
> nos preparando para o próximo estágio da evolução.
> **Gregg Braden**

Dentro de você também há um mundo de vibração

Então, não apenas vivemos num mundo que oscila entre forma e não forma, em que inúmeras realidades potenciais estão evoluindo simultaneamente, tudo vibra e ondas de energia viajam em todas as direções, mas também estamos vibrando dentro do corpo, no microcosmo da vida pessoal. Se nos concentrarmos no interior de nosso corpo, o que percebemos? O que está se movendo? A primeira oscilação é a onda da respiração: inspirando ar puro, transferindo o oxigênio dos pulmões para o sangue, transferindo o dióxido de carbono e as impurezas do sangue para os pulmões e para fora com a expiração. Em seguida, talvez percebamos que o coração está bombeando o sangue para fora, pelas artérias, e para dentro, pelas veias, para fora e para dentro, para fora e para dentro. Mais concentrados, e a vibração alta seguinte que encontraremos é o zumbido elétrico do cérebro e nervos, à medida que as cargas vão sendo transmitidas pelas sinapses. É possível que a sintamos como um formigamento.

À medida que nos aprofundarmos, descobriremos até mesmo a vibração mais sutil dos neurotransmissores e processos bioquímicos enquanto trabalham nas células. Abaixo disso, será possível sentir a vibração das próprias células. Abaixo da vibração celular, talvez sintamos a vibração das moléculas e átomos e, finalmente, as "entidades quânticas". Ao imaginar essa descida pelas vibrações até o âmago do corpo, passaremos da baixa frequência (respiração e coração) à alta frequência (moléculas e átomos). Ao entrar num átomo e ser atraído até a última partícula, provavelmente sentiremos que ela vai se transformando misteriosamente numa onda de energia, libertando-nos de tempo e espaço. Nessa liberação, haverá uma experiência que a física ainda não pode descrever. É o que acontece quando a energia se torna percepção.

Experimente isto!
Viagem pelas vibrações de seu corpo

1. Sente-se confortavelmente, com a palma das mãos sobre as coxas, a cabeça reta e a respiração regular. Concentre-se inteiramente no momento presente e dentro de sua pele. O que você percebe? O que está se movendo? Talvez seja uma espécie de transbordamento, balançando, contorcendo-se, zunindo ou zumbindo. Acompanhe a vitalidade e a atividade de seu corpo enquanto ele cuida de se manter vivo. Sinta o quanto é grato por seu corpo e pela vida.
2. Em seguida, observe o ciclo de sua respiração. Acompanhe esse trajeto do ar desde a entrada, ao levar ar puro para os pulmões e quando o ar sai lentamente, retirando as impurezas de seu corpo. Ao final da expiração, sinta-o fluir novamente para dentro. Acompanhe o movimento da onda, fundindo-se com o fluxo, deixando que ele ocorra sem esforço.
3. Em seguida, preste atenção ao bater de seu coração e à frequência nos diversos locais de seu corpo. A vibração é um pouco mais rápida que a da sua respiração. Funda-se com sua pulsação cardíaca, sentindo o coração bombear e liberar o sangue.
4. Em seguida, sinta o zumbido elétrico de seus nervos. Essa vibração é ainda mais rápida e de frequência mais alta que a da sua pulsação cardíaca. Perscrute seu corpo, observando o formigamento em toda parte.
5. À medida que for se aprofundando, veja se consegue sentir a vibração dos neurotransmissores e processos bioquímicos de seu corpo, enquanto importantes químicos e nutrientes são levados para dentro e para fora de suas células.
6. Agora concentre-se na vibração de um bloco de células de qualquer parte de seu corpo. Imagine que o vê ao microscópio. Você consegue senti-los balançar-se com sua sutil vibração? Detenha-se em uma única célula.
7. Deixe-se levar até chegar a uma das moléculas que compõem essa célula. Aqui você perceberá uma vibração extremamente refinada, que é a de um dos elementos básicos que a compõem, como o hidrogênio ou o carbono.

8. Em seguida, desça pela molécula até chegar a um átomo e sinta a impressionante força vital que ele contém em si. Você está chegando a uma vibração muito rápida, de alta frequência.
9. Finalmente, deixe-se levar até uma das "entidades quânticas", as minúsculas partículas-ondas que existem dentro do átomo. Enquanto vai descendo até essa última partícula, perceba quando ela misteriosamente se abrir ou ceder, transformando-se numa onda de energia e consciência e libertando-o de tempo e espaço.
10. Agora você está flutuando num lugar muito tranquilo onde não há movimento algum: você se espalhou e está em toda parte. Tudo é possível. Tudo é conhecido e cognoscível. Tudo o que você pode fazer é *ser*. E, à medida que *for*, você absorverá a nova orientação, as instruções e os roteiros energéticos de que precisa. Você se torna mais cheio e pesado e volta à realidade como uma nova entidade quântica, uma nova partícula no tempo e no espaço.
11. Comece a viajar em sentido contrário pelas vibrações, das frequências mais altas e rápidas para as mais baixas e lentas — átomo, molécula, célula, ritmos bioquímicos, nervos, pulsação cardíaca e respiração — até voltar, rejuvenescido com uma nova força vital e um novo senso de propósito.

O cérebro tem ondas

O cérebro é um órgão eletroquímico cuja eletricidade é medida em ondas cerebrais. Existem quatro categorias de ondas cerebrais, que vão das mais lentas às mais rápidas. É interessante observar que as ondas cerebrais mais rápidas correspondem à percepção de frequência mais baixa, ao passo que as mais lentas correlacionam-se à percepção expandida, de frequência mais alta.

Beta (13-40 Hz, ou ciclos por segundo) — As ondas Beta, as mais rápidas, estão associadas ao estado de alerta da vigília, quando o cérebro está desperto e engajado na atividade mental. Quando lemos na cama antes de dormir, provavelmente estamos em frequência beta baixa. Quanto mais intensa a atividade e o estado de alerta — quando sentimos medo, raiva, fome ou surpresa, por exemplo —, mais rápida a frequência.

Alfa (8-13 Hz) — As ondas Alfa são mais lentas e aparecem quando estamos relaxados, mas não sonolentos, num estado de alerta sem esforço. Elas são encontradas durante estados de tranquilidade, como os da meditação leve, reflexão, devaneio, *biofeedback* e integração corpo-mente, hipnose leve, visualização criativa, processos artísticos e intuitivos, contato com a natureza, descanso e exercício.

Teta (4-8 Hz) — As ondas Teta são muito mais lentas e estão associadas à sonolência, ao primeiro estágio do sono, ao sonho, a níveis mais profundos de meditação, à imaginação e à criatividade inspiradas, à rememoração avançada e a estados místicos de percepção intuitiva. A sensação que elas provocam é a de um transe, como quando dirigimos numa rodovia ou tomamos uma longa ducha, perdemos a noção do tempo e talvez percebamos que ideias ou visões fluem livremente.

Delta (1/2- 4 Hz) — As ondas Delta, muito lentas, são encontradas no sono profundo. Elas estão associadas ao sonambulismo e ao falar durante o sono, bem como ao transe profundo e aos processos de autocura.

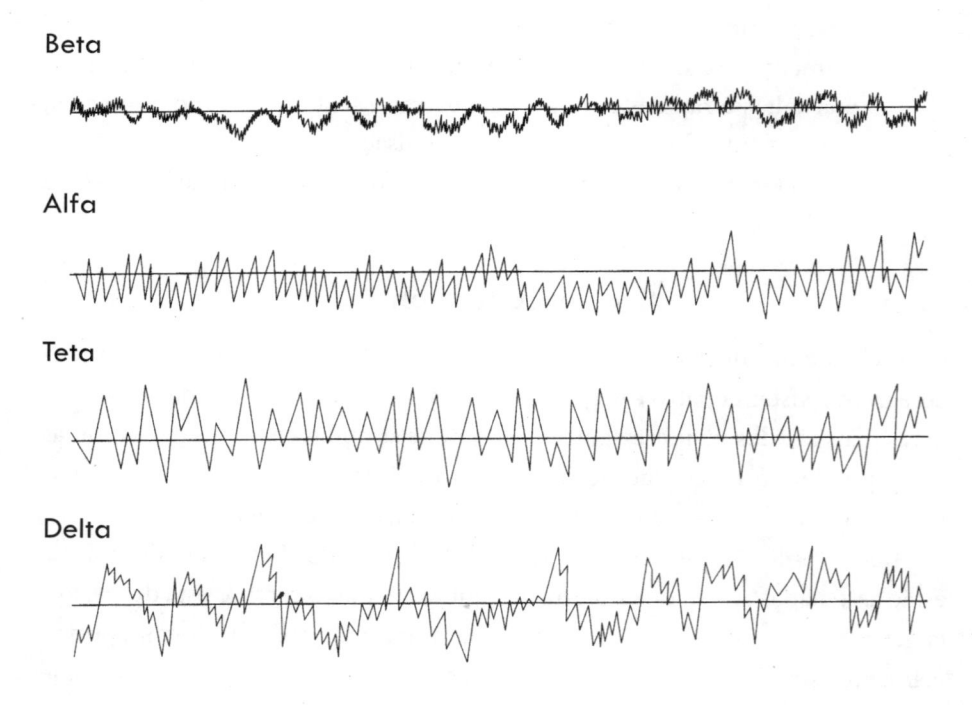

Beta

Alfa

Teta

Delta

O cérebro tem quatro frequências básicas de consciência.
Em cada nível de vibração, agimos de maneira distinta; essas fases se evidenciam durante o ciclo de sono.

À noite, passamos por diversas fases de sono. No estágio inicial, as ondas cerebrais vão se desacelerando do estado beta até o estado alfa, mais relaxado, quando cenas imaginativas podem passar pela mente. Os músculos relaxam, e os batimentos cardíacos, a pressão sanguínea e a temperatura caem. Em seguida, as ondas cerebrais se desaceleram até atingir o nível teta. Aí já estamos num sono leve, caracterizado por muitas explosões de atividade cerebral. A maioria dos sonhos acontece durante um estado chamado de *sono REM* (*rapid eye movement*, ou movimento rápido dos olhos). Durante o sono REM, as ondas cerebrais ultrapassam a frequência teta, incluindo temporariamente uma mistura de frequências mais rápidas e próximas do estado da vigília. Se despertarmos durante esse período, lembraremos com facilidade os sonhos. Na última fase, suas ondas cerebrais tornam-se ainda mais lentas, atingindo o estado delta, quando dormimos um sono profundo e sem sonhos. Se despertarmos, nos sentiremos confusos e perdidos, resistiremos a despertar inteiramente e voltaremos a dormir quase de imediato. É interessante observar que os padrões de vibração elétrica do coração têm praticamente a mesma faixa que as ondas cerebrais delta.

As ondas cerebrais correspondem a níveis de percepção

Agora, quero dar um salto que a ciência ainda não deu, mas que é bem evidente para os praticantes das disciplinas que unem corpo, mente e espírito: afirmar que as frequências de energia da matéria têm frequências de consciência que lhe correspondem. Vemos isso surgir no treinamento de *biofeedback*, quando diferentes ondas cerebrais produzem experiências e modos de saber únicos. Quando nos familiarizamos com os estados de consciência resultantes das diversas atividades das ondas cerebrais, é possível perceber que as rápidas ondas *beta* correspondem à consciência superficial da realidade cotidiana e à mente "linear". Quanto mais hiperestimulada e contraída estiver a mente, menor o alcance da percepção. Alguns dizem que o ego é uma função desse nível de consciência. A pesquisa do *biofeedback* indica que, à medida que as ondas cerebrais se desaceleram até o estado *alfa*, ficamos menos preocupados, mais abertos e conscientes de tipos sutis de informação. Temos acesso a regiões mais profundas de memória, simbolismo e *insight*. Na verdade, aí voltamo-nos para o que foi suprimido e guardado no subconsciente sem o pavor que é comum no estado normal da vigília.

À medida que as ondas cerebrais se desaceleram até o estado *teta*, encontramos compreensão sobre a natureza do verdadeiro eu. O ego começa a "morrer" e a ser substituído pela percepção da alma. Já se demonstrou que, quando a mente se volta para dentro e se concentra na reflexão pessoal e em processos interiores, as ondas cerebrais passam de beta a alfa e a teta, principalmente se os estímulos externos forem excluídos. As pessoas que meditam costumam entrar em estados teta profundos e relatam que sentem unidade dentro de si e com todos os outros seres. É uma ironia que, do ponto de vista da consciência normal da vigília, os estados mais profundos pareçam-se com o sono e o transe e, no entanto, quando nos tornamos conscientes dentro deles, uma percepção muito mais expansiva se desperte.

A entrada no estado *delta* promove experiências de estar fora do corpo; sua sensação de eu se expande até tornar-se coletiva e universal. Não há tempo nem espaço, e podemos entrar com facilidade em outras dimensões de percepção. Não é fácil atingir esses estados profundos enquanto se está alerta e consciente, já que o nível delta nos leva a uma percepção unificada, não individualizada que é avassaladora para o ego — e cair no sono em vez de explorar a experiência geralmente é uma "fuga" cômoda. Poderíamos ver a realidade delta como aquela que a física descreve como a realidade quântica de muitos mundos, na qual todos os mundos paralelos coexistem e evoluem simultaneamente.

> Nossa consciência normal da vigília — a consciência racional, como a chamamos — não é senão um tipo especial de consciência, enquanto à sua volta, dela separadas pela mais tênue das telas, estão formas potenciais de consciência inteiramente diferentes.
> **William James**

Alguns fatos interessantes veem-me à mente aqui. Pesquisadores descobriram que o cérebro das pessoas que sofrem de ADHD funciona principalmente no nível teta. Elas progridem quando treinadas por meio do *biofeedback* a desenvolver o estado beta. A maioria de nós fica superestimulada com esse estado (principalmente com a intensificação da Era da Informação) e tenta desacelerar e agir mais a partir do estado alfa, enquanto as crianças hiperativas, por exemplo, na verdade tentam acelerar, viver no próprio corpo, lidar com a realidade cotidiana e pensar de forma direta e lógica. Talvez elas estejam naturalmente sintonizadas com estados superiores da consciência e, como o ET (o extraterrestre), precisem aprender a agir na atmosfera mental e emocional da Terra.

Segundo, descobriu-se que, quando funciona nas frequências mais lentas de alfa, teta e delta, o cérebro produz mais hormônios e neuropeptídios benéficos, como as endorfinas, a serotonina, a acetilcolina e a vasopressina, que ajudam a aliviar o stress e a dor e aumentar a aprendizagem e a memória. Será que a perda da memória e o mal de Alzheimer — que estão associados a baixos níveis de acetilcolina — estariam de algum modo relacionados ao excesso de consciência beta e à falta de desenvolvimento da percepção mais expandida que corresponde às ondas cerebrais alfa, teta e delta?

Como a energia, a consciência tem um espectro próprio

Vimos como as ondas cerebrais se ligam a diferentes níveis de percepção, mas será que não poderíamos decompor ainda mais detalhadamente os tipos de percepção inerentes a cada frequência de onda? Christopher Lenz trabalha há muito tempo como facilitador do treinamento de sincronização das ondas cerebrais para expansão da consciência do Monroe Institute, na Virgínia, que utiliza padrões sonoros e tem efeitos drásticos sobre as ondas cerebrais e os estados da consciência. Ele descreveu-me os níveis de percepção, principalmente aqueles que ocorrem nos estados teta e delta, que foram constatados e definidos pelos participantes do treinamento ao longo dos anos.

Nesse treinamento, os participantes são transportados, por frequências específicas de acordes e batidas que mudam continuamente e são transmitidos por fones de ouvido estereofônicos, de estados ordinários a estados não ordinários de consciência. Eles partem do relaxamento profundo, depois se expandem além da percepção sensorial e, em seguida, vão além do tempo e do espaço e entram num estado que os leva a realidades não físicas. Segundo relata Lenz, para entender isso melhor, o instituto invocou uma entidade não física chamada Miranon que delineou para ele um espectro geral da percepção, que divide a consciência em 49 níveis e 7 oitavas. Os participantes do treinamento visitaram então a maior parte desses níveis e criaram relatórios, no intuito de formar um consenso com base no que haviam experimentado em comum.

No sistema de Miranon, os **níveis de 1 a 7** pertencem à consciência do mundo vegetal. Os **níveis de 8 a 14** correspondem ao reino animal. Os **níveis de 15 a 21** relacionam-se aos tipos de percepção do reino humano. Lenz afirmou que várias pessoas descobriram que as frequências humanas são mais ou menos paralelas às funções dos sete *chakras*, os centros ou vórtices de energia do corpo. Podemos pensar os chakras como pontos nos quais energias superiores se transferem para o mundo físico por meio de uma energia ou corpo de luz intermediários, compostos de uma energia sutil muitas vezes chamada de *chi* ou *energia etérica*. Em geral:

O **nível 15** correlaciona-se ao primeiro chakra, na base da coluna, que se relaciona à sobrevivência e à resistência, à vontade de viver, à manutenção da energia vital e sua circulação, mantendo-nos ligados à Terra e suprindo-nos com a energia nuclear desta.

O **nível 16** corresponde ao segundo chakra, na parte inferior do abdômen, que se relaciona à empatia e à capacidade de sentir emoções e campos de energia. Ele nos ajuda a relacionar-nos uns com os outros e com o mundo, influencia a sensualidade, o desejo, a fome e a sexualidade e promove impulsos criadores e reprodutores.

O **nível 17** conecta-se ao terceiro chakra, no plexo solar, que se relaciona à vontade e ao poder pessoal, ao autocontrole, ao controle sobre o mundo exterior e as reações de atração-repulsa e lutar ou fugir diante dos estímulos recebidos.

O **nível 18** relaciona-se ao quarto chakra, o centro do coração, que se relaciona à interconexão de nossos eus físico e não físico, ao equilíbrio da vida alinhada com princípios universais e à compreensão perfeita de nossa inter-relação com os outros e com a natureza. Ele promove compaixão, confiança e empatia refinada.

O **nível 19** corresponde ao quinto chakra, o da garganta, que se relaciona à transição da vontade pessoal para uma vontade superior, à fé, ao contato com fontes superiores de orientação e informação, à expressão pessoal inspirada e à comunicação autêntica.

O **nível 20** correlaciona-se ao sexto chakra, ou terceiro olho, na região central da testa, que se relaciona à capacidade de ver através da forma as dinâmicas e padrões de energia subjacentes que nos ligam a experiências

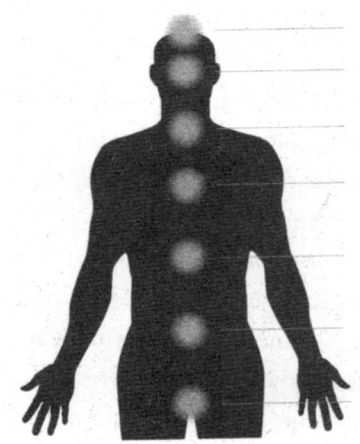

7. Coroa
6. Terceiro olho
5. Garganta
4. Coração
3. Plexo solar
2. Abdômen
1. Raiz

O sistema dos chakras

não físicas do eu. Ele nos abre a intuição, a imaginação, a criatividade inspirada e a percepção aguçada.

O **nível 21** corresponde ao sétimo chakra, o da coroa, que se relaciona à transição de nossa identidade do ego individual para a alma, ligando-nos às fontes mais sublimes de orientação, à compreensão cósmica e à interconexão com todas as outras almas e o universo. Ele é muitas vezes vivido como um ponto de encontro com seres não físicos.

Existem percepções além do reino humano

Lenz continuou, descrevendo os níveis de 22 a 28, o reino que se situa além da percepção humana normal e está relacionado em grande parte às experiências após a morte. A meu ver, esses são níveis particularmente interessantes, já que constituem um mapeamento de reinos que tanto eu quanto muitos outros clarividentes e místicos já visitamos em estados alterados de percepção.

O **nível 22** correlaciona-se a realidades oníricas de nível superior, à demência, ao delírio e a estados de anestesia. Ele se verifica em pacientes em coma, podendo ser usado para se estabelecer contato com eles. Além disso, é o nível em que os mortos que não acreditam numa vida além-túmulo podem "dormir" por tempo indefinido.

O **nível 23** está associado às pessoas que tinham medo da morte e não sabem que morreram ou que não conseguem superar uma ideia ou emoção limitadora após a morte. Isso é típico de suicidas, dependentes ou pessoas que morrem com altos níveis de resistência, amargura ou pesar.

Os **níveis 24, 25 e 26** relacionam-se a crenças e expectativas fixas nos conceitos que as pessoas têm com relação a como será a vida além-túmulo. Por exemplo, quando as pessoas creem que soarão trombetas ao chegar ao céu, elas as ouvirão. Ou, se acreditarem numa figura religiosa, elas a encontrarão. Os níveis relacionam-se ainda a sistemas de crença e visões de mundo rígidas que as pessoas têm com relação ao modo como a vida na terra funciona. Se a família tiver importância primordial, elas permanecerão em seus padrões de família após a morte. Se o poder ou a liberdade sexual forem importantes, elas continuarão a agir com base nisso. Lenz afirma que as pessoas podem permanecer nesses níveis por muito tempo — séculos, na verdade — até descobrirem outras possibilidades com a ajuda de guias.

O **nível 27** é um reino conhecido como "o Parque". Ele é um tipo de centro de recepção para onde a maioria das pessoas vai após a morte. Para muitas, ele parece um parque imenso, verde e tranquilo, com árvores e gramados maravilhosos. Aqui, as pessoas reencontram entes queridos já mortos, trabalham com guias para entender o que estavam aprendendo na vida, vão para um centro de rejuvenescimento para recobrar a energia, examinam suas possíveis vidas futuras, estudam na vasta biblioteca dos Registros Akáshicos, onde a memória planetária é armazenada, ou simplesmente relaxam e brincam até estarem prontas a seguir em frente. Alguns são treinados como guias e operários de resgate, aprendendo a voltar a níveis inferiores para elevar as almas "perdidas" até um estado em que possam ir adiante sozinhas.

O **nível 28** é um estado mais abstrato que constitui a última associação com a condição humana, às vezes chamado de "sétimo céu". Aqui, onde residem as almas não reencarnadas que estão integrando toda a sua vida, as pessoas entram em contato com altos mestres, salvadores e profetas.

Segundo Lenz, as três oitavas seguintes não estão bem documentadas. Porém os **níveis 34 e 35** são chamados "a área da Reunião", onde encontramos inteligências impessoais extremamente elevadas que se reuniram perto da Terra para testemunhar dois importantes eventos que aqui ocorrerão simultaneamente, algo que eles consideram uma raridade. Elas querem ajudar-nos. Entretanto, esses eventos não foram claramente delineados pelos que atingiram esses níveis de percepção. O **nível 49** relaciona-se ao funcionamento subjacente da astronomia e à compreensão dos grandes mistérios do cosmos e das galáxias.

Oxalá você esteja começando a vislumbrar os muitos espectros de energia e percepção que se interpenetram tanto em sua realidade exterior quanto na interior. A descrição dos níveis de percepção do Monroe Institute é apenas uma de muitas hierarquias da consciência. Quase toda religião e sistema metafísico tem uma versão própria do que existe a descobrir em nossos estados mais lentos e profundos de ondas cerebrais. A história registra pioneiros que exploraram estados superiores de energia e percepção, mapeando o território com os filtros de suas próprias culturas. Porém, apesar de pequenas diferenças, há uma grande semelhança entre os diversos modelos. Você também conseguirá, por fim, elevar intencionalmente sua frequência a níveis em que o conhecimento de dimensão superior parecerá normal.

> O cosmos é a ordenação do número. A percepção é a imagem da forma contida no potencial do número.
> **Robert Lawlor**

Que estado de percepção corresponde a 214?

Lembro-me de um sonho que tive há muitos anos: eu estava sendo interrogada pelo que me pareciam horas por uma banca de examinadores espirituais, como se estivesse fazendo uma prova oral de um curso avançado. Eles me perguntavam: "Que sensação física corresponde a 129?" "Coceira!", respondia eu. "Que emoção corresponde a 214?" "Pesar!", respondia eu. "Que estado físico está correlacionado à 13?" "Paralisia!", respondia eu. "Que estado mental corresponde a 525?" "Entusiasmo!", respondia eu. Acordei com a sensação de ter dentro de mim uma escala de gradações milimetricamente diferenciadas, como se eu fosse feita de camadas de papel finíssimo empilhadas em todas as direções.

Depois, comecei a estudar numerologia e, depois de trabalhar muitos anos com as combinações de números resultantes da data de nascimento de um cliente, descobri que os números de fato correspondem a estados de percepção, lições de vida, traços de personalidade e determinados tipos de acontecimentos. Os números são frequências. E toda frequência revela um mundo ou realidade que tem um tipo próprio de conhecimento e regras próprias de funcionamento. Sintonizando a sensibilidade com diferentes números, é possível descobrir novos mundos de informação e treinar uma habilidade energética básica: *atravessar as escalas*.

Experimente isto!
Reinos de vibrações numéricas

1. Sente-se confortavelmente, com a palma das mãos sobre as coxas, a cabeça reta e a respiração regular. Concentre-se inteiramente no momento presente e dentro de sua pele.
2. Imagine que está num elevador de vidro parado no térreo e, através da porta, você vê na parede um grande número 1. Você está em sua realidade cotidiana normal.
3. Observe que esse elevador vai do 1º ao 9º andar. Você vai passar pelos diversos andares até chegar a um que gostaria de conhecer.
4. Feche os olhos e conte para si mesmo, bem lentamente, prestando atenção a qualquer atração, por mais leve que seja, por um determinado número: 1 - 2 - 3 - 4 - 5 - 6 -7 - 8 - 9 e, de volta, 9 - 8 -7 - 6 - 5 - 4 - 3 - 2 -1. Em seguida, repita os números em ordem crescente. Veja se consegue sentir as diferentes vibrações ao percorrer os números.

Finalmente, você se sentirá intuitivamente atraído por um determinado número. O elevador vai parar no andar que corresponde a ele. Quando a porta se abrir, saia.

5. Aqui há um novo mundo que ressoa com o número que você escolheu. Sinta a vibração e ajuste-se a ela. Trata-se de uma frequência de que você precisa para seu corpo, suas emoções ou sua mente, e que contém um tipo específico de energia e sabedoria, podendo facilitar-lhe a aquisição de aptidões e capacidades de que talvez necessite. Ande um pouco — o que você vê, ouve, cheira ou sente? Que emoções e sentimentos são mobilizados? Procure absorver tudo o mais que puder. Em que você começou a pensar? Ocorre-lhe alguma revelação acerca de algo que você tenha de fazer?

6. Agora um guia vem recebê-lo. Ele é um porta-voz desse nível e lhe dará informações e conselhos de que você precisa. Deixe que essas informações fluam em sua imaginação. Se quiser escrever usando a técnica da escrita direta descrita em *Ao leitor,* continue concentrado e, sem pressa, comece a escrever qualquer orientação que lhe venha à mente.

7. Quando tiver recebido o suficiente, agradeça ao guia e volte ao elevador. Se quiser, vá para outro nível e repita o processo lá ou volte à sua consciência normal da vigília, no nível 1, sentindo os graus de vibração nesse percurso.

O corpo, as emoções e os pensamentos influenciam a frequência

A realidade cotidiana apresenta-nos mais uma gama de vibrações, que são aquelas que se relacionam ao estado do corpo físico, das emoções e dos pensamentos. Num dia comum, subimos e descemos livremente as escalas do conforto-desconforto, da ação-inação, da alegria-desprazer e da lógica-inspiração, para citar apenas algumas. O quadro a seguir dá uma impressão geral da ampla gama de vibrações que podemos experimentar. As colunas não correspondem umas às outras horizontalmente.

Eis aqui um exemplo de como as vibrações pessoais podem mudar no decorrer de um dia: uma pessoa acorda animada para começar a trabalhar numa escultura que imaginou e está ávida pela experiência tátil. Vai logo responder aos e-mails e aí o computador pifa, deixando-a frustrada. Sente raiva. Então um amigo telefona e a convida para jantar no fim de semana, fazendo-a pender para a gratidão. Começa a trabalhar na escultura e, sem querer, se fere com um cinzel. Seu corpo sente dor e a mão lateja pelo resto do dia. Isso acaba distraindo-a, e ela se sente esgotada.

As escalas de vibrações do dia a dia

ALTA FREQUÊNCIA rápida/expansi-va/alma/amor	CORPO	SENTIDOS	EMOÇÕES	PENSAMENTOS
	Presença integral	Comunhão	Amor/Empatia	Sabedoria/Unidade
	Saúde perfeita	Experiência direta	Generosidade	Conhecimento direto
	Momento de alegria	Ultrassensibilidade	Regozijo/Gratidão	Inspiração/*Insight*
	Flexibilidade	Intuição	Entusiasmo	Criatividade fluida
	Reatividade	Clarividência	Desejo/Motivação	Descoberta/Exploração
	Conforto/Repouso	Clariaudiência	Prazer	Receptividade/abertura
	Exaustão	Clarissenciência	Sinceridade	Tédio/Impaciência
	Tensão/Stress	Visão	Satisfação/Confiança	Distração/Ausência
	Dores periódicas	Audição	Decepção	Projeção/Culpa
	Dores crônicas	Tato	Frustração	Lógica/Prova
	Dependência	Paladar	Dúvida/Insegurança	Convicções/Jogos de controle
	Doença/Enfermidade	Olfato	Medo/Pânico	Obsessão
	Trauma/Lesão	Atração/Repulsão	Ódio/Raiva/Recusa	Subjugação
BAIXA FREQUÊNCIA lenta/densa/ego/medo	Perda de função	Instinto visceral	Culpa/Vergonha	Psicose/Neurose
	Paralisia/Coma	Reação subconsciente	Depressão/Apatia	Traços suicidas

A pessoa para um pouco, faz algumas tarefas domésticas e se entedia. Então decide não trabalhar e liga a televisão. Embora goste do estímulo visual de um belo filme, fica agitada com a rápida sucessão de comerciais barulhentos. É hora de ir para a cama. Mas, quando tenta pegar no sono, preocupa-se com dinheiro e em ser boa o bastante naquilo que faz. Aí percebe que está agitada demais para dormir, então lê um livro que transporta seus pensamentos para questões mais espirituais. Isso a acalma, e ela resolve meditar, o que a tranquiliza. Agora que se sente em paz e novamente em contato com o maravilhoso e talentoso eu artista, é fácil pegar no sono. Os sonhos são dinâmicos e criativos.

Experimente isto!
Acompanhe suas vibrações diárias

- Pense em seu dia até o momento. Com que disposição física, emocional e mental você saudou o dia?
- Como você passou pelas frequências à medida que o dia foi avançando? Em que estados você está vivendo agora?
- Quando relembra um dia típico, nota algum padrão nos estados de energia que você tende a repetir sem perceber? Qual é sua vibração típica: no início da manhã, no meio da manhã, no início da tarde, no fim da tarde, no início da noite e na hora de dormir?
- Pense em sua semana. Quais as vibrações predominantes em que você viveu?
- Em que níveis de frequência você andou sonhando ultimamente?

Você possui uma vibração pessoal só sua

Já que a própria vida oscila entre forma e não forma, e sua mente se alterna entre a consciência e a inconsciência, quando se trata da experiência cotidiana, é normal ir e vir entre um extremo a outro da escala de frequências do corpo-emoção-mente. Muita gente com quem converso está tentando encontrar um meio permanente de continuar "no que é bom", ficar feliz o tempo todo e nunca se desviar de seus propósitos. Mas nós somos seres vibratórios e passamos por nossas experiências em virtude da natureza da vida, que é como uma onda. Como todo mundo, você tem um *vibração pessoal* própria — e ela muda, a depender do que você estiver pensando, sentindo e fazendo. É importante saber que você pode influenciá-la. Pode deixar que sua vibração pessoal corresponda à sopa caótica de frequências do mundo e ficar se sentindo atirado de um lado para o outro ou definir como quer se sentir. Quando decide sintonizar com a frequência de sua alma, sua vibração pessoal estabiliza-se em sua "frequência original", que discutiremos detalhadamente no capítulo 5. É possível que você ainda suba e desça um pouco, mas é bem mais fácil manter a lucidez quando você sabe concentrar-se intencionalmente em sua vibração pessoal. Mas como é exatamente sua vibração pessoal e de que modo ela funciona?

1. A vibração pessoal é a vibração geral que emana de uma pessoa num determinado momento. Essa frequência é uma mescla de quaisquer dos diversos estados contraídos ou expandidos do corpo, das emoções e dos pensamentos descritos no quadro anterior. Ela naturalmente oscila. Num determinado instante, é possível sentir uma mistura de dor física, vitimização emocional e subjugação mental. No instante seguinte, talvez estejamos envolvidos num movimento físico fluido que provoca prazer emocional e interesse pela exploração. Se estivermos irritados, poderemos fazer uso de algum instinto visceral e reagir, e se estivermos calmos e felizes, podemos ter *insights* extremamente intuitivos.

2. A vibração de um aspecto da compleição emocional e física de uma pessoa afeta as vibrações dos demais aspectos. Caso alguém tenha estado deprimido por algum tempo, o emocional pode fazer a imaginação definhar e deixar os pensamentos mais desesperançados e negativos. A falta de fervor e entusiasmo também pode deixar o corpo mais estagnado e indolente. Por outro lado, se movimentamos o corpo regularmente, andando ou dançando, por exemplo, as emoções serão espontâneas e os pensamentos também se tornarão mais fluidos. O melhor disso tudo é que é possível melhorar a vibração pessoal geral melhorando uma parte dessa compleição — basta aumentar a escala até o ponto que traz maior bem-estar. Por exemplo, se estamos exaustos, a solução será buscar o conforto e descansar. Se estamos frustrados, devemos mudar para a satisfação. Se estamos obcecados, experimentemos analisar as crenças mais profundas. Devemos começar por qualquer parte, e o resto virá em seguida.

> Toda mudança no estado fisiológico é acompanhada por uma mudança apropriada, consciente ou inconsciente, no estado mental-emocional e, por sua vez, toda mudança no estado mental-emocional, consciente ou inconsciente, é acompanhada por uma mudança apropriada no estado fisiológico.
> **Elmer Green**

3. A vibração pessoal é afetada pelas vibrações do mundo e das outras pessoas. Já que os corpos ressoam como diapasões, podemos entrar em contato com uma pessoa negativa e nervosa, ou prática e tranquila, e seu corpo copiar o dela. Imaginemos que alguém esteja caminhando alegremente e uma amiga o procure para dizer que está com um problema por culpa sua. Será fácil pegar a vibração dela e começar a culpá-la por alguma coisa que *ela* tenha feito. Num piscar de olhos, a pessoa se sentirá nervosa e esgotada. Ou talvez já acorde cansada e fique ainda mais sem ânimo durante seu monótono trajeto para o trabalho com trânsito pesado. Seu cérebro não quer trabalhar até que um colega entra em sua sala animadíssimo, com grandes novidades. A energia dele é alegre e motivada. Logo a pessoa está com uma disposição de espírito criativa e se torna extremamente produtiva.

Certas pessoas são "para cima", já outras são "para baixo". Os lugares, do mesmo modo, têm vibrações — um restaurante pode nos dar "calafrios" enquanto outro nos deixa seguros e aconchegados. Algumas cidades estimulam a criatividade e a sociabilidade, ao passo que outras nos isolam e nos fazem sentir-nos sem esperança. É possível ser aquele que "define o tom" para os demais numa determinada situação, pois nossa vibração pessoal afeta as pessoas tão prontamente quanto a delas nos afeta.

4. A vibração pessoal é gerada dentro de nós por opções nossas. Realmente, como queremos nos sentir só depende de nós. Existe uma vibração natural — a *frequência original* — que é o modo como a alma sente, aquela frequência leve e maravilhosa como a que os bebês irradiam. Ela vai sendo coberta com entulho emocional e mental à medida que vivemos. Podemos descobri-la e brilhar sempre que quisermos. Uma das opções, geralmente bem inconsciente, é chamar atenção e se sentir bem com isso, identificando-nos como uma vítima, agindo como injustiçados ou como se estivéssemos errados. Essa opção inconsciente nos faz agir com uma baixa vibração pessoal. Enquanto adotarmos essas ideias, permitiremos que pessoas, lugares e fatos de vibração mais baixa que a nossa nos levem para baixo. Ou atribuiremos aos que naturalmente têm vibração alta a responsabilidade de nos fazer sentir melhor.

5. Quanto mais deixarmos que a alma se encarregue da vida, melhor se tornará a vibração pessoal. Quando a vibração pessoal decorre de uma forma de pensar estreita, de emoções negativas ou de necessidade de controlar a si mesmo e ao mundo, não é possível ter um bom momento aqui na terra! À medida que avançamos no processo de transformação, essas crenças e sentimentos contraídos afloram do subconsciente para ser depurados, e uma nova percepção, baseada na sabedoria expansiva e amorosa da alma, se abrirá.

Nos capítulos seguintes, investigaremos com mais profundidade como desenvolver uma sensibilidade saudável e manter a vibração pessoal num nível que otimize o modo de agir na vida, trazendo sucesso e permitindo que sejamos naturalmente alegres e prazerosamente ocupados.

> **A maior revolução de nossa geração é a dos seres humanos — que, mudando suas atitudes mentais interiores, podem mudar os aspectos exteriores de suas vidas.**
> **Marilyn Ferguson**

Só para recapitular...

Você está cercado por muitas vibrações de energia do mundo exterior, das 81 oitavas das frequências eletromagnéticas e das vibrações do som e do calor até a ressonância de Schumann e as partículas-ondas básicas da matéria. Algumas são perceptíveis aos sentidos, porém a maioria, não. Em seu mundo interior, você vive por meio de ondas vibrantes de energia e consciência, desde os ciclos da respiração e da pulsação cardíaca até as ondas cerebrais elétricas. Nos níveis das ondas cerebrais há uma variedade de percepções, desde os sete tipos de consciência dos chakras até a percepção de experiências após a morte e de outras dimensões. Com sua sensibilidade, é possível atravessar as escalas de frequência e descobrir novos mundos e novos conhecimentos em cada frequência.

Sua vibração pessoal ou estado de energia é uma mescla das frequências contraídas ou expandidas de seu corpo, suas emoções e seus pensamentos num determinado momento. Quanto mais deixar sua alma brilhar através de você, mais alta será sua vibração pessoal. Sua vibração pessoal é afetada pelas vibrações de outras pessoas e pelas vibrações do mundo. Entretanto, em última análise, como você quer se sentir é uma opção sua.

Mensagem da frequência original

Como explico na seção *Ao leitor*, incluí estes trechos inspiradores ao fim de cada capítulo para que você troque sua forma normal, rápida, de leitura por uma experiência direta de um tipo mais profundo. Por meio dessas mensagens, é possível mudar intencionalmente sua vibração pessoal.

A mensagem abaixo destina-se a transportá-lo a uma forma de conhecer o mundo que se aproxima daquela com que você experimentará a vida na Era da Intuição. Para entrar na *mensagem da frequência original,* basta adotar um ritmo mais lento, menos apressado. Inspire e expire lentamente uma vez e fique o mais calmo e imóvel que puder. Deixe que sua mente fique suave e receptiva. Abra sua intuição e prepare-se para *intuir* a linguagem. Veja se consegue experimentar as sensações e realidades mais profundas que ganham vida *à medida que você ler.*

Sua experiência pode ganhar uma maior dimensão, a depender da atenção que você investir nas frases. Concentre-se em poucas palavras de cada vez, faça uma pausa nos sinais de pontuação e "fique com" a inteligência que está dando a mensagem — ao vivo, agora mesmo — a você. Você pode dizer as palavras em voz alta ou fechar os olhos e escutá-las na leitura de outra pessoa para ver que efeito têm sobre você.

FLUINDO SUAVEMENTE ATRAVÉS DAS VIBRAÇÕES

Escute o mundo: os sons transportam-se das fontes até os ouvidos. Os cães viram a cabeça em direção aos intrusos, os golfinhos movem-se em cardumes, a música derrama-se dos instrumentos, as histórias fluem da boca dos professores. Escute: insetos zunem, o trovão retumba, a mãe sussurra para o filho, o esforço provoca um gemido, a derrota — como a vitória —, um grito. Escute as camadas de vibração, sinta-as tangíveis, causando-lhe uma impressão, fazendo-o ressoar.

Você é o vento: agora brisa, agora lufada, agora tempestade. Você é a luz: agora branca, agora arco-íris, agora negra, agora límpida e transparente. Você é a onda da vida: indo, vindo, enchendo-se como um balão até plenitudes desconhecidas, desaparecendo em minúsculos orifícios desconhecidos. Você quer e não quer parar. Você acha que o balanço é você. Você sabe que o balanço não é você todo.

Sob as vibrações da superfície, algo convida: algo renovador, algo sumamente eficaz, algo perturbador a princípio. Sob as ondas está a quietude onde o movimento se torna mais lento. Não há necessidade de falar: pense uma coisa para alguém, e essa pessoa pensará isso também. Imagine um presente na mão de um amigo e ele está aqui, sem a comoção da criação. Saber e prescindir de tantas ondas. Vê como é tranquilo, como é fácil? Quanto mais tranquilo você estiver, com mais rapidez e precisão sua intenção se traduzirá.

Sob esse lugar de tradução tranquila, outro lugar. Não há movimento algum. Eis aqui algo puro: percepção, silêncio, paz profunda, amor que permeia e liberta, compreensão total que supera e liberta a mente. Não há direcionalidade, não há força, não há necessidade. Todos os atos da criação começam e terminam aqui. Aqui você aprende tornando-se o universo. A qualquer momento, é possível descer em frequência até a imobilidade. Suas partes se unificam. O tempo para e você pensa: lá não há nada. Então, de repente, uma "gargalhada" o explode em pedacinhos que vibram novamente: tudo está aqui! Você sai da pureza para sentir uma nova motivação e escolher uma nova vibração para fluir até algum lugar diferente e conhecer a sua alegria até que a imobilidade torne a chamá-lo.

O estado mais profundo é o mais elevado; o mais calmo é o mais acelerado. Os sentimentos mais íntimos, amorosos e ligados são os mais eficazes. O amor é a frequência mais motivadora e criativa que há. A verdade é o amor que percorre sua mente. A harmonia é a ressonância do amor, coordenando e sintonizando todas as vibrações da vida. Você, a mente, ama as vibrações porque a Mente é feita de vibrações. No entanto, você, a alma, ama a imobilidade porque a Alma é feita de presença indivisível e amor inamovível. Farte-se com o banquete de frequências, digira-o em silêncio, use sua presença para criar com as frequências e aprecie sua criação em silêncio.

3

CONSCIENTIZANDO-SE DE HÁBITOS EMOCIONAIS

As emoções não são "ruins". Nas raízes de nossas emoções estão energias primais que podem ser usadas frutiferamente. Com efeito, [...] a *energia* da iluminação provém das mesmas origens naturais que dão lugar a nossas paixões e emoções cotidianas.

James H. Austin, médico

Recentemente, aconselhei uma adolescente que estava interessada na intuição. Apesar dos *piercings* nos lábios e da sombra preta, os olhos de Megan resplandeciam de beleza e sua mente era incrivelmente aberta. Ela deu de ombros quando lhe perguntei que tipo de perguntas tinha, mas, na metade da sessão, pensou em uma coisa. "Às vezes, tenho uma sensação súbita de que tudo vai dar errado, como se o que é bom fosse se estragar. O que provoca isso? Porque sempre tenho medo de que meu namorado esteja namorando outras garotas — só que ele não está — e acho que estou prejudicando nosso relacionamento."

Intuí seu corpo e percebi o local, no plexo solar dela, onde uma sensação súbita de pavor, aparentemente vinda do nada, costumava atingi-la. Atrelada a essa sensação, vi uma vaga imagem do pai dela. Então perguntei-lhe se o pai havia abandonado a ela e à mãe. "Sim, quando eu era pequena", respondeu ela. Senti como seu corpo havia reagido àquela contração original de medo, aquela sensação confusa de abandono e consternação pela dúvida de poder ter de algum modo feito o pai ir embora. Era como se uma parte de sua mente que antes não precisava estar a postos tivesse então sido despertada, uma parte que dali em diante ficaria de olho nas situações em que alguma surpresa devastadora parecida pudesse acontecer. E o que essa parte estava dizendo era: "Nunca serei pega de surpresa novamente!".

Percebi que a tendência natural de Megan era confiar e querer amar e que, quando o fazia, seu subconsciente relaxava. Então, de repente, ele se lembrava: "Existe algo de familiar nessa situação — você pode ser abandonada: *Tome cuidado!*". E, do nada, se retraía. Em vez de perceber que estava revivendo uma experiência do passado, Megan estava projetando a ansiedade em quem estivesse por perto, pois já havia perdido vários amigos e um namorado por causa disso. Trabalhei com ela para ajudá-la a entender que seu corpo estava ultrassensível e alerta, que ele simplesmente estava fixado naquele primeiro choque e que ela poderia facilmente reprogramar essa reação, principalmente por ser ainda jovem e estar muito próxima da experiência original — ou seja, não tinha passado por mais vinte perdas semelhantes por causa da revalidação que a mente vigilante dava à contração original, como é o caso de muitos adultos.

Você nasceu — e ainda é — sensível às vibrações

Como Megan, entramos nesta vida inteiramente abertos e confiantes, esperando alegria e livre troca de amor nutriz. Certamente, todos somos empáticos e sensíveis às vibrações quando nascemos. Em *Evolution's End*,[3*] Joseph Chilton Pearce descreve de que modo o embrião, poucos dias após a concepção, forma um bloco de células vibrantes que se tornam o novo coração. Essas células parecem ser sensíveis ao som e sintonizam a pulsação cardíaca e a respiração da mãe, que aparentemente são necessárias à posterior formação da cabeça do bebê. O estado emocional da mãe e qualquer padrão repetitivo de comportamento são gravados no feto por meio dos hormônios e do tom de voz dela. Depois que o bebê nasce, quando seu corpo ainda está carregado de hormônios suprarrenais, o instinto da mãe — e do pai também — é carregar o recém-nascido do lado esquerdo de seu corpo, perto do coração. O coração dos pais estimula o do bebê, ativando assim a mente cerebral e tranquilizando a criança de que está em segurança. É notório que a gravação de uma pulsação cardíaca pode reduzir entre 40 e 50% o choro dos bebês.

---

3. *O Fim da Evolução,* publicado pela Editora Cultrix, São Paulo, 2002.

Pearce descreve também como os recém-nascidos continuam vivendo num mundo sutil, ligados quase que completamente ao corpo da mãe. Ele diz: "Quando a esfera sutil dela se sobrepõe à do bebê, ocorre uma comunicação muito importante. Essa comunicação sutil pode estar abaixo do nível de percepção da mãe, mas é o único nível de percepção inteiramente ativo no bebê". Então, a capacidade de *intuir* de coração para coração — de filho para mãe e de mãe para filho — é o nosso método original de crescimento e sobrevivência.

No livro *Emotional Intelligence,* Daniel Goleman descreve como os bebês e as crianças pequenas costumam demonstrar uns para os outros laços empáticos: "Praticamente desde o dia em que nascem, os bebês ficam perturbados quando ouvem outro bebê chorando [...] e reagem a uma perturbação sentida por aqueles que estão em torno deles como se esse incômodo estivesse acontecendo neles próprios, chorando ao verem que outra criança está chorando". As crianças muitas vezes imitam a aflição que veem em outra criança. Por exemplo, quando outra criança fere um dedo, um bebê de 1 ano pode pôr o próprio dedo na boca para ver se dói também. Além disso, ele pode dar ao outro bebê um brinquedo ou afagar-lhe a cabeça quando ele chora. Segundo Goleman, quando têm um pouco mais de idade, as crianças começam a entender que a aflição de uma pessoa está relacionada à sua situação na vida, podendo sentir solidariedade por todo um grupo, como os pobres ou os excluídos. Ao que parece, a empatia e a sensibilidade vibracional são tendências humanas fundamentais cujas origens remontam ao útero.

> **Todos precisamos aprender a ouvir uns aos outros com compreensão e compaixão, para poder escutar aquilo que o outro está sentindo.**
> **Thich Nhat Hanh**

Em seu livro *The Highly Sensitive Person,* a psicóloga Elaine Aron afirma que os adultos "extremamente sensíveis" compõem aproximadamente entre 15 e 20% da população. Essas são pessoas que percebem coisas que os outros não observam, têm profunda compreensão de qualquer ambiente e seus problemas e potenciais, e geralmente precisam de mais tempo e espaço para processar o que absorvem. As pessoas extremamente sensíveis ficam facilmente superestimuladas a níveis penosos e paralisantes. Além disso, muitas vezes são naturalmente introvertidas, intuitivas, visionárias e envolvidas com sua vida anímica e espiritual. Segundo Carl Jung, as pessoas extremamente sensíveis são mais influenciadas pelo inconsciente, que lhes dá acesso a informações importantes que podem conter revelações proféticas. Conforme a pesquisa de Aron, o tipo "moderadamente sensível" compõe 30% dos entrevistados. Ela afirma que os restantes 50% julgam não ser sensíveis ou "nem um pouco sensíveis".

Talvez fôssemos mais empáticos e conscientemente sensíveis se nossa cultura não fosse tão analítica, materialista e competitiva. Talvez, em parte, tenhamos sido treinados para não ser assim: nossas escolas priorizam a capacidade matemática e informática em detrimento da arte e da literatura, e o esporte, em detrimento da apreciação da dança e da música. Mas, aí, as feridas precoces das famílias problemáticas, como no caso de Megan, podem nos fechar e obrigar-nos a viver só na cabeça, adotando compensações, ou mesmo a viver fora do corpo, em estados dissociativos. No entanto, dadas as nossas raízes puramente vibracionais, parece inacreditável que possamos tornar-nos insensíveis ao conhecimento de outras pessoas por meio da vibração e da ressonância, especialmente agora que as frequências dentro e fora de nós estão se acelerando. Suspeito que hoje em dia um percentual muito maior de pessoas esteja entrando na categoria das Pessoas Extremamente Sensíveis, à medida que o estoicismo desmorona e os hábitos emocionais prejudiciais que cultivamos para nos proteger — como as dependências, a reclusão e a agressividade, para citar alguns — deixam de funcionar.

As mulheres são mais sensíveis que os homens?

Elaine Aron descobriu que, ao atingir a idade escolar, a maioria das pessoas extremamente sensíveis havia se tornado introvertida, mas as meninas tinham mais liberdade para exprimir a emoção e podiam até perder o controle ou ficar indefesas, ao passo que os meninos tinham de ser mais estoicos para sobreviver. Daniel Goleman resume o papel do gênero na capacidade emocional e empática quando diz: " [...] há bem mais semelhanças que diferenças. Alguns homens são tão empáticos quanto a mulher de maior sensibilidade interpessoal, enquanto algumas mulheres têm tanta capacidade de suportar o stress quanto o homem de maior resistência emocional. Na verdade, em média, quando se examina a pontuação geral de homens e mulheres, os pontos fortes e fracos se equivalem, de modo que, em termos do total de inteligência emocional, não há diferenças entre os sexos".

É comum presumir-se que as mulheres sejam mais intuitivas que os homens. É verdade que, pelo fato de terem mais fibras conectando os dois hemisférios do cérebro, as mulheres têm um modo de perceber mais bilateral, ou seja, elas percebem ambos os lados de uma só vez. Os homens tendem a perceber unilateralmente, um lado de cada vez. Por isso, as mulheres acham difícil sentir-se separadas do ambiente e das outras pessoas. E, por meio dessa afinidade, elas recebem muitas informações sutis. Os homens podem ser tão intuitivos quanto elas, mas precisam fazer uma opção consciente por entrar num modo intuitivo, já que a percepção compartimentalizada é mais natural neles. Talvez essa diferença tenha relação igualmente com nossas tendências naturais à sensibilidade.

Quanto você é sensível?

Tanto quanto pude observar, somos todos igualmente sensíveis ou não estaríamos vivos. Alguém tem ideia de quantas vezes instintivamente evitou o perigo ou as situações que não lhe convinham e de quantas vezes com precisão escolheu aquilo que o favorecia? Claro, cometemos erros, mas porque somos sensíveis aprendemos com eles. Eu prefiro reenquadrar a sensibilidade de tal modo que, em vez de classificar-nos como extremamente sensíveis, moderadamente sensíveis ou insensíveis, possamos pensar em graus de consciência acerca de nossa sensibilidade. Nossa sensibilidade está sempre trabalhando, embora estejamos relativamente conscientes ou inconscientes disso.

> Todas as grandes descobertas são feitas por homens cujos sentimentos vão na frente dos pensamentos.
> **Rev. Charles H. Parkhurst**

Muitos de nós somos sensíveis inconscientes ou desapercebidos, captando grandes volumes de ideias e informações subliminares que permanecem logo abaixo da superfície do consciente sem saber o que estamos fazendo. Quando isso acontece, sentimos a pressão daquilo que quer dar-se a conhecer, e isso pode nos subjugar ou paralisar, deixando-nos irritáveis e suscetíveis, aparentemente sem nenhuma razão.

Alguns de nós somos sensíveis conscientes, capazes de identificar e usar os dados sutis que recebemos sentindo o mundo à nossa volta, sem repercussões negativas. Percebemos a informação, o tempo, a ação e a palavra certa, e somos bem-sucedidos na vida diária.

Outros ainda estão se tornando sensíveis extremamente conscientes: são aqueles que atuam muito bem no mundo, com altos níveis de sensibilidade, e também intuem dimensões espirituais para ganhar sabedoria, interagir com seres não físicos e intencionalmente materializar criações baseadas na alma.

Você provavelmente é uma mistura dessas três categorias: inconsciente de certas sensibilidades, alerta e intencional diante de outras e, às vezes, aventurando-se por novos territórios mais complexos. Se atentar para quanto sua percepção aumentou e para quanto você recorreu à sua sensibilidade às vibrações para agir, é provável que descubra que usa essa capacidade com muita frequência.

Experimente isto!
Como você *sente* a sensibilidade?

1. Descreva em seu diário os componentes de três experiências positivas ou negativas que teve nas quais a sensibilidade tenha sido o modo predominante de saber, agir ou comunicar. Por exemplo: "Pedi desculpas a Sue porque senti o quanto ela ficou magoada com meu comentário", "Assisti a um documentário sobre a morte dos ursos polares e não consegui fazer mais nada o resto do dia" ou "Eu podia adivinhar que aquela reunião ia degringolar numa sessão de fofoca". Como você se sentiu antes e depois, física e emocionalmente? Como foi que você percebeu como estava se sentindo? Como as pessoas reagiram?
2. Descreva os componentes de três experiências nas quais as pessoas tenham sido sensíveis ou insensíveis diante de você ou de um terceiro. Como isso o afetou exatamente?
3. Esta semana, preste muita atenção às situações em que poderia ser mais sensível e abra sua percepção emocional e corporal para descobrir como poderia saber mais, contribuir mais ou ajudar os outros a sentir-se mais aceitos e compreendidos. Observe como se sente depois de aplicar uma sensibilidade mais aguçada numa situação prática.

Existem hábitos emocionais saudáveis e hábitos emocionais prejudiciais

Desde o instante do nascimento, começamos a desenvolver um sistema subliminar para intuir o caminho na vida. Dependendo da recepção que tivemos, nosso corpinho extremamente sensível aprendeu a permanecer aberto e radiante ou a contrair-se para se proteger. Com o tempo, essas reações se cristalizaram em regras tácitas de sobrevivência. Elas passaram a ser *hábitos emocionais* que nos mantinham vivos e, ao mesmo tempo, permitiam que a alma brilhasse o máximo que a mente infantil julgava seguro.

Alguns desses hábitos são saudáveis, como introverter-nos para ver o que nos parece certo em cada situação ou copiar os padrões personificados por aqueles com quem queremos aprender. Porém, muitos dos hábitos emocionais que desenvolvemos eram nocivos, destinados a proteger-nos ou reforçar percepções equivocadas da mente infantil acerca da natureza inóspita do mundo. Há quem tenha aprendido a "deixar o corpo" e tornar-se insensível à dor terrível de ver os pais brigarem ou agredi-lo. Há quem tenha se tornado ultrassensível aos surtos de depressão de uma mãe entristecida, no intuito de fundir-se a ela e alegrá-la para que ela continuasse a cuidar dele. Hoje esses hábitos emocionais são uma segunda natureza, e os que são prejudiciais mantêm a vibração pessoal baixa e agem como obstáculos à transformação.

Para descobrir como, o que e quanto você se permite sentir, exploremos alguns de seus hábitos emocionais. Os que são saudáveis ajudam-no a acessar informações, tomar boas decisões e melhorar seus relacionamentos. Já aqueles que são prejudiciais apontam para fluxos de energia bloqueados e feridas emocionais subjacentes, mostrando onde você pode desenvolver uma nova sensibilidade mais saudável.

Pesquisa da sensibilidade vibracional

Esta pesquisa destina-se a ajudá-lo a entender seus hábitos emocionais. Apesar de haver uma classificação, no final a pontuação não será considerada. Classifique as declarações a seguir de 1 a 10, sendo que 10 indica alta incidência ou maior verdade. Analise seus resultados tentando detectar seu padrão específico de sensibilidade e suas ideias acerca de tornar-se mais sensível.

Alta pontuação = hábitos emocionais saudáveis

1. Confio no que dizem meus instintos viscerais acerca de novas pessoas e ideias. _____
2. Percebo facilmente o que é verdade e o que é mentira. _____
3. Detecto imediatamente o estado de espírito das pessoas. _____
4. Confio em minhas próprias ideias e orientação. _____
5. Estou certo de que posso materializar e ter tudo aquilo que desejo. _____
6. Tenho certeza de que minhas emoções me dão informações úteis. _____

7. Percebo imediatamente quando há vibrações positivas ou negativas nos lugares em que entro. _____
8. Sinto seres não físicos, campos de energia e a alma das pessoas. _____
9. Geralmente sei o que os outros estão pensando. _____
10. Sei o momento certo de agir. _____
11. Capto informações vibracionais quando estou com disposição neutra ou solícita. _____
12. Quando estou superestimulado, crio mais espaço e volto a centrar-me em mim mesmo. _____

Alta pontuação = hábitos emocionais prejudiciais

1. Fico incomodado com meu próprio sofrimento e com o sofrimento dos outros. _____
2. Tenho pouca tolerância a leituras ou programas sobre violência. _____
3. Fico incomodado com o caos e com os estímulos intensos. _____
4. Fico esgotado quando tenho coisas demais para fazer de uma só vez. _____
5. Mostrar minhas emoções leva as pessoas a não confiarem em mim. _____
6. Tomar decisões com base em sentimentos leva ao fracasso. _____
7. O excesso de exposição aos noticiários ou ao público em geral me paralisa. _____
8. Quando estou superestimulado, fujo para dependências ou "atividades bobas". _____
9. Capto informações vibracionais quando estou com disposição defensiva ou crítica. _____
10. Se fosse mais sensível, eu não conseguiria agir direito no mundo. _____
11. Se fosse mais sensível, eu poderia enlouquecer ou ter problemas mentais. _____
12. Se fosse mais sensível, eu poderia ficar gravemente enfermo. _____

Depois de examinar suas respostas, talvez você perceba que há determinadas áreas em que praticamente se esquece do que sente ou é bastante ligado em como se sente. Você descobrirá se tem muita ou pouca tolerância a estímulos vibracionais, se cede facilmente ou não à percepção negativa ou se suas convicções facilitam ou dificultam a expansão de sua sensibilidade. Essas são boas informações — não é que sejam certas ou erradas, mas constituem um ponto de partida para começar a ser mais intencional com sua percepção. Talvez você queira escrever sobre seu atual padrão. Quando o medo mais o influencia? O que você poderia fazer para tornar seus hábitos prejudiciais mais saudáveis? Em que situações já consegue confiar nas informações vibracionais e usá-las? Em que situações gostaria de cultivar hábitos emocionais mais saudáveis?

Como os hábitos emocionais se desenvolvem

Façamos uma pequena viagem no tempo até aquele momento logo depois do nascimento, quando ainda agíamos como um organismo empático e sensível às vibrações, antes de aprender as palavras e criar camadas de explicações, identidades e mecanismos de superação. Vivíamos em fusão com o ambiente e, como um golfinho, usávamos uma espécie própria de sonar, aprendendo a agir com base no que se expandia sem limite mundo afora e no que voltava até nós. Éramos como um pequeno sol, que irradiava luz clara, amor e alegria para todos os que quisessem aproveitar esse calor. Enquanto esse amor incondicional atingia pais e outras pessoas importantes à nossa volta, sempre que eles mantivessem a capacidade de amar e de sentir empatia, esse sonar funcionava e a realidade era reforçada e, talvez, até ampliada. A verdade da alma estava ali, naquela sensação específica, que poderia mesmo chamar-se prazer. Uma infância sadia é marcada por esse tipo de reforço da alma.

Mas sempre que os pais e os outros aprendiam a ter medo, a fechar o coração, a desconfiar ou a rejeitar a alegria, o sonar nos enviava sinais. Talvez o pai tenha restringido o espírito brincalhão quando era criança porque os pais dele eram severos e, inconscientemente, ele assumiu o rigor e a convicção de que toda criança precisa de disciplina. Quando nossa alegria ilimitada depara com as convicções rígidas e as emoções "endurecidas" dele, não conseguimos nos sentir como nós mesmos. Em vez disso, percebemos que há algo de errado, mas não sabemos o bastante para detectar o quê. Quando isso acontece pela primeira vez, esse efeito ricochete produz em nós, o organismo, uma estranha sensação de desorientação e falta de realidade. Aí está uma coisa que é "não eu", que é mais lenta, densa, cortante e sombria do que aquilo que somos.

Aí está o começo da experiência de um mundo exterior, de separação da vida, de medo e ego. Essas são sensações alheias que se parecem com a dor.

Nós, o organismo, possuímos um dispositivo de economia de energia e procuramos amor para nos sustentar. Descobrimos que a energia não ricocheteia de uma maneira incômoda caso adaptemos o comportamento às convicções e às posturas corporais inconscientes de nosso pai. Nós o imitamos e deixamos de nos exprimir quando não conseguimos transpor essa barreira. Ninguém se expandirá em criatividade se for punido por isso. Deixamos de ser afetuosos se isso deixar um pai rígido e pouco à vontade. Deixamos de irradiar afetividade do peito ou olhos se os olhos da mãe não forem receptivos ou se o coração do pai for duro. Aprendemos a nos calar porque assim a mãe fica mais relaxada, a andar como o pai porque isso funciona como uma reafirmação para ele ou a fazer gracinhas porque os momentos de riso são melhores que as ausências dos pais viciados em trabalho.

Aprendemos a deixar essa energia fluir por onde ela pode fluir e resignamo-nos a ficar sem movimento em muitas áreas. Confundimos a concordância com as convicções, vieses emocionais e posturas corporais dos pais com amor. Se não é possível o reforço da alma, aceitamos o que houver, ainda que sejam só migalhas, para sobreviver. Se alguém encontrar abusos absolutos, a intensa reação de contração do organismo pode atrofiar o crescimento físico e espiritual. Desse modo têm origem os primeiros hábitos emocionais. O corpo fica de um certo modo, a pessoa emite apenas um certo tipo de energia e intensidade e permite apenas que uma parte de um eu total irradie sem monitoramento. Definimo-nos como *esse* tipo de pessoa e achamos que a vida funciona de acordo com *essas* regras.

> Deixamos de viver a experiência do Espírito porque nosso mundo interior está entulhado de antigos traumas. [...] À medida que começamos a limpar esse entulho, a energia do amor e da luz divina começa a fluir por nosso ser.
> **Rev. Thomas Keating**

Agora é hora de reverter o dano

Quanto mais tivermos nos adaptado, inconscientemente, a viver em circunstâncias limitadas, com amor condicional e aceitação parcial, maior a probabilidade de sentir-nos subjugados pelos novos e mais rápidos estímulos vibracionais. Essas novas energias parecem estranhas. Vivemos estímulos que não combinam com o padrão de um sonar original e são interpretados como errados e ameaçadores, uma negação de nosso eu e uma anestesia para a mente, do mesmo modo que foram classificados os primeiros ricocheteios do sonar do bebê. Enquanto estamos sendo bombardeados com as frequências rápidas de hoje, lá no fundo, o subconsciente está dizendo: "Hã? Isso não tem sentido!", e nos sentimos confusos e consternados ou, para nos preservar, rejeitamos as frequências que recebemos.

Lembremos como ocorrem os primeiros estágios do processo de transformação. À medida que a energia do corpo se acelera, os bloqueios subconscientes de baixa frequência — que estão estreitamente vinculados às primeiras concessões, renúncias e sensações de perda do amor — não podem mais continuar suprimidos. Eles vêm à tona e tornam-se conscientes. Podemos analisar as decisões e percepções equivocadas e antiquadas e mudá-las. Acomodar-nos às frequências mais rápidas, ajustar as ideias acerca de quanto amor podemos ser e dar e nos livrar dos hábitos emocionais contraídos são a principal tarefa agora. Porém não se consegue desaprender velhos hábitos e cultivar novos da noite para o dia — é preciso paciência, repetição e compaixão. É preciso estar disposto a isso. Na verdade, volta-se à abertura que conhecemos quando bebê e à reafirmação da alma como o eu legítimo. Então teremos consciência de quem somos e da razão por que estamos aqui.

À medida que for identificando os hábitos emocionais baseados no medo, perceberemos que, em alguns casos, eles derivam de uma decisão fóbica do tipo fugir e evitar; em outros, de uma decisão contrafóbica do tipo lutar e controlar.

Hábitos emocionais prejudiciais baseados na decisão de "fugir"

Eis aqui alguns hábitos emocionais prejudiciais baseados numa decisão subconsciente de fugir e evitar:

- Literalmente deixamos a sala, o relacionamento, o emprego ou o país, ou pulamos fora da conversa, do corpo e da vida. Abandonamo-nos e aos outros. Na pior das hipóteses, a personalidade se divide e se dissocia. Sentimo-nos desorientados, perdidos, deprimidos, desmotivados e apáticos. Acontecem lapsos e perda de memória.

- Distraímo-nos e nos anestesiamos criando dependências: de álcool, drogas, comida, sexo, exercício, televisão, trabalho, compras, preocupações, vida social ou Internet, para citar algumas.
- Vivemos em outras realidades que não a nossa ou glamorizamos outros lugares e épocas, celebridades, heróis, seres e reinos não físicos ou suas vidas passadas.
- Num relacionamento com outra pessoa, fazemos qualquer coisa para não a desagradar, desenvolvendo uma relação de codependência na qual praticamente vivemos a vida do outro, em total fusão com ele, nos perdendo e terminando por nos sentirmos dominados.
- Envolvemo-nos numa situação exagerada, maior que a própria realidade, que nos monopoliza a mente e constitui uma grande desculpa para não ter de sentir alguma coisa: ficamos doentes, sofrendo, incapacitados, deprimidos, envergonhados, falidos, feridos, num relacionamento abusivo ou temos de cuidar de um negócio ou um parente que está mal, ou de reformar uma casa problemática.
- Sentimo-nos desamparados e indefesos, não temos limites pessoais, noção de individualidade, preferências nem liberdade e aos poucos nos esgotamos, exaurimos e paralisamos. Queixamo-nos, nos sentimos azarados, inventamos desculpas, estamos sempre de mau humor e somos atormentados por ciclos negativos que sempre se repetem.
- Somos dominados pela ansiedade e por ataques de pânico que, com o tempo, corroem a saúde física.

Sempre que sentimos uma emoção extrema — seja raiva, mágoa, desespero ou até mesmo êxtase — e agimos com base nela, não pode haver lucidez. Os sentimentos estão aqui para ser sentidos. A verdadeira ação ou inação deve provir daquilo que está sob todos os sentimentos. [...]
No âmago da questão, no âmago de qualquer emoção, por mais horrenda que seja, há paz.
Gangaji

Hábitos emocionais prejudiciais baseados na decisão de "lutar"

Eis aqui alguns hábitos emocionais prejudiciais baseados numa decisão subconsciente de lutar e controlar:

- Projetamos culpa, raiva, ódio e violência nos outros quando não queremos sentir alguma coisa. Agredimos quem ameaça a maneira como queremos que a nossa realidade funcione.
- Transformamo-nos em solucionadores de problemas e tentamos consertar tudo o que nos incomoda para fazer o mundo exterior funcionar de acordo com as nossas preferências.
- Lançamo-nos à ação como aquele que resgata, salva ou cura, projetando *nossas* ideias acerca de quanto os outros devem estar felizes e saudáveis com o processo de crescimento *deles*.
- Tentamos influenciar ou controlar as pessoas pelo charme, sedução, falsa humildade, artimanha, negociação, manipulação ou força.
- Procuramos aprender e fazer mais, lendo vorazmente, fazendo seminários, trabalhando horas extras ou nos oferecendo como voluntário em atividades extracurriculares e filantrópicas.
- Ficamos presos em conflitos e posições polarizadas que não se resolvem. Discutimos, criticamos, brigamos e queremos rejeitar ou punir as pessoas.
- Convencemo-nos a gostar de realidades de abnegação com que achamos que *temos* de conviver. Na verdade, para nos sentir no controle, podemos até dizer aos outros que as escolhemos ou criamos intencionalmente.
- Tornamo-nos teimosos e resistentes, estoicos e imutáveis. Não mudamos, não escutamos ninguém, não participamos de nada.

Por outro lado, eis aqui alguns hábitos emocionais saudáveis

Caso sejamos abertos ou estejamos desenvolvendo ativamente a capacidade de perceber o mundo conscientemente, poderemos reconhecer — ou desejar desenvolver — alguns destes hábitos emocionais saudáveis:

- Sentimos, pensamos e agimos, sem nos julgar nem sacrificar, de acordo com um senso interior natural de ética e harmonia. Deixamos que os outros sintam, pensem e ajam como quiserem, sem precisar que eles sacrifiquem a própria autenticidade por nossa causa.
- Percebemos conscientemente as frequências de outras pessoas, lugares e situações, e não mudamos para combinar com elas, principalmente se forem mais baixas que a nossa.

- Nós nos fundimos com outras frequências (de pessoas, lugares e situações) intencionalmente, para ativar novas ideias e conhecimentos, e depois voltamos a nós e verificamos como — ou se — queremos implementar as novas informações.
- Mantemos uma percepção aberta e centrada no momento presente, receptivos aos sinais sutis que vêm do corpo. Permanecendo centrados e alertas, não temos necessidade de separar-nos do mundo nem de nos defender dele: simplesmente ajustamos a frequência para a vibração que mais nos nutrir ou divertir em qualquer momento dado.
- Refugiamo-nos em nós mesmos, não para deixar de sentir alguma coisa, mas sim para saber o que nos convém em cada situação e para descobrir as nossas próprias ideias. Descobrimos as mensagens e revelações de cada sentimento, vendo toda sensação e toda percepção como úteis.
- Somos confiantes e gostamos da nossa própria companhia, de modo que não precisamos impressionar os outros; a sensação de estar à vontade que isso promove facilita uma maior lucidez. Temos a segurança de saber o que é preciso saber quando necessário. Compartilhamos energia e percepção com as pessoas com facilidade.
- Podemos experimentar uma gama de sensações, das mais contraídas às mais expandidas, sabendo que a vida é isso. Até mesmo as tensões contêm energia e informações úteis.
- Sabemos que a vida e a mente naturalmente oscilam, de modo que sabemos aceitar as próprias polaridades e as dos outros, além de mudar frequentemente enquanto penetramos em nosso âmago para atingir estabilidade.
- Sabemos que a experiência depende de nós mesmos e das próprias opções. Sabemos que, ajustando as frequências que permeiam o corpo, as emoções e os pensamentos, conseguimos mudar nossa realidade e criar ou destruir "o estofo da vida".
- Ficamos motivados a ter uma relação viva com o mundo e nos entregamos totalmente às descobertas e à criatividade. Aceitamos que somos, nós e o mundo, feitos de muitas dimensões e frequências de percepção e temos acesso a todas elas.

Como transformar hábitos emocionais prejudiciais em sensibilidade consciente

Comparando os hábitos emocionais prejudiciais aos que são saudáveis, conseguiremos definir algumas metas em termos de sensibilidade. Primeiro, é preciso identificar o que não está funcionando, compreender compassivamente por que estamos presos a esses padrões disfuncionais para poder perdoar tanto aos outros quanto a nós mesmos e, por fim, definir métodos novos e melhores que possam substituir os antigos padrões. A etapa seguinte é tentar flagrar-nos quando estivermos em meio a um padrão nocivo — sem usar outro hábito emocional prejudicial para lidar com a situação. Se deixamos uma amiga falando sozinha porque ela não concordou conosco, não devemos tomar uma cerveja para nos acalmar. Em vez disso, experimentemos um hábito emocional saudável, como voltar a nos centrar e intuir a realidade dessa amiga para tentar compreendê-la.

Não devemos nos criticar nem nos castigar. Em vez disso, podemos dizer: "Ih, lá vou eu de novo, me isolar das multidões enlouquecidas" ou "Sei que quero culpar minha companheira porque ela não estava alerta o bastante para o que eu queria". Devemos apenas prestar atenção ao que aconteceu, registrar e pensar um pouco. Aprender a suspender o hábito emocional prejudicial, a deixar a mente ficar "relaxada" como um músculo inerte e sentir plenamente tudo o que o corpo estiver sentindo sem tentar mudar nada. Se não nos sentimos muito à vontade, fiquemos com essa sensação desagradável por mais trinta segundos do que teríamos ficado antes. Sejamos um observador. Tomemos consciência de hábitos inconscientes, como maneira de fazer alguma coisa com eles.

> A ansiedade é a experiência do crescimento em si. [...] A ansiedade negada nos deixa doentes; a que é encarada de frente e vivida até o fim se converte em alegria, segurança, força, equilíbrio e caráter.
> A fórmula prática é: vá aonde a dor estiver.
> **Peter Koestenbaum**

Ao prestar atenção e "conviver" com a experiência um tanto constrangedora de controlar ou evitar, nos damos uma abertura, uma ligeira pausa. Nesse intervalo, há a oportunidade de optar por uma alternativa. Há algum meio mais positivo de perceber o que realmente está acontecendo? Há algum hábito emocional saudável que gostaríamos de adotar? Em vez de explodir com a pessoa que tem interesses diferentes dos nossos, que tal escrever em um diário sobre as experiências da infância que se relacionam com essa por meio de um fio comum? Que tal sentir as tensões do corpo e liberá-las com yoga ou tai chi? Ao eliminar um hábito prejudicial, devemos substituí-lo conscientemente por outro saudável. Vale a pena inclusive dizer em voz alta: "Está vendo, Eu? "Agora estou fazendo isso DESTA maneira!"

Experimente isto!
Pratique um hábito emocional saudável

- Na próxima vez que você se pegar optando por uma reação de lutar ou fugir a energias intensas ou situações que simbolizam feridas do passado, observe qual é o hábito emocional prejudicial. Interrompa o que estava fazendo, mesmo que na metade do caminho. Descreva para si mesmo o que sente: "Estou ansioso porque vou me atrasar e, se as pessoas pensarem mal de mim, vão estragar minhas chances de sucesso com elas".
- Imagine como vai se sentir e o que poderia acontecer se você continuasse com o hábito prejudicial. Nesse caso, você pode ficar nervoso a ponto de ter um ataque de pânico, se perder, sofrer um acidente ou ficar tão descabelado correndo para o compromisso que acabe causando uma impressão ainda pior e afaste a todos. Opte por mudar de estratégia.
- Respire! Volte ao momento presente e a seu corpo e relaxe. Repasse a lista de hábitos emocionais saudáveis acima e escolha um. Transforme-o numa afirmação, como, por exemplo, "Sei que minha experiência depende de mim mesmo e de minhas próprias opções". Simplesmente concentre-se nisso, sintonize sua sensibilidade com a sensação de ser assim e veja como sua experiência da situação muda quando você põe isso em prática.
- Em outro momento, escolha uma das sugestões de hábitos emocionais saudáveis da lista acima e pratique-a um dia inteiro. Mais uma vez, transforme-o numa afirmação: "Deixo que os outros sintam, pensem e ajam como quiserem, sem precisar que eles sacrifiquem a própria autenticidade por minha causa". De que modo isso melhora sua sensibilidade?

Os benefícios de sermos conscientemente sensíveis às vibrações

- A capacidade intuitiva e a lucidez aumentam. Você toma boas decisões.
- A capacidade de criação e inovação aumenta. Você consegue materializar facilmente o que precisa e usar o que recebe.
- Você coopera prontamente com as pessoas e extrai o melhor delas. Adquire uma profunda percepção dos sofrimentos e motivações das pessoas e do que elas precisam para crescer e curar-se. Pode oferecer aos outros a ajuda, os conselhos ou a compreensão de que precisam.
- A capacidade de intuir a dinâmica interna de qualquer coisa lhe fornece dados e percepção que lhe propiciam uma vantagem para encontrar a felicidade e o sucesso em seus relacionamentos, na vida pessoal e no trabalho.
- É possível diluir a sensação de separação e isolamento, compreendendo como tudo na vida é ligado e interdependente. Isso o ajudará a sentir a alma das coisas e a tornar-se mais iluminado espiritualmente.

Não é preciso uma crise para desenvolver sensibilidade consciente!

Daniel fora presidente de um banco por quase toda a sua vida profissional, e tinha um estilo de vida luxuoso. Era inteligente e ágil, um grande solucionador de problemas, um gênio do marketing e um líder bom, que não abusava do poder. Quando se aposentou, todos ficaram tristes. Por um tempo, ele viajou e assumiu cargos em diversos conselhos de diretoria, mas sabia que a vida não era só aquilo. Ele se tornou inquieto e nervoso e então mergulhou num estudo da espiritualidade e da metafísica com a habitual confiança, tratando-o como um problema a ser resolvido. Visitou locais sagrados e energizados do mundo inteiro, riscando-os um por um de sua lista. Estudou com bons mestres, leu centenas de livros e praticou yoga. Então teve um enfarte. Enquanto se recuperava, perguntava-se como aquilo podia ter acontecido com ele, já que sua mente supostamente estivera "no lugar certo" e ele fizera "todas as coisas certas".

Tivemos várias sessões para encontrar a origem do problema, e uma das primeiras coisas que vieram à tona foi o fato de Daniel estar aplicando a força da mente e sua capacidade de solucionar problemas a questões que não podiam ser descobertas ou vividas dessa maneira. Quanto mais ele usava a mente e sua forte determinação, mais a experiência que buscava o frustrava. A ideia do vazio que estava enfrentando após uma carreira tão ilustre era aterrorizante. Ele não poderia aplicar a excelência como a conhecera e atingir sua meta; na verdade, não poderia sequer entender o que era essa meta, pois se tratava de um estado do ser e desafiava definições. A resposta estava bem diante dele; seu coração piscara como uma luz de emergência vermelha, gritando: "Ei! Diminua a velocidade. Preste atenção em mim. Eu sou a resposta! Sinta-me. Sinta o que eu sinto. Apenas SEJA por um momento".

Saber com o coração e experimentar "ser" não eram experiências familiares para Daniel, que antes as associara à fragilidade emocional e a decisões erradas. Enquanto trabalhávamos em sua aprendizagem de dar uma pausa a sua mente empreendedora e entrar no próprio corpo e no momento, Daniel percebeu que havia desenvolvido diversos hábitos emocionais prejudiciais que o haviam mantido relativamente inconsciente e insensível a reinos inteiros de possíveis experiências. Ele aprendera a ser um vencedor desde criança: tinha sido um bom atleta e um ótimo aluno para agradar ao pai, que não gostava de ver fraquezas em si mesmo nem em ninguém que estivesse por perto. Daniel fizera isso tão bem que internalizara essas características como sua principal identidade. Havia parado de irradiar a energia de seu coração porque os pais não a reconheciam como real, e o resultado foi que ela ricocheteou. Ele não tinha percebido quanto seu coração sofria por não ter sido aceito e por ter se contraído. O enfarte fora uma grande liberação de energia — na verdade, era sua alma dizendo: "É hora de corrigir esta situação debilitante e começar a se exprimir plenamente. Não há nada de errado com sua mente, mas agora ela deve obedecer aos sábios ditames de seu coração".

Quando tinha emoções mais fortes em sua época de presidente do banco, Daniel as suprimia e descartava, distraindo-se com várias dependências: trabalho, vinhos, carros e viagens. Com exceção do gosto pelas descargas de adrenalina, ele saíra do corpo e vivia na cabeça, de modo que alguns de seus hábitos emocionais prejudiciais decorriam da decisão de fugir para evitar as informações provenientes de sua sensibilidade. Os hábitos emocionais prejudiciais que vinham da decisão de lutar eram: (1) fingir que *gostava* da realidade que se resignara a ter, mesmo que, no fundo, sentisse falta do calor, da intuição, da arte e da espiritualidade que antes isolara, e (2) ficar invulnerável tornando-se um líder proativo, um solucionador de problemas e um *expert*.

Com o tempo, Daniel aprendeu a voltar a atenção para o corpo, a centrar-se no coração e a perceber o que estava sentindo em cada momento. Suas opções vinham dessas percepções; ele parou de se definir e deixou a vida e as pessoas terem mais impacto — principalmente do ponto de vista emocional — sobre ele. Desse modo, ele reverteu um padrão de toda a vida e abriu-se para uma realidade expandida. Vários anos depois, ele atingiu tal ponto na experiência de contato com reinos espirituais superiores e seres não físicos que começou a atuar como guia e conselheiro espiritual para quem precisasse do mesmo tipo de transformação que ele vivera. Conhecendo-o antes, quem jamais pensaria que ele tinha em si essa nova capacidade? Toda a excelência de que ele é capaz agora está a serviço do coração, por meio da empatia e da compaixão pelas pessoas. Trata-se de um reequilíbrio natural e de uma consequência de quem ele realmente é.

> Os momentos de virada anunciam-se por meio de inúmeros sintomas vagos: uma profunda inquietude, um anseio sem nome, um tédio inexplicável, a sensação de estar preso.
> **Gloria Karpinski**

O desenvolvimento de hábitos emocionais saudáveis e sensibilidade consciente não exige uma crise, a não ser que sejamos extremamente resistentes à mudança. Caso comecemos a perceber e a confiar mais em percepções sutis, vendo quanto elas se relacionam a uma vida melhor e mais gratificante, nós nos abrimos gradualmente, como uma flor que desabrocha ao novo calor da primavera.

Vale a pena descobrir as percepções equivocadas ocultas

Atrás de cada hábito emocional prejudicial há uma percepção equivocada acerca do real funcionamento da energia e da percepção. Lembremos que, quando o hábito foi originalmente estabelecido, nem sequer entendíamos a linguagem e não tínhamos nenhum conceito mental; tudo era visceral, instintivo e voltado para a sobrevivência. O cérebro reptiliano e a natureza animal nos mantinham vivos. Talvez não haja outra maneira de atravessar a infância. É absolutamente normal que, ao atingir a maturidade, reconsideremos esses antigos padrões e os depuremos para sermos um ser de luz e amor que realmente somos. Agora é hora de intuir a percepção equivocada da mente infantil subjacente a cada hábito. Quando compassivamente detectamos a lógica estranha e a razão pela qual criamos o hábito, fica bem mais fácil deixá-lo aos poucos e até rir dele.

Por exemplo, no início deste capítulo, mencionei Megan, abandonada pelo pai quando criança. Sem poder entender as razões por trás dos atos dele, o corpo dela se contraiu em meio à confusão e ao choque da perda, enquanto sua mente infantil chegava às seguintes conclusões: "Os homens de quem gosto me abandonam", "A culpa foi minha porque não sou boa o bastante" e "Não conto com a ajuda da energia masculina, portanto terei de fazer tudo sozinha". Ela se distraiu da percepção dessas coisas por intermédio do prejudicial hábito emocional de bancar a rebelde e durona. Entretanto, apesar de seus esforços para evitar o abandono, seus namorados de fato tendiam a deixá-la, ela realmente sentia que estava fazendo alguma coisa errada e sabia que estava sendo excessivamente independente. Se descobrir suas antigas percepções equivocadas, Megan poderá reverter o padrão e ter um casamento que lhe dê apoio e uma carreira gratificante, se quiser.

Em sua situação, Daniel se tornou o forte, o competente, o infalível para não perder o amor do pai. Já que o coração do pai estava fechado, aprovação e concordância eram o máximo que Daniel poderia obter em termos de amor. Os hábitos emocionais prejudiciais dele consistiam em distrair-se e ser estoico. As percepções equivocadas subjacentes feitas por sua mente infantil eram: "Os homens não demonstram amor nem ternura", "O sucesso é necessário à sobrevivência" e "Sou bom e estou a salvo porque sou inteligente". Se prosseguirmos, encontraremos sob essas percepções equivocadas outra percepção equivocada básica, comum a quase todas as pessoas: "Este mundo é um lugar em que tenho de sacrificar meu verdadeiro eu e sofrer por isso. A experiência de estar vivo é uma experiência de sofrimento".

O interessante é que, ao se transformar, Daniel reverteu todas as suas percepções equivocadas originais. Os homens demonstram, sim, amor e ternura; isso é uma de suas grandes alegrias. O sucesso material não é necessário à sobrevivência; o que é necessário é ter um objetivo e expressar-se com autenticidade. Sou bom e estou a salvo, não porque sou inteligente, mas porque estou sendo eu mesmo. Este mundo só será um lugar de sacrifício e sofrimento se eu disser que é.

Eis aqui alguns exemplos de outras percepções equivocadas básicas sobre a vida:
- O mundo, com sua loucura e crueldade, é maior do que eu. Diante dele, sou impotente.

- Se sentir o que os outros sofrem, sentirei minha própria dor. Se isso acontecer, morrerei ao sentir a imensidão desse sofrimento.
- Preciso evitar que as pessoas sofram, senão elas me abandonarão e eu morrerei. Ninguém me quer, portanto não tenho nenhum sentido ou valor.
- Preciso permanecer invisível, senão serei castigado; quando me mostro, sou ferido.

Experimente isto!
Reverta suas percepções equivocadas básicas

- Intua seus hábitos emocionais prejudiciais para tentar descobrir as percepções equivocadas básicas que você criou quando era criança. Escreva-as como se fossem afirmações. Talvez você perceba de que modo essas afirmações se desenrolaram em sua vida.
- Inverta cada uma delas para que a verdade seja o contrário. Escreva-as como se fossem afirmações positivas. Não se esqueça de incluir: "Este mundo só será um lugar de sacrifício e sofrimento se eu disser que é".
- Concentre-se em sentir cada afirmação positiva como se fosse sua nova verdade, tantas vezes por dia quantas se lembrar de fazer. Observe como seus impulsos, motivações, ideias e atitudes mudam.

Só para recapitular...

Você nasceu empático e sensível às vibrações; foi assim que seu coração e seu corpo se formaram e assim você aprendeu a fazer parte do mundo. Seu estado natural é a sensibilidade, mas talvez você tenha mais ou menos consciência disso. Você pode ser alguém sensível inconsciente, alguém sensível consciente ou alguém sensível extremamente consciente. Talvez tenha desenvolvido hábitos emocionais prejudiciais — que distorceram sua sensibilidade, mas o ajudaram a sobreviver — quando era pequeno e não verbal. Você desenvolveu esses hábitos do mesmo modo que os golfinhos usam o sonar: irradiava as qualidades de sua alma e, quando estas correspondiam às de seus pais, você sentia a si mesmo e se sentia aceito. Quando não havia essa correspondência — devido ao medo de seus pais — a energia ricocheteava, deixando-o confuso e trazendo-lhe a sensação do sofrimento. Você aprendeu a corresponder às vibrações de medo de seus pais para obter aprovação ou concordância: um fraco substituto do amor.

Você tem hábitos emocionais tanto saudáveis quanto prejudiciais. Os prejudiciais atrapalham seu processo de transformação porque o mantêm contraído pelo medo ou pela parcialidade. Os hábitos emocionais prejudiciais se baseiam na decisão de fugir e evitar ou de lutar e controlar. A frequência da energia dos dias de hoje, cada vez mais alta, acelera o afloramento de suas "feridas" subconscientes e torna urgente a depuração das percepções equivocadas subjacentes feitas por sua mente infantil antes de você compreender que era responsável pela própria experiência. É possível transformar os hábitos emocionais prejudiciais em sensibilidade consciente flagrando-se numa reação, convivendo com a experiência e experimentando, em seu lugar, um hábito emocional saudável.

Mensagem da frequência original

Como explico na seção *Ao leitor,* incluí estes trechos inspiradores ao fim de cada capítulo para que você troque sua forma normal, rápida, de leitura por uma experiência direta de um tipo mais profundo. Por meio dessas mensagens, é possível mudar intencionalmente sua vibração pessoal.

A mensagem abaixo destina-se a transportá-lo a uma forma de conhecer o mundo que se aproxima daquela com que você experimentará a vida na Era da Intuição. Para entrar na *mensagem da frequência original,* basta adotar um ritmo mais lento, menos apressado. Inspire e expire lentamente uma vez e fique o mais calmo e imóvel que puder. Deixe que sua mente fique suave e receptiva. Abra sua intuição e prepare-se para *intuir* a linguagem. Veja se consegue experimentar as sensações e realidades mais profundas que ganham vida *à medida que você ler.*

Sua experiência pode ganhar uma maior dimensão, a depender da atenção que você investir nas frases. Concentre-se em poucas palavras de cada vez, faça uma pausa nos sinais de pontuação e "fique com" a inteligência que está dando a mensagem — ao vivo, agora mesmo — a você. Você pode dizer as palavras em voz alta ou fechar os olhos e escutá-las na leitura de outra pessoa para ver que efeito têm sobre você.

ACABANDO COM O SOFRIMENTO EM SI MESMO

O sofrimento, mesmo a grande dor física e a perda emocional, se desvanece quando você para de olhar para ele e procurar por ele. Ele desaparece quando você para de concordar com ele ou lutar contra ele. Ele some quando você para de basear sua identidade nele. Nos reinos mais sublimes, não há sofrimento, não há vítimas, salvadores, líderes nem seguidores, não há ricos nem pobres, não há aqui nem não aqui. Em frequências superiores, você conhece a força de ser. Ser revela presença, e a presença revela a percepção divina que de tudo cuida a partir de dentro. A percepção divina revela o amor como a natureza básica imutável do eu e da vida. A qualquer momento, você pode Ser. Você pode procurar e sentir a presença; espere o surpreendente retorno ao amor que você jamais deixou. Não há sofrimento no amor, só na separação do amor, e a sensação de separação é a opção de sofrer.

Nos reinos mais sublimes, seu eu é nosso eu e o Eu, e o Eu é uma experiência comum de presença amorosa. Se você acha que não é o Eu único ou que os outros não são o Eu único, que ele pode ser perdido, então você sofre. Pensar "neles", num espaço intermediário ou num vácuo, cria uma lacuna artificial porque não há nada fora de você, nenhum estranho, nada alheio, nenhum lugar para onde essa presença possa fugir para criar um vazio. Assim que você finge que existe uma lacuna no *continuum* da presença, cria sofrimento, que é dúvida e medo, que é separação, que é loucura. Ele só existe na mente. No instante em que você refamiliariza o mundo, fundindo-o novamente consigo mesmo, a lacuna se desvanece e a presença indivisível reaparece. De um ângulo, você se vê como um eu pequeno, finito e trêmulo; de outro, como um eu ilimitado, radiante e cada vez mais expansivo.

Às vezes você sente dor, que é a resistência à contração natural. Porém você não precisa sofrer. Relaxe e siga com a onda. Às vezes as pessoas que sofrem ocorrem "dentro do espaço de você", em seu mundo. Isso quer dizer que você ainda contempla a possibilidade da realidade do sofrimento. Fique com elas por inteiro, por um momento puro. Não acredite nelas, não as negue, não as imite — só permita a experiência. Sinta a presença nelas, deixe-as sentir sua presença, ofereça-a como a presença do Eu único e deixe-as fundir-se quanto quiserem com sua oferta. À medida que a presença se torna consciente, surge uma calma certeza e elas relembram seu verdadeiro eu. Elas conseguem livrar-se do sofrimento, e isso o liberta também. À medida que a lembrança do amor ocorre, há cura instantânea, mudanças positivas repentinas e transformação pessoal — neles e em você. Toda dissolução da ilusão do não amor apaga o sofrimento para todos nós. A cada colapso das lacunas criadas pela mente, o sofrimento se dissolve, como uma nuvem no profundo azul do céu.

4

LIBERTANDO-SE DE VIBRAÇÕES NEGATIVAS

A aceitação plena e jovial do pior em nós mesmos talvez seja o único meio infalível de transformá-lo.

Henry Miller

Claudia entrou na reunião com um cliente em potencial e imediatamente começou a suar, apesar de estar sentindo frio. "Estou captando alguma vibração ruim", pensou ela. Então empurrou as sensações para o fundo da mente e preparou-se para sua apresentação. Quando começou a falar, percebeu que alguém da equipe desse possível cliente estava debruçado na direção de um colega, sussurrando alguma coisa com expressão de menosprezo. O segundo homem ergueu a cabeça para ela com olhar vazio e, em seguida, olhou para seu calendário eletrônico. De repente, Claudia se sentiu julgada e pouco à vontade. Já acanhada, perguntou-se o que poderia haver de errado com ela. Não era uma mulher atraente? Com sua força de vontade, tentou reduzir a ansiedade e fez a apresentação mais inteligente e encantadora que pôde. Depois, olhando em torno da mesa de reunião, viu seus colegas assumirem o controle, agindo como se fossem seus superiores, acrescentando informações que ela desconhecia. Haviam-lhe roubado a cena. Agora Claudia sentia um nó na boca do estômago. Sentia-se num tanque cheio de tubarões.

No resto do dia, sentiu-se desprezível e não conseguiu se concentrar. E, à noite, não conseguiu dormir, imaginando críticas e situações negativas. "Eu devia ter usado meu conjunto vermelho." "Preciso ser mais divertida." "Alguma coisa terrível vai me acontecer." No dia seguinte, como suspeitava, foi chamada à sala do chefe e demitida. Ele disse que seu desempenho estava aquém do desejado e que ela não se dava muito bem com os colegas. Enquanto saía, Claudia pensou que a reunião do dia anterior certamente tinha sido uma arapuca: queriam diminuí-la para poder demiti-la. Sua mente dava voltas, revendo momentos em que fora usada e desrespeitada, conjurando um futuro limitado em que encontrar outro emprego seria difícil, sendo obrigada a aceitar cargos degradantes e terminando uma mulher velha e desiludida como sua mãe. Em seguida, tomou-se de fúria contra os colegas, que conseguiam manipular as circunstâncias com tanta facilidade conforme seus próprios fins.

Após semanas com essa disposição negativa — e diversas entrevistas de emprego fracassadas —, Claudia pegou uma gripe que não passava. Agora não poderia continuar procurando emprego e, à medida que o tempo ia passando, suas economias iam minguando, o que a deixava ainda mais apavorada. Ela não poderia ir a um psicólogo e nem mesmo fazer uma massagem porque não tinha dinheiro. E não estava causando uma boa impressão quando saía à procura de trabalho porque estava emitindo uma energia tão forte de "carência" que ninguém a queria por perto. Isso piorou sua depressão, e ela acabou entrando em parafuso. Claudia estava presa — tão presa que sua mente não conseguia ver nenhuma saída. Ela não parava de rebobinar a fita do quanto estava perdida, de que não sabia o que fazer e, assim, ia se enterrando cada vez mais: Precisava *fazer* alguma coisa! Mas tudo o que tentara tinha dado errado. Mas precisava *fazer* alguma coisa! Mas já tinha tentado tudo. Mas precisava *fazer* alguma coisa! Mas não tinha dinheiro para fazer nada. Mas...

Como você fica preso? Vamos contar as maneiras!

A queda em parafuso de Claudia nos parece familiar? Alguém alguma vez já entrou nesse tipo de situação aparentemente inescapável? Nesse caso, provavelmente ativou todos os hábitos emocionais prejudiciais e baixou gradualmente a vibração pessoal até a paralisia, a apatia ou mesmo o suicídio. Quando a frequência cai e parece ter parado, é difícil ver como as coisas poderiam mudar e lembrar que somos uma alma sem limites, dona de um destino fabuloso que somos *muito* capazes de materializar. Mas de que modo as condições paralisantes ocorrem? Vamos examinar a dinâmica interna do estar preso em vibrações negativas e os meios de reverter os padrões para que possamos nos livrar mais depressa desses períodos de tempo realmente perdido.

> Você só aprendeu as lições daqueles que o admiravam, eram gentis com você e lhe cediam o lugar? Não aprendeu as lições daqueles que [...] o confrontaram [...] ou disputaram a passagem com você?
> **Walt Whitman**

Há muitas experiências aparentemente inócuas que podem nos chocar ou amedrontar num nível profundo sem que percebamos, e isso pode nos levar a fugir e retrair. Os dois homens que julgaram Claudia sem dizer uma palavra a amedrontaram num nível subliminar, levando-a da vibração alta da avidez e do entusiasmo à vibração mais baixa, contraída, da insegurança em questão de segundos. Quando temos experiências negativas, a vibração pessoal tende naturalmente a cair, e nos sentimos "mau". E quando a frequência é baixa, tendemos a ter mais experiências negativas, o que leva a uma vibração pessoal ainda mais negativa, como ocorreu com Claudia, que descambou da decepção e da frustração para a hostilidade e o desespero.

Acrescentemos a isso a propensão da mente para definir e rotular as experiências como "ruins", "erradas" ou "sofridas" e a associar a identidade a esses rótulos. Então somos "maus", "errados" ou "sofredores". Isso não tem graça nenhuma, de modo que usamos a força de vontade para resistir a essa experiência ou para fugir dela, e o fluxo da vida cessa. A vibração pessoal baixa bloqueia a realidade da alma, e sofremos com a falta de movimento de onda. Eis aqui sete maneiras pelas quais podemos ficar presos.

1. Um ciclo de crescimento acabou, mas ainda não percebemos e continuamos presos a ele. Acabamos de criar alguma coisa, desenvolvemos novas habilidades, aprendemos algumas lições, e a vibração está passando a um novo nível. Mas, como Claudia, não percebemos que acabou e que devemos encerrar esse capítulo da vida. Talvez por excesso de lealdade, não tenhamos percebido que estamos entediados ou não tenhamos usado a imaginação para criar uma realidade melhor. Caso não captemos a mensagem de que o trabalho já acabou, a vida se encarregará disso e seremos demitidos, como Claudia, ou obrigados a sair porque a mãe caiu doente ou a empresa do marido o transferiu. Se não reconhecemos a depressão — ou ponto inferior — da onda e resolver acompanhá-lo, não será difícil sentir que a vida nos está rejeitando ou que fracassamos. Se usarmos esses finais para nos recriminar, nos sentir pouco amados ou cairmos de cabeça no vazio, vamos entrar em parafuso como Claudia. Todo ciclo natural de criação exige a materialização de uma ideia em forma e sua desmaterialização para criar um espaço limpo, novo, ou uma tela em branco. Esquecemos que criamos forma, depois espaço, depois forma, depois espaço. Esquecemos quanto o espaço é necessário e prazeroso.

2. Não usamos o que recebemos ou queremos mais do que podemos usar. É comum estar fora de sincronia com o ciclo natural de crescimento, dizendo que aquilo que recebemos não é o que queríamos, tentando forçar algum acontecimento antes da hora ou mantendo algo numa forma que quer se dissipar. O que temos num dado momento é aquilo em que andamos pensando e nos concentrando, consciente ou inconscientemente, nos últimos dias, semanas e meses. Ao reclamar de uma situação atual, invalidamos o funcionamento perfeito do processo de materialização, o que "interrompe" a *onda vital* ou fluxo natural.

A vida emerge de uma vibração pessoal. Portanto, se as experiências estiverem sendo problemáticas com muita frequência, é possível que ultimamente tenhamos nos impregnado de emoções e pensamentos negativos, e os obstáculos estejam aí como lembrete. Provavelmente precisamos elevar a vibração concentrando-nos nas coisas que amamos e no modo como preferimos nos sentir. Devemos nos perguntar: Que pensamentos ou hábitos emocionais habituais promoveram esses resultados? O que estou mostrando a mim mesmo? Usando aquilo que criamos, é possível concluir conscientemente um ciclo de criação e abrir espaço para que surja outro. Além disso, podemos bloquear o fluxo vital e ficar presos querendo mais do que precisamos para aprender uma próxima lição de vida. Criar demais significa apenas que teremos de nos livrar de algumas coisas, e isso desperdiça tempo e energia.

3. Uma experiência deflagra a lembrança de outra experiência negativa semelhante. Quando a vida provoca uma lembrança triste, saímos do fluxo em que nos encontramos e nos "teletransportamos" para o passado penoso. O subconsciente reage automaticamente com um hábito emocional prejudicial que imita a maneira como lidamos com a experiência original. Recusamo-nos a sentir o que está aflorando e nos entregamos a comportamentos de lutar ou fugir que nos impedem de confiar em nós mesmos ou nos outros e/ou de receber orientação importante. Além disso, podemos nos sentir subjugados, hiperativos, defensivos, distraídos, desorientados, deprimidos ou vítimas. É possível que paralisemos por culpa, punição, controle ou teimosia. No caso de Claudia, a demissão mobilizou a lembrança da mãe — cujo alcoolismo arruinou uma promissora carreira de cantora —, e Claudia ficou obcecada com o medo irrealista de que algo parecido pudesse acontecer com ela.

4. Falamos do que não existe, do que ainda não aconteceu, do que talvez nunca possa ser, do que não gostamos, do que não fazemos ou de quem não somos. Quando a mente se concentra em descrever realidades vazias ou não existentes, na verdade não estamos materializando *nada*. Além disso, abandonamos o fluxo da vida, e ele não pode prosseguir sem a presença consciente. Para sentir alguma coisa real e, portanto, ter motivação e ação, o consciente deve estar centrado no corpo e perceber por meio dele, que é o nosso filtro da realidade. Quando a comunicação intrapessoal descreve uma realidade negativa ou não existente, o corpo não consegue apreendê-la porque os corpos *existem* no tempo e no espaço. O corpo se prepara para agir com base numa ideia brilhante, por exemplo, até que a gente diga: "*Não* sou inteligente!" O mesmo acontece quando dizemos: "Quero ganhar mais dinheiro, *mas* não sei como". Então nossa consciência do corpo sente a mesma espécie de consternação que sentiu quando era bebê e o amor não encontrou resposta ao voltar até nós. Hã? Ele não consegue compreender o conceito de negatividade e não existência e, enquanto ele luta para entender o que deve fazer, ficamos presos.

Quando falamos de vazio e não existência, criamos em nós e em nosso mundo um buraco ou uma lacuna imaginária. Essa lacuna é um lugar onde fingimos não conhecer ou experimentar a alma. A falta de segurança é uma dessas lacunas, do mesmo modo que fingir ignorância, temer perdas ou dificuldades, ou evitar experiências diretas que envolvam corpo, emoção, mente e alma. As lacunas dão-nos a ilusão de impossibilidade, o que desestimula a expressão pessoal e retarda o movimento da onda vital.

5. Projetamos a mente e a energia na vida de outras pessoas, em outros lugares e épocas e em realidades fictícias. Assim como falar sobre o que não existe, projetar-se para fora do aqui e agora, em outros lugares e épocas, também nos alija do corpo e do próprio processo. O consciente fica em outro lugar e não pode receber percepção, instrução e amor da alma — os quais fluem até nós por meio do corpo — porque não estamos "nele". Como "ninguém está em casa" para receber orientação superior, o subconsciente ganhará o controle e reagirá automaticamente às situações como fazia no passado. Ficamos reativos, em vez de receptivos, o que mobiliza muitos dos hábitos emocionais prejudiciais, como disse antes. O que funcionava no passado não funciona necessariamente na situação de hoje. Além disso, saber o que é preciso na vida de outra pessoa não significa que o mesmo seja bom para nós. Não vivendo no nosso corpo nem na nossa vida, adiamos nosso crescimento e acabamos nos sentindo presos.

6. Apegamo-nos a criações, hábitos, definições e identidade e ficamos em uma espécie de "padrão de espera". Pode ser que estejamos *nos apegando* a convicções ou posses para ter segurança, *nos controlando* para não expressar nossa verdade ou amor, ou *nos excedendo*, controlando as pessoas ao nosso redor com a exposição de um tema. Talvez estejamos *nos apegando* a uma promessa ou compromisso que assumimos no passado e que já não tem importância ou a um ressentimento, rancor ou injustiça. Talvez evitemos mudar, prendendo o fôlego, à espera de que algo aconteça ou deixe de acontecer, ou cerceando-nos para não nos expressar de maneira muito evidente. Sempre que contraímos a energia e tentamos pausar ou parar uma onda, desaceleramos o próprio fluxo e baixamos a frequência, o que o leva a perder oportunidades. Além disso, ficamos esgotados ao tentar represar o rio. Quando se agravam, os padrões de espera transformam-se em obsessões e fixações.

7. Ficamos esgotados pelo excesso de negatividade, conflito e obstinação. Talvez tenhamos tanto stress que não consigamos dormir. Pode ser que soframos de uma dependência grave ou de dores crônicas. É possível que estejamos lutando para não nos deixar intimidar ou tentar evitar um fracasso. Quanto mais nos dissipamos, menos motivados ficamos e menos energia temos para a imaginação positiva. Quando nossa percepção está embotada, as emoções tornam-se apáticas e o corpo torna-se letárgico. Criamos um problema insolúvel e ficamos temporariamente incapacitados de nos mover.

Nunca foi tão fácil nos libertar

Apesar das lutas e dificuldades, lembremos que estamos flutuando num rio que corre para um destino certo: conhecer a nós mesmos como nossa alma. Estamos naquela parte do processo de transformação em que velhos hábitos emocionais prejudiciais e medos de baixa frequência afloram e querem sair. Estamos vivendo a reação a isso, ou seja, queremos voltar a suprimir o desconforto e o sofrimento por meio de métodos como lutar ou fugir. Porém, a luta contra o sofrimento e o medo do vazio nos esgota e, por fim, entramos na fase em que vemos com clareza que os velhos hábitos e formas já perderam sua utilidade.

> O antigo mundo é lento devido à separação, às lacunas e ao medo.
> O novo mundo é rápido devido à interconexão. Quando nos aproximamos
> da unidade, a vida é mais instantânea.

Ela se pauta por novas regras, baseadas na velocidade do momento presente.

Muitas partes de nossa vida e nossa ideologia se dissolvem. Ficamos mais dispostos a nos entregar e ver o que acontece porque estamos cansados. Quando renunciamos à luta e encontramos a paz, vislumbramos uma nova realidade, o que nos motiva a prosseguir. Entretanto, ainda podemos tropeçar em alguns degraus, de modo que precisamos saber que podemos nos libertar facilmente da negatividade sempre que percebermos que voltamos a cair nela. Eis aqui duas ideias reconfortantes.

Primeiro, já que a vibração pessoal está evoluindo para uma frequência mais alta, assim como a do planeta e a de todo mundo, simplesmente não conseguiremos ficar presos tanto tempo quanto antes. Quando nos sentirmos presos ou recearmos um término, lembremo-nos de que existimos dentro de uma onda vital, e que a vida sempre está em movimento. As ondas têm cristas altas e depressões fundas — a sensação de prisão é apenas a indicação de uma virada iminente em nossa onda. Nada para na verdade; com certeza um *momentum* constante nos moverá repetidamente e cada vez mais rápido, por altos e baixos e começos e fins. Quanto mais nos entregarmos à correnteza e sentirmos que tudo e todos estão de algum modo no mesmo fluxo, mais fáceis serão as viradas.

Segundo, como o processo de aceleração está agindo sobre nós, depurar os medos e bloqueios inconscientes será muito mais rápido que de hábito. Antes nós íamos para a terapia, falávamos sobre nossos problemas por anos a fio e tínhamos descargas emocionais catárticas. Agora o processo terapêutico pode ocorrer muito mais depressa. Ao entrar no momento presente, em um espaço novo onde abrimos mão das feridas de nossa história pessoal e, em seu lugar, escolhemos a realidade da alma, a cura é vista como uma opção renovada pela alma e a libertação de uma falsa realidade. A cura ou "recuperação" está no momento presente, e não no futuro. Assim, não requer um processo linear tão longo para que retornemos ao que temos de melhor. Quando menos esperarmos, nossa história de sofrimento perde o sentido e desaparece. Investigaremos mais detidamente esse processo de centramento no capítulo 5. Até lá, há inúmeras maneiras de permanecer no fluxo, livre da negatividade.

> Quando deixamos de pensar principalmente em nós mesmos e em nossa autopreservação, sofremos uma transformação verdadeiramente heroica da consciência.
> **Joseph Campbell**

Liberte-se cooperando com as ondas

Visto que, a despeito dos obstáculos, as ondas vão aonde querem, é melhor não ficar na frente delas. Na verdade, vale mais a pena pensar em nós mesmos como a própria onda, e não como o objeto inamovível em seu caminho. Somos um ser vibracional em meio a um mar de vibrações. Precisamos dominar a arte de fundir-nos e alinhar-nos com a dinâmica em constante mudança da energia viva. E isso significa que precisamos aprender uma maneira totalmente nova de usar a força de vontade, pois é a obstinação que tantas vezes nos faz agir como paredes.

Aprenda a usar bem a força de vontade. Se for como eu, você provavelmente interiorizou, na juventude, as vozes de inúmeras figuras de autoridade que agora o lembram daquilo que "deve" fazer. Lembro-me particularmente de ter ouvido "Deus ajuda a quem se ajuda" e de quanto me custou entender o conceito, pois parecia-me que, se eu me ajudasse, não precisaria de Deus. Seja como for, essa ideia colocou-me num caminho de autossuficiência que me fazia recorrer a uma vontade férrea para que as coisas acontecessem. Eu usava minha vontade para projetar e manter minhas intenções, para ser diligente e disciplinada, para não desistir quando as coisas se complicavam. "Querer é poder" — essa foi outra lição de moral que ficou gravada. Depois de anos mantendo meu sucesso por meio de força de vontade concentrada e inquebrantável, eu estava exausta. Não queria fazer mais *nada*. Estava farta de todas as vozes que me diziam o que fazer. Foi então que percebi que havia um "bom uso da vontade".

Sair da negatividade e da prisão é muitas vezes uma questão, não de exercer a velha e imperiosa força de vontade, mas sim de "escolher o que está escolhendo você".

Força de vontade não é resistir, forçar nem controlar — é escolher. E existem apenas duas opções básicas: sentir-se expansivo, amoroso e ligado às altas vibrações da alma — literalmente, *ser* a alma — ou sentir-se contraído, temeroso e imerso nas vibrações baixas do sofrimento — *não ser* a alma. Se optarmos por nos sentir só e separados, presumiremos que precisamos fazer tudo sozinhos, controlando a nós mesmos e ao mundo, como eu fiz por muitos anos. Se optarmos por nos sentir ligados à vida, pouco vamos precisar desse velho tipo de força de vontade, pois descobriremos que conceitos como fluxo e sincronicidade tomam seu lugar.

Quando estivermos presos, não teremos de conceber deliberadamente toda uma estratégia para mudar as coisas nem imaginar como a nova fase será — basta suspender o antigo padrão de baixa frequência. Devemos usar a força de vontade para escolher estar com o que existe. Imagine que a mente é um músculo e deve ficar "relaxado". Diga: "Ahhhhhhh" e faça uma careta! Curiosamente, descobri que isso ajuda a bloquear a mente superocupada, que acha que a solução é controlar as coisas. No espaço tranquilo da permissão, é possível perceber facilmente o que a onda quer fazer. Será que chegamos a um fim que ainda não reconhecemos? Há alguma nova inspiração batendo à porta para tornar-se consciente e ganhar forma?

Siga o fluxo; ele sabe aonde ir. Nós oscilamos da forma à energia, desta a uma nova forma e novamente à energia. Em um a cada dois milissegundos — ou minutos, ou dias; a medida de tempo que se quiser — temos uma nova oportunidade. As ondas da vida nos ajudam a nos entregar e abrir espaço novo, a encontrar novas fascinações e motivações e começar de novo. Basta confiar na sabedoria e no plano que estão por trás do fluxo de energia e seguir com o rio vital na direção em que ele vai. Nas corredeiras, ele se enfurece; outras vezes, desaparece no subsolo para depois reaparecer fluindo placidamente. Às vezes, estamos sendo; às vezes, fazendo; às vezes, tendo.

> A vida é um processo de tornar-se, uma mistura de estados pelos quais temos de passar. As pessoas falham quando querem eleger um estado e nele permanecer. Isso é uma espécie de morte.
> **Anaïs Nin**

Reconheça as cristas e as depressões (começos e fins). Aprendi — depois de me torturar e finalmente resolver que não gosto de ser torturada — que, como trabalhadora autônoma, meu fluxo de trabalho é paralelo às minhas necessidades mais íntimas. Antes eu pensava que a vida estava caprichosamente "botando para quebrar" em cima de mim, mas no fim vi que havia outro princípio em ação. Se eu estivesse numa fase intensa de trabalho com os clientes, por exemplo, e começasse a reclamar que o horário cheio era um problema, a verdade era que estava pronta para entrar numa fase de mais folga, com algum tempo meu, no qual eu poderia processar *insights*, me recompor e gestar novos projetos. Aí o telefone não tocava ou o trabalho que eu tentara arrumar não dava certo, e eu tinha meu tempo de sossego. Geralmente eu não reconhecia nisso uma necessidade pessoal; achava que estava sendo castigada com esse "declínio" e transformava a dádiva que era esse tempo meu num problema. "O que há de errado comigo? Será que não estão gostando do meu trabalho? Eu *tenho* de ganhar mais dinheiro!", resmungava. Se ficasse me queixando, o "espaço" seria mais demorado. Se, em vez disso, eu agradecesse pela oportunidade de me renovar, visse o que tinha aprendido e percebesse que agora estava ávida de gente, comunicação e estímulos externos, o ciclo mudava com facilidade e em poucos dias — às vezes, horas — surgiam novas oportunidades.

Entrar em harmonia com uma onda requer domínio das viradas, tanto na crista quanto na depressão, vendo que estamos prestes a receber o que precisamos em seguida, em vez de pensar que estamos saindo de um problema (hiperatividade, por exemplo) para entrar em outro (subatividade). As viradas estão onde podemos perceber as dádivas que recebemos e as lições que aprendemos, de modo que gratidão e otimismo são particularmente úteis nesses momentos. O momento da virada na crista é quando atingimos a visão mais materialista e extrovertida da vida, quando a materialização se completa e nos sentimos bem-sucedidos, "nas alturas". Nos termos da física, a onda se tornou a partícula.

Talvez o momento mais difícil seja quando a onda vira na depressão — quando ficamos entediados, sentimos como se as coisas estivessem sumindo, precisamos de espaço e temos de abrir mão do sentido e do que for antiquado para voltar a Ser. Para a física, é aqui que a partícula se torna a onda. Passar da depressão à crista parece ser a parte divertida, pois envolve entusiasmo, motivação e consecução de metas. Mas abrir mão de formas velhas, relaxar, sonhar com mil realidades imaginárias e rejuvenescer são coisas igualmente prazerosas. A resistência crônica aos momentos de virada de uma onda pode causar mudanças drásticas excessivas, como crises e traumas.

> Para que a cura emocional surta efeito, precisamos entrar plenamente em tudo aquilo que não foi processado e ir até o fim, até que a energia acumulada se esgote do problema. Aí ele acaba, nunca mais voltando a exigir sua atenção ou energia psíquica.
> **Jacquelyne Small**

Estimule a fluidez sempre que encontrar estagnação e percepção congelada. Devemos ficar atentos aos padrões de espera. Se estivermos retendo as ideias, experimentemos puxar mais conversas e compartilhar mais com os outros. Se estivermos sedentários demais, já para a esteira! Se estivermos nos apegando a um amor por não querer ficar só, devemos "cuidar da vida" e cultivar novos interesses. Se o pai idoso está fixado em assistir televisão o dia inteiro e reclama por não ter nenhum amigo, podemos levá-lo a uma piscina municipal para nadar um pouco. Se a família entrou na rotina, podemos redistribuir as tarefas e responsabilidades ou mudar a mobília de lugar. Se estivermos nos sentindo demasiado analíticos ou verbais, experimentemos mudar para uma parte diferente do cérebro: façamos uma caminhada orientada por seu "cérebro reptiliano", deixando que o corpo decida se vamos virar à esquerda ou correr sem razão. Mergulhemos em nossos sentidos: experimentemos sentir o cheiro das coisas durante uma hora.

Forçar ou "evitar" alguma coisa é indicação de falta de harmonia com o fluxo e de alguma informação essencial.

Observemos os hábitos mentais também. Fazemos muitos pronunciamentos e afirmações declarativas? Categorizamos as pessoas com base nas primeiras impressões? Rotulamos as experiências e restringimos rápida e compulsivamente os sentidos dizendo: "Isso é exatamente assim"? Sempre que definimos e rotulamos alguma coisa, ela para de se mover e tem menos chance de evoluir criativamente. Se dissermos "Estou zangado", perdemos as nuances de uma percepção corporal e sensibilidade sutil. Em vez disso, continuemos fluidos e descrevendo a experiência: "Meu estômago está contraído; estou frustrada porque meu marido não prestou atenção ao que eu disse. Agora sinto um nó na garganta, como se não pudesse expressar minhas necessidades e ideias, e isso me dá medo, me dá até vontade de chorar". É interessante ver se somos capazes de viver sem tanta definição ou tornar as definições mais fluidas e provisórias. Se somos capazes de experimentar a vida diretamente. Por outro lado, se costumamos dizer "Não sei", podemos analisar de que modo isso também interrompe a onda de nossa expressão pessoal e crescimento.

Experimente isto!
O que você está fazendo?

- Descreva a que você está se apegando, como e por quê.
- Descreva o que você está imobilizando, a que está resistindo, se está controlando para não fazer alguma coisa, o que está evitando, o que realmente quer e por quê.

- Descreva como você está se excedendo na tentativa de controlar seu mundo e as pessoas — sendo o *expert*, o centro das atenções ou falando demais — e por quê.
- Descreva como você está se apegando a uma antiga promessa, regra ou compromisso que pode já não ter importância e por quê.
- Descreva como você rotulou suas experiências e de que modo, nesse caso, pode descobrir novas possibilidades.

Deixe que as ondas passem através de você. As ondas passam continuamente através de você e do campo de energia e consciência de que você é parte. Há ondas que trazem novas frequências de energia e informação. Essas mesmas ondas espalham energia e informação para longe quando passam por você. As ondas dos acontecimentos costumam atingi-lo antes dos próprios acontecimentos, como o relâmpago chega antes do trovão. Por exemplo, você pode estar dirigindo numa estrada e perceber que os carros estão se comportando de maneira assistemática ou reduzindo a velocidade — adiante, descobre que houve um acidente. As ondulações do acidente estão se irradiando por todas as direções e, à medida que começam a sentir que houve uma perturbação, as pessoas agem de maneira também perturbada. Lembro-me de uma ocasião, anos atrás, quando o vulcão St. Helens entrou em erupção. Eu morava no norte da Califórnia e comecei a sentir uma raiva e uma irritação anormais — fiquei "à beira de um ataque de nervos" pelo menos uma semana antes. Assim que a erupção ocorreu, eu me acalmei.

É comum tentarmos inconscientemente parar uma onda quando ela está passando por nós para examiná-la e descobrir de que se trata. Se a onda de um acontecimento lhe trouxer informações sobre um vulcão ou um acidente, é provável que você reaja energeticamente com agitação nervosa. Sua mente não consegue interpretar a informação energética e, muitas vezes, equivocadamente acha que a perturbação é em você. Acho que estou extraordinariamente irritada, quando na verdade o que está prestes a explodir é um *vulcão*! Acho que vou morrer, quando na verdade quem está morrendo é um amigo. Estou injustificadamente triste, quando na verdade são as vítimas e sobreviventes de um ataque terrorista iminente que estão prestes a ser arrasadas. Você não precisa parar uma onda para entender as informações codificadas nela; se a deixar passar através de você, ela fará o *download* dessas informações em você enquanto passa. Basta perguntar-se regularmente: "Percebo que estou me sentindo (triste, perturbado, alegre e assim por diante) sem razão. Por que estou percebendo isso? Assim, você não terá a distorção desnecessária de pensar que algo está errado com *você*.

Equalize a ênfase entre as áreas física, emocional, mental e espiritual de sua vida. Imagine uma onda de criatividade que vem da alta frequência de sua alma, trazendo um novo padrão para sua vida, descendo pelas oitavas de sua percepção: da espiritual à mental, desta à emocional e ao reino físico e depois irradiando novamente para fora. Se esses níveis de sua percepção estiverem igualmente desenvolvidos, a onda passará através de você com um ritmo constante e uniforme, descarregando seu conteúdo em você sem esforço. Você terá sorte, um fluir fácil e equilíbrio harmonioso com a vida. Mas se, por exemplo, você tiver evitado sua realidade emocional em favor de uma vida de lógica, regras e conceitos abstratos, seu nível mental será "mais largo" por ter sido enfatizado demais. O nível emocional parecerá "mais estreito" por ter sido enfatizado de menos. A onda terá de ajustar sua frequência à faixa mais larga, superdesenvolvida, da percepção mental e depois reajustar-se à faixa emocional, mais estreita, subdesenvolvida, para depois alargar-se novamente no nível físico. O movimento torna-se abrupto e dissonante, e o processo de sua vida refletirá isso com obstáculos diversos: talvez você tenha dificuldade em concluir seus projetos e encontrar motivação ou sinta pressão indevida ou paralisia emocional. Quando você se desenvolve igualmente em corpo, emoção, mente e espírito, as ondas fluem através de você ritmicamente e seu benefício será o maior.

Experimente isto!
Quais as áreas de sua vida que precisam ser equalizadas?

1. Imagine um termômetro com marcações de 1 a 100 na lateral. Peça a seu eu interior que faça uma leitura de quanto você está usando cada uma das seguintes partes de sua percepção, sendo que 100 é o valor máximo.
2. Até onde você se desenvolveu e quanto tem usado sua percepção espiritual? E sua percepção mental? E sua percepção dos sentimentos e da sensibilidade sutil? E seu instinto físico e sua percepção corporal?
3. Depois de ver as percentagens relativas, liste entre três e cinco maneiras de promover o desenvolvimento e o uso das áreas subativas para que todas as partes de sua percepção se igualem.

A elevação de sua frequência o liberta das vibrações negativas

Você pode ficar preso a vibrações negativas quando não sente a presença de sua alma nem sua união com a vida. Algo atrapalha — medo, mentiras ou percepções equivocadas — ou você experimenta fragmentação e espaço vazio. Cada "pedaço" de sua alma que você deixa de experimentar baixa sua frequência. Cada vez que divide sua percepção em fragmentos — o que indica que você experimenta separação —, sua vibração se torna mais lenta. Quando sua vibração pessoal está presa a uma frequência baixa, você tende a recair em hábitos emocionais prejudiciais, pensamento negativo e indolência física.

Elevar sua frequência — algo que sempre o liberta da negatividade e da inação — significa relaxar para criar tempo e espaço para experimentar mais sua alma. Para fazer isso, basta sorrir ou imaginar uma escala, como um termômetro, e aumentar sua energia em 10%. Ou então visualizar uma realidade melhor, uma cor mais viva ou um ato de gentileza aleatório e exaltante. Você pode optar por sentir-se mais tolerante e generoso, por exemplo. Pode fazer algo que vinha resistindo a fazer ou participar de sua vida com mais interesse e atenção. Tentar aumentar e controlar a frequência de sua vibração pessoal por meio da força de vontade só provocará hiperatividade, stress e por fim um colapso. Sua frequência sobe a seu alto nível intrínseco quando você limpa o entulho mental e emocional e para de bloqueá-la. Quando nada a atrapalha, a lucidez e o calor de sua alma transparecem facilmente.

Experimente isto!
Eleve sua vibração respirando profunda e lentamente

Há muito se sabe que o oxigênio aumenta a frequência do corpo. Além disso, a energia percorre os músculos mais lentamente quando eles estão retesados, de modo que relaxar o corpo e respirar profundamente são coisas essenciais para elevar sua vibração. A respiração superficial, restrita à parte superior do tórax, é indício de ansiedade.

1. Sente-se e mantenha as costas retas, sentindo-se respaldado, e deixe seus músculos ficarem soltos, à vontade. Interrompa seu diálogo interior e escute seu silêncio. Fique imóvel, sinta as variações sutis de seu corpo e concentre-se na ideia de que o oxigênio do ar vai dar uma supercarga em seu sangue e fazer seu corpo se sentir supervivo. Faça sua

respiração ficar silenciosa, muito lenta, contínua e uniforme, para que pareça curvar-se sem pausas ao fim da expiração e da inspiração.
2. Inspire para preencher todas as cavidades possíveis, dos sinos ao baixo ventre. Quando achar que os pulmões estão cheios, inspire um pouco mais, preenchendo cada reentrância. Imagine que sua caixa torácica se expande além da capacidade normal.
3. Expire deixando as costelas caírem lentamente, encolhendo os músculos abdominais e comprimindo o diafragma até "espremer" para fora todo o ar.
4. Continue, contando de um a dez, um número ao inspirar, outro ao expirar. Pense apenas nesse número. Se outros se intrometerem, pare e comece novamente. Faça isso durante vinte minutos.

A desobstrução de seu campo pessoal de energia eleva sua frequência

Sua luz brilha através de uma peneira, e você é o resultado da quantidade de luz que consegue atravessá-la. Imagine que você é cercado por camadas esféricas concêntricas, como uma cebola. As camadas que estão mais perto de você contêm informações físicas, as que estão além contêm informações emocionais, em seguida vêm as informações acerca de seus padrões de raciocínio e, mais longe, as que estão além contêm informações sobre sua alma e seu propósito na vida. Estas são como oitavas de sua percepção. No nível da alma, não há medo nem bloqueio — só *luz límpida*, clara e compassiva, um tipo de luz que os praticantes da meditação costumam visualizar para ter a sensação da percepção pura. Porém nas camadas físicas, emocionais e mentais, você encontrará disfunções físicas, sentimentos congelados e ideias fixas decorrentes de experiências do passado em que você ficou confuso e receoso. Esses padrões contraídos são como sombras: lugares imóveis em que você não experimenta sua própria verdade e amor. Além disso, você encontrará buracos e lacunas em que está fragmentado ou evita alguma coisa, os quais também funcionam como bloqueios.

> Quando acalma a mente, você não oferece pensamento algum; quando faz isso, você não oferece resistência alguma; quando não ativa nenhum pensamento resistente, a vibração de seu Ser é alta, rápida e pura.
> **Abraham/Esther Hicks**

Imagine agora que sua alma está projetando sabedoria, intenção e energia ao longo das oitavas para criar sua vida, seu corpo e sua personalidade. Devido a todas as sombras, ou lugares sólidos, e às lacunas vazadas no campo de quem você é, apenas uma certa percentagem de sua totalidade consegue passar, do mesmo modo que a luz só consegue atravessar uma peneira pelas aberturas. Sempre que houver uma sombra ou lacuna nas dimensões superiores, haverá uma contração ou lugar inconsciente correspondente em seu corpo e sua vida. A lembrança de um trauma emocional e as crenças que se desenvolveram em torno dele lançarão uma sombra no corpo, causando talvez dores crônicas, doenças ou lesões num local que corresponda à ferida original. Por exemplo, se uma pessoa tiver sido espancada com frequência, seja numa vida passada ou na infância, a lembrança da dor, dos machucados ou ossos quebrados permanecerá em seu "corpo energético", que é mais sutil que o físico, e depois a sombra ou energia contraída poderá facilmente causar o surgimento de dores crônicas de origem desconhecida exatamente na área — como o rosto — em que a raiva e o ódio foram antes descarregados de modo tão violento e doloroso.

Quando você se cura por entender e liberar as crenças e emoções presas, os pontos escuros de seu campo se desvanecem, permitindo que mais da límpida luz de sua alma possa fluir. Aqui na Terra, sua frequência aumenta, você se torna mais sábio e mais amoroso, seu corpo se cura e sua vida melhora. Portanto, com a simples depuração dos sentimentos e pensamentos que bloqueiam a alma — seus hábitos emocionais prejudiciais —, sua vibração pessoal naturalmente se eleva.

Alguns dos bloqueadores mais comuns da alma são os hábitos emocionais prejudiciais que abordamos anteriormente: agir como vítima ou dominador, projetar culpa, ser teimoso e obstinado, salvar as pessoas e querer ser salvo e evitar a realidade por meio de distrações, procrastinações e adiamentos. Além disso, acrescentem-se: invejar as pessoas, atacar/brigar, queixar-se e usar linguagem negativa (não posso, odeio) ou feia (críticas destrutivas, fofocas) e imaginar as piores situações possíveis. A monja budista Pema Chödrön chama esses comportamentos reativos de "estar fisgado", como o do peixe que morde a isca.

Toda vez que você reverte um desses anzóis ou comportamentos e o substitui por um hábito emocional saudável, toda vez que desiste de resistir e apenas *é* com o que é, você permite que mais da límpida luz de sua alma o energize. E toda vez a presença revela conhecimentos importantes, reforça a visão compassiva e o ajuda a saber o que fazer em seguida. Quando tira o rótulo de alguma coisa ou retira a energia investida numa definição ou ideia fixa, você acaba com outra sombra e mais luz límpida flui em sua vida. O mesmo se aplica quando você decide "dar uma enxugada" nas coisas e comer alimentos saudáveis, perder o excesso de peso e parar de fumar ou poluir seu corpo com dependências.

Outra categoria de bloqueadores da alma tem que ver com ideias, crenças e visões de mundo que você inconscientemente adotou para sobreviver em seus primeiros anos. Eles podem não ter nada em comum com quem você realmente é nem com o que veio fazer aqui. A origem dessas capas está em sua fase de familiarização com seu sonar, quando você se adaptou inconscientemente às estruturas de crenças e posturas corporais de seus pais. Talvez sua capa lhe diga que você precisa ser polido e humilde quando na verdade está pronto para tornar-se um destemido jornalista. Essas ideias são como cobertores molhados que pesam e levam-no para baixo, fazendo-o agir de maneiras que já superou e não lhe servem mais. Como essas ideias não são suas, você poderia imaginar-se devolvendo-as às pessoas a quem pertencem de direito ou vendo-as dissipar-se ou volatilizar-se de seu campo de energia. Você pode reconhecer essas ideias herdadas porque elas são precedidas pela palavra "deveria" ou, quando as enuncia, você ouve o eco da voz de alguém.

> Seu passado não é seu potencial. A qualquer momento é possível liberar o futuro. [...] Em última análise, no fundo nós sabemos que o outro lado de todo medo é a liberdade.
> **Marilyn Ferguson**

Experimente isto!
Retire as capas das pessoas

- Liste os costumes e valores pelos quais se pauta, inclusive os negativos que você justifica. Quais deles vieram de sua mãe? E do seu pai? Você reconhece alguma ideia que lhe pareça antiquada ou não se aplique a você? Nesse caso, devolva-os a quem os deu a você ou deixe que se dissipem.
- Liste os hábitos e crenças que você mantém em relação a dinheiro, trabalho, relacionamento, educação dos filhos, saúde, envelhecimento, religião, política e morte. De onde você tirou essas ideias? Você pre-

cisa delas? Experimente suspendê-las uma por uma. Sinta como seria deixar que cada área lhe ensinasse espontaneamente como ser e o que fazer, em vez de ter uma regra ou opinião fixa. De que modo cada área poderia mudar ou expandir-se?

Caso você esteja preso a hábitos que promovem ignorância, privação, desamparo, distração, falta de autoestima ou queixas, só há uma coisa que preenche esse tipo de lacuna: *presença,* a misericórdia que tudo permeia e a tudo subjaz. Centre-se, encha-se dessa presença e terá "presença de espírito" para contrabalançar seus hábitos emocionais prejudiciais. Em vez de dizer "Não sei", experimente dizer "O que já sei sobre isso?". Quando se pegar dizendo a um amigo "Não sou bom dançarino", contemple a ideia de ser capaz de mover-se de maneira interessante, única ou criativa. Como seria tornar *sua versão* do que é ser dançarino uma parte de sua vida? Caso se pegue repetindo a fita da falta de dinheiro, experimente dizer a si mesmo: "Tempo! Até agora, tive o bastante para continuar vivo e viver num certo nível. Estou bem. Posso mudar minhas circunstâncias sempre que tiver interesse. Estou interessado nisso agora? O que tenho vontade de criar?". Você é o autor de sua própria história. Você misteriosamente recebeu o *incrível* dom da vida e, ao mesmo tempo, tem livre-arbítrio para escolher sua atitude, estado de espírito e nível de atividade. Não há força ou razão no mundo que possa impedi-lo de ser tudo o que você é, se assim quiser.

> Não há como apressar um rio. Quando você chega nele, entra no ritmo da água, e esse ritmo o prende a um fluxo que é mais antigo que a vida neste planeta. A aceitação desse ritmo, mesmo que por um só dia, nos muda, nos lembra outros ritmos além do som do bater do nosso coração.
> **Jeff Rennicke**

Só para recapitular...

Ficar preso na negatividade decorre de quatro coisas: baixa vibração pessoal, uso impróprio da força de vontade, ausência de harmonia com as ondas e ciclos e falta de presença integral e consciente em cada momento. Sua vibração pessoal cai quando você depara com o medo e tenta lidar com ele por meio de um hábito emocional prejudicial, algum dos métodos de lutar ou fugir. É fácil ficar preso quando sua vibração pessoal cai porque as baixas frequências causam mais experiências negativas. Se tentar parar uma onda ou forçar seu movimento de acordo com sua força de vontade, você causará repercussões e distorções no fluxo de sua vida. Se você tentar abandonar sua experiência ou concentrar-se em realidades negativas ou vazias, a falta de presença causará distorções e obstáculos.

O bom uso da força de vontade consiste em não forçar, controlar nem resistir, mas sim escolher (1) uma vibração mais alta, (2) a sintonia com o movimento da onda em que você está ("seguir conforme o fluxo") e (3) a convivência com ("ficar com") o que quer que esteja acontecendo no momento, no intuito de instilar mais presença em cada situação para que a sabedoria de sua alma se revele. Dissipando os pensamentos que bloqueiam a alma e as camadas de pensamento herdadas que não convêm àquilo que você é, você cria mais espaço aberto para que sua luz límpida flua pelo seu corpo e sua vida. Isso não requer força — sua frequência sobe naturalmente quando entregue a si própria. Hoje é mais fácil libertar-se das vibrações negativas porque a frequência ascendente de seu corpo e da Terra dificulta a possibilidade de você ficar preso muito tempo. Além disso, depurar o medo é muito mais instantâneo.

Mensagem da frequência original

Como explico na seção *Ao leitor,* incluí estes trechos inspiradores ao fim de cada capítulo para que você troque sua forma normal, rápida, de leitura por uma experiência direta de um tipo mais profundo. Por meio dessas mensagens, é possível mudar intencionalmente sua vibração pessoal.

A mensagem abaixo destina-se a transportá-lo a uma forma de conhecer o mundo que se aproxima daquela com que você experimentará a vida na Era da Intuição. Para entrar na *mensagem da frequência original,* basta adotar um ritmo mais lento, menos apressado. Inspire e expire lentamente uma vez e fique o mais calmo e imóvel que puder. Deixe que sua mente fique suave e receptiva. Abra sua intuição e prepare-se para *intuir* a linguagem. Veja se consegue experimentar as sensações e realidades mais profundas que ganham vida *à medida que você ler.*

Sua experiência pode ganhar uma maior dimensão, a depender da atenção que você investir nas frases. Concentre-se em poucas palavras de cada vez, faça uma pausa nos sinais de pontuação e "fique com" a inteligência que está dando a mensagem — ao vivo, agora mesmo — a você. Você pode dizer as palavras em voz alta ou fechar os olhos e escutá-las na leitura de outra pessoa para ver que efeito têm sobre você.

TORNE-SE TRANSPARENTE E POROSO

Imagine que você se vê como luz e energia. Parte de você — aquela que conhece e pratica as muitas formas do amor — resplandece com a límpida transparência do diamante. Outras partes — aquelas em que você se apega ao medo e ao passado, não vivenciando seu verdadeiro eu — parecem estar embaçadas, nebulosas, densas e opacas. Nesses lugares contraídos, vivem como sombras as formas-pensamento, a energia que flui livremente do campo unificado do universo fica presa em depressões, redemoinhos e sumidouros, e isso influencia sua experiência de si mesmo e de todos os demais, visto que o obriga a ver tudo através desse filtro irregular e borrado. Vendo através dessas lentes escurecidas, você sente dor, limitação, falta e emoções negativas, podendo facilmente achar que as sombras estão nos outros.

A boa notícia é que você está num processo de tornar-se totalmente transparente. Ser transparente significa não guardar nada consigo, liberar inteiramente o ego, ser adaptável e maleável, poroso e permeável. Significa viver sem necessidade de identidade ou história fixa, sem limitação, crenças, medos nem comportamento reacionário. Quando se entrega e sente fé e confiança, você se torna mais transparente. Sempre que você para de ser defensivo, arrogante, agressivo, dogmático ou competitivo, aumenta as chances de que sua luz límpida emane de você. Toda vez que se permite ser fluido e flexível, permanecendo plenamente no momento sem expectativas nem projeções no futuro ou no passado, você aumenta sua capacidade de receber tudo.

Há energia e consciência tremendas — muito além de tudo o que você possa imaginar agora — flutuando livremente no Campo. Se você tiver ideias pequenas ou se contrair de dúvida e negatividade diante da sua percepção e expressão pessoais expandidas, a energia não poderá circular por você. Quando isso não acontece, você não pode saber o que ela sabe. Ela não pode lhe ensinar nada. Não pode ajudá-lo a criar. Quando a energia de um campo se intensifica — algo que está acontecendo com o campo da Terra agora —, você, como parte desse campo, também se intensifica. Se você se apegar, se controlar ou resistir, sua opacidade bloqueará as ondas e você logo começará a tremer — como um cão sacode a água do corpo após nadar — para afastar a energia presa e embotada, limpar seus caminhos energéticos e estabelecer uma sintonia confortável e harmoniosa com o campo em que vive.

Enquanto ainda tiver negatividade e contração — ou opacidade —, você sofrerá e terá problemas. Quanto mais transparente se tornar, menos perturbações terá pela frente. Quando uma energia intensa flui por uma pessoa transparente, produz uma sensação exaltada de divindade, entusiasmo e luz. Concentre a atenção na imagem da luz límpida e sinta sua resplandecente claridade dentro de você e a seu redor; imagine-a estendendo-se ao infinito. Com sua intrínseca sabedoria amorosa, essa luz impregna cada partícula, onda e ser; o vazio é uma ilusão. Sintonize o tom cristalino do sino da transparência, que vibra através de todo tempo e espaço; torne-se sua intensa pureza. Coloque-o dentro de você. Deixe que ele absorva e dissolva as sombras em sua maravilhosa presença. O total esclarecimento vem com a total liberação e aceitação de tudo o que é.

5

SENTINDO A FREQUÊNCIA ORIGINAL

Fazendo de meu braço travesseiro, realmente gosto de mim sob a lua enevoada.

Yosa Buson

Lisa, que se recupera de um tratamento de câncer, contou-me que estava lendo na cama quando percebeu que seu corpo estava vibrando, não com a ansiedade estressante nem ou zumbido elétrico que tantas vezes a atormentaram durante seu processo de cura, mas sim de êxtase. Seu corpo entrara em êxtase! Não havia razão para isso; ele simplesmente entrara em êxtase. Ela direcionou sua percepção para aquele estado único de sensibilidade, fundindo-se com a energia tranquila e feliz, e simplesmente desfrutou daquilo que seu corpo estava fazendo — por conta própria. "Que força terapêutica tremenda é esta!", pensou ela. "Como podem o câncer, uma sinusite ou mesmo um arranhão existir numa realidade tão extasiante? Se meu corpo sabe fazer isso, como é que fiquei doente, para começo de conversa?" Naquela noite, ela descobriu que amava a própria energia, que a "verdadeira Lisa" tinha algo de muito belo e nutritivo que lhe dava vontade de deleitar-se consigo mesma, de sentir para sempre a própria essência. Ela me disse que naquela noite ficou acordada horas a fio, entregue à sensação da comunhão de seu corpo consigo mesmo. Segundo relatou, esse estado foi tão memorável que ela pode facilmente recriá-lo sempre que pensa nele.

Você também tem uma vibração impressionante assim dentro de si — uma ressonância que transmite o amor, a verdade, a abundância e o regozijo da alma. Ela borbulha em suas "entidades quânticas", serpenteando por suas células e tecidos para encher o espaço ao seu redor. Ela está sempre ali e mantém a coerência infalivelmente. Ela é a *frequência original,* a vibração da alma que se expressa por meio do nosso corpo. Eu a chamo de frequência original porque a experiência que ela transmite é o que há de mais próximo do céu na terra que podemos almejar. Nossa frequência original funciona como uma bússola: quando sintonizamos essa vibração pessoal — que flutua diariamente — com essa essencialíssima energia de frequência naturalmente alta, a vida se estabiliza e se desenrola com sorte, sentido e satisfação.

Quando nos centramos em nossa frequência original, como Lisa, nos sentimos fantásticos e amamos tanto a vida e a nós mesmos que ficamos sem saber como conseguíamos viver de qualquer outra maneira. As ideias e respostas que provêm de sua frequência original são sempre certas e promovem a expressão de sua alma. Realmente, é um tanto chocante pensar que podemos perder nossa frequência original em meio ao rebuliço da vida, mas isso acontece frequentemente. Às vezes, como no caso de Lisa, essa frequência original se impõe espontaneamente. Porém, o mais comum é precisarmos procurá-la, convidá-la e fundirmo-nos com ela. Aprender a encontrar nossa frequência original, entregarmo-nos a ela e compartilhá-la é o segredo para transformar a vida e entrar na Era da Intuição.

> Devemos começar a nos ver como uma alma com um corpo, em vez de um corpo com uma alma.
> **Wayne Dyer**

Você chegou a um momento mágico de virada

Vimos depurando nossos hábitos emocionais prejudiciais e aprendendo a elevar a frequência de nossa vibração pessoal. À medida que atingimos o *crescendo* dessa fase de depuração do processo de transformação, a vida pode tornar-se intensa, caótica e, às vezes, sem solução. O que é velho não funciona; talvez nos sintamos sacrificados, sem imaginação e incapazes de seguir em frente. Mudamos a ênfase apenas o bastante para ver com amor, em vez de medo, a antiga realidade se desestabilizar e a nova realidade da alma começar a raiar. Nesse momento, a vida pode funcionar mal e talvez tenhamos de abrir mão de metas, posses, pessoas ou partes de nosso estilo de vida. Talvez percamos aspectos inteiros de nossa identidade, da motivação, do rumo e dos hábitos confortáveis. É importante não recair em mais reações de lutar ou fugir. O que na verdade está acontecendo é que a alma está dizendo: "Você não é mais esse velho eu limitado. É hora de descobrir quem você realmente é e o que pode fazer". É aí que a fênix ateia fogo a si mesma e misteriosamente se transforma em ouro. É aí que deparamos com a escolha de quem realmente desejamos ser.

> Não tenha medo do estranhamento que sente. O futuro precisa entrar muito antes de acontecer. Espere apenas o nascimento, a hora da nova lucidez.
> **Rainer Maria Rilke**

O que achamos de nossa nova identidade? Será que deveríamos ser como nosso herói preferido? Não devemos nos preocupar — não precisaremos imitar ninguém porque essa nova identidade será só nossa e se encaixará com perfeição. Só que não a encontraremos fora de nós mesmos. A resposta está codificada em nossa frequência original e, se vivermos nela, essa nova identidade se desenrolará como uma folha nova. Enquanto o mundo exterior racha e desmorona, interiormente nos reconstruímos e nos renovamos. A infraestrutura interior invisível está quase pronta. O momento mágico de virada no processo de transformação ocorre quando paramos de prestar atenção ao antigo mundo, com todo o entulho e movimento frenético, e nos concentramos inteiramente em como a alma pode recriar tudo. O desafio aqui é que, desse ponto de vista — *dentro* do movimento frenético — parece que, se pararmos ou cedermos, perderemos tudo, cairemos num vazio e talvez fracassemos e morramos. Evidentemente, esse é o ponto de vista louco e desesperado do ego, não o da alma. Quando parece que estamos diante do vazio, na verdade estamos prestes a reencontrar-nos, e de uma maneira nova e melhor.

É hora de relaxar e entregar-se

Compassivamente, a vida nos dá um elo de conexão, uma fase entre o velho e o novo. Como um navio atravessando o canal do Panamá, também passaremos pelas "eclusas" da consciência, passando gradualmente de um nível inferior para um superior. Para viver esse período, tudo o que temos que fazer é relaxar. Não é preciso saber tudo o que o futuro será nem como a transformação vai funcionar. É possível expirar, preocupar-se menos com as circunstâncias externas e parar de fazer qualquer tipo de pressão. Não devemos a ninguém uma descrição das preferências e antipatias, sucessos e fracassos ou planos para o futuro. Podemos ser como um cão ou gato: perfeitamente reais, perfeitamente felizes e perfeitamente indefinidos. Somos uma força misteriosa que olha através de dois olhos líquidos e belos e se irradia de um corpo que vibra feliz. Podemos ser nós mesmos sem manter um ego. Não vamos simplesmente fazer "Puf!" e desaparecer se nos entregarmos.

Certamente enfrentaremos momentos, quando os términos se avizinharem, em que o ego acionará vários tipos de artimanhas para manter-se no controle. A ideia de fazer uma pausa e "deixar os campos ficarem inativos" por algum tempo suscita protestos como: "Mas eu *não posso* parar! Se não fizer tal coisa, ficarei só", "Tenho contas a pagar e gente que depende de mim" e "Desse jeito, vou mergulhar de cabeça sem saber nadar". O ego nos convencerá a voltar para um antigo emprego, que já não aguentamos, só por segurança ou a adotar a vítima sofredora e sem controle como nova identidade. O ego sempre pintará a entrega como uma situação em preto e branco na qual ambas as opções trazem sofrimento: "Ou me sacrifico fazendo algo que já não é certo para mim ou sacrifico tudo o que tenho caindo no vazio".

Entregar-se é simplesmente uma volta ao Ser.
Quando bem feito, é centramento.

Entregar-se não é sacrificar-se nem gerar inatividade; é simplesmente voltar ao Ser. É a mudança de um foco impositivo na ação e nos resultados para um estado mais suave e intuitivo no qual você "fica com" o que está com você no momento, percebendo-o e apreciando-o. É passar do ruído ao silêncio. Quando bem feito, entregar-se é centrar-se e sempre leva a sua frequência original.

Quando você para e se entrega, isso não significa uma perda

Para passar à fase de repouso e amadurecimento entre o velho e o novo, não é preciso parar tudo — e também não é preciso demorar muito. É preciso sentir a pureza da pausa — algo que pode ocorrer em instantes, num dia ou numa semana. A alma só precisa da oportunidade de emergir num espaço limpo para começar a impregnar a vida a ponto de podermos de fato senti-la. Não adianta parar e dizer com impaciência: "Quanto tempo isso vai demorar?"

Margaret desenvolveu recentemente uma doença que requer muitos cuidados; seus pais morreram pouco tempo atrás, deixando-a encarregada do espólio; não há mais comunicação em seu casamento; ela abandonou sua arte porque não tem mais onde pintar e suas incursões no terreno da cura não estão atraindo muitos clientes. Ela se sente presa e deprimida; quer uma mudança, mas não sabe por onde começar. Sua casa é cheia de objetos de arte, fetiches e coleções incríveis. Mas são tantas coisas que é difícil mantê-las limpas, e está tudo coberto de pó. Seu jardim está maltratado, infestado de ratos, e os vizinhos derrubaram a cerca do terreno dela e não fazem nem menção de querer consertá-la. A vida dela está confusa porque seu ego está tentando evitar entregar-se e enfrentar um medo subconsciente. Ela esqueceu sua frequência original na complexidade de sua vida. Quando nos sentimos cheios e entulhados, muitas vezes é porque não estamos inteiramente "em" nós e então os outros invadem esse espaço para tentar "nos encontrar".

Sugeri a Margaret que, primeiro, procurasse tirar de si a pressão, fazendo uma pausa no seu diálogo interior, que repetia variações de: não posso, preciso e devo. Na serenidade, ela reencontraria seu eu generoso, divertido e criativo, abriria algum espaço, veria o que poderia surgir desse lugar mais agradável e faria apenas essas coisas durante algum tempo. Na verdade, ela poderia imaginar-se como um colchão de espuma (daqueles que têm "memória") voltando lentamente à sua verdadeira forma. Sugeri também que ela esvaziasse uma sala e ficasse com a amplidão e as paredes vazias, visse quais os sentimentos e problemas subconscientes que viriam à tona e, só depois, decidisse que objetos traria de volta. "Mas eu não tenho onde guardar mais nada; a garagem já está cheia de caixas." Nossa conversa terminou sem que ela entendesse bem o que eu tinha dito, já que não havia uma relação direta com seus problemas concretos.

Ela me telefonou vários dias depois para dizer que estava ansiosa e não conseguia dormir. Ficou evidente que seu ego havia transformado minhas sugestões anteriores em obrigações, e que ela se sentia injustiçada. Margaret me "ouvira" negar a ideia de que ela na verdade queria trabalhar com *cura*, e não com arte, ideia que tinha levado a sério depois que outros terapeutas lhe disseram que ela "teria que" ser uma agente de cura. E tinha ideias específicas quanto àquilo com que uma pessoa que trabalha com a *cura* deveria parecer-se, com base nos agentes de cura que vira. Aí estava um problema cuja significação tinha sido em grande parte escondida por outros problemas que ela descrevera. Sob a questão de ser uma agente de cura estava a verdadeira questão: Margaret não estava se concedendo o direito de fazer o que *ela* queria. Ela havia vivido de acordo com os exemplos e vereditos de outras pessoas, tomando conta dos outros e sendo desprendida, em vez de celebrar sua originalidade de uma maneira "egoísta". Ela se sentia lesada e sacrificada e pairava diante de um medo primal da aniquilação se parasse de colocar os outros em primeiro lugar.

Sugeri mais uma vez que ela desistisse das imagens e ideias do que sua vida *deveria* ser, voltasse a "só ser" e agisse espontaneamente a partir dali, concedendo-se o direito de dar vazão a suas novas curiosidades e desejos um de cada vez. Então sua *própria* forma de ser uma agente da cura surgiria, se quisesse surgir, e poderia se basear na arte, no ensino e na música — as coisas pelas quais ela sempre se interessara. Mas, primeiro, ela precisava parar com seu antigo padrão e voltar a sua frequência original.

> Quando crio com o coração, quase tudo funciona;
> quando crio com a cabeça, quase nada.
> **Marc Chagall**

É difícil entender que um avanço possa ter relação com Ser quando se está em meio ao impulso que busca ação e resultados. As soluções aparentemente precisam relacionar-se mais com fazer e ter: Se eu *tivesse* outros vizinhos. Se eu *ganhasse* mais dinheiro. Se eu conseguisse *ter* clientes suficientes. O ego quer um plano estratégico completo, dividido em dez etapas bem definidas, para ser concluído em uma semana. Entretanto, se não colocarmos o ego em "pausa", a magia da alma não pode acontecer. A frequência original aflorará assim que pararmos de prestar atenção ao que não vibrar em harmonia com o eu mais infantil, alegre e curioso. Começaremos a senti-la assim que voltarmos o pensamento para qualidades próprias da alma. Ela estará à espera quando pararmos. Ela está no silêncio e nos encontrará na metade do caminho quando formos em sua direção.

Quando e como entrar na frequência original

Encontrar a frequência original realmente é o grande momento de virada no processo de transformação. Este é um dos segredos mais bem guardados na vida: quando uma pessoa acha que está caindo no vazio, na verdade está voltando a si — aquilo que acha que vai estar vazio na verdade está cheio; quando para o velho, o novo imediatamente começa. É quando o pânico e a complexidade atingem o ápice, quando se está usando de força de vontade para controlar a si e à vida, que diversas coisas precisam acontecer:

1. Devemos apertar o botão de pausa e suspender o diálogo interior. Sair do estado mental que anuncia "Tenho um problema" a passar a sentir o menor indício de prazer que detectarmos.
2. Devemos entrar mais fundo no corpo, acalmarmo-nos, escutar o silêncio, irradiar a energia para fora e ocupar mais espaço. Estamos em casa.
3. Devemos nos concentrar em qualidades da alma, como alegria, sinceridade, inocência e criatividade espirituosa. Procurar e sentir a vibração nuclear — a frequência original — que existe desde que éramos um bebê radiante. Pensar naquele *eu* que amamos: o modo como nos sentimos quando estamos amorosos, felizes e generosos. Mergulhar no prazer do próprio ser. Deixar que a frequência original impregne cada parte de nosso corpo, emoções e mente.
4. Quando estivermos plenos de frequência original, imaginemos que ela seja um tom. Na imaginação, "entremos em consonância com o tom do próprio diapasão" e deixemos que as ondulações da frequência original se irradiem por nós e pelo campo que nos cerca. Ofereçamos ao mundo livremente.
5. Imaginemos que a frequência original está se reprogramando e treinando novamente nossas células enquanto desfrutamos dessa experiência. Quando algo de novo e autêntico surgir do espaço aberto e tranquilo, será algo que combina com nossa frequência original. Independentemente de ser uma emoção relacionada a questões mais profundas, uma curiosidade, ideia, oportunidade ou pessoa, aceitemos esse convite e dediquemo-nos inteiramente a ela.

No caso de Margaret, centrar-se na frequência original poderia facilmente trazer-lhe soluções para as preocupações mundanas. Mas esse não é apenas mais um período comum de prisão e inação; é uma oportunidade de entregar-se e renascer. Ela está bem no meio da transformação de uma antiga realidade e identidade em uma vida nova e ilimitada. Isso também é verdade no seu caso, pois *este é o momento da transformação na Terra,* quando é possível desfazer-se de todos os hábitos restritivos. Se encararmos as épocas de crise como oportunidades de promover melhorias permanentes, só faltará imaginar o que é possível e optar por "correr atrás" da concretização.

Há ocasiões em que precisamos abrir espaço uma, duas, três vezes...

Às vezes — talvez por causa da nossa teimosa identificação com o sacrifício e o sofrimento —, a sequência anterior precisa ser repetida várias vezes para que uma nova realidade baseada na alma se instaure. Certa feita, pedi a um brilhante astrólogo que fizesse uma leitura de meu mapa, e ele fez diversas declarações categóricas e definitivas acerca de meu futuro, entre as quais: "Sua mãe morrerá neste outono" e "Você jamais se casará e, caso o faça, será um casamento infeliz". Voltei para casa em choque e fiquei tão mal que acabei chorando. Resolvi meditar para acalmar-me e, na meditação, tive uma visão: o futuro alarmante que ele descrevera se espalhava à minha frente até perder-se na distância, saindo de mim como uma grade de linhas de neon verde que ondulavam suavemente num fundo negro, como os modelos geralmente são mostrados na computação gráfica. Os acontecimentos negativos brilhavam em diversos nódulos. Percebi que, só em contemplar aquilo, estava investindo energia na visão e aumentando sua força vital, contribuindo assim para que aquela realidade se tornasse fato. Quanta perda de tempo!

Naquele momento, toda a grade de linhas — meu potencial futuro — girou meio grau e desapareceu completamente! Agora só havia um aveludado espaço negro estendendo-se até o infinito, servindo de apoio para mim. Ele era perfeitamente silencioso e tranquilo. Girei meio grau outra vez, e as linhas, com seu potencial negativo, reapareceram. Voltei a girar meio grau, e novamente — espaço. Permaneci com a experiência do espaço sem fim, que era muito mais agradável que o futuro terrível que fora jogado em cima de mim como um balde de água fria. Certamente era um pouco estranho não ter futuro, não ter um "plano", mas percebi que aquela sensação estranha na verdade era *liberdade!* Vi que jamais havia sentido liberdade antes, embora sempre tivesse lutado por ela, e que, se tentasse criar meu futuro com minha mente limitada, ele acabaria sendo uma coisa medíocre. Eu sabia que minha vida surgiria do negror aveludado sem limites se eu permanecesse no prazer, com uma expectativa positiva e fé na bondade.

Assim, nos meses seguintes, sempre que percebia que estava na "grade verde", tendo pensamentos negativos, girava aquele meio grau e deixava que meus planos e minhas capas — inclusive os positivos — voltassem a dissolver-se no espaço. Praticava ser ampla, em vez de entulhada. Minha mãe não morreu naquele outono; na verdade, ela se curou milagrosamente de um câncer que apareceu de repente e até hoje, muitos anos depois, ainda é uma das pessoas mais positivas e vitais que conheço. Eu logo me recuperei das feridas de antigos relacionamentos, visitei países que nunca pensei conhecer e minha criatividade seguiu novos rumos. E o mais importante: estava em paz.

> Saber o que você prefere — em vez de dizer humildemente "amém" ao que o mundo lhe diz que prefira — é manter sua alma viva.
> **Robert Louis Stevenson**

Você amadurece naturalmente como a fruta na árvore

Aconchegados na frequência original, temos uma experiência muito precisa e clara de "estar com" a vida como ela é, e nisso está a verdade simples que nos liberta. Conscientizamo-nos de que estamos refeitos, que uma parte mais profunda está explorando todas as *superposições* — ou múltiplas opções de realidade — de que dispomos no estado ondiforme, instituindo novas experiências, mas a mente não precisa saber disso. As formas de nossa vida podem ou não se dissolver quando desviamos a atenção delas, a depender de a alma as exigir ou não. Elas podem se dissolver e reaparecer depois, numa versão atualizada. A questão é que precisamos de *nós mesmos*; as formas se resolverão sozinhas. Às vezes, basta um mergulho momentâneo no lago da alma; em outras, são necessários alguns dias de inatividade — e até alguns meses ou anos de busca um tanto sem rumo. Às vezes, só precisamos parar de gerar estática negativa e ligar-nos mais profundamente ao que temos. A vida nunca para completamente.

Eu achava que os frutos de meu novo limoeiro-anão seriam sempre verdes e duros. Mas, como num passe de mágica, na estação certa, os limões ficaram redondos e sumarentos, e a polpa ficou mais macia. Não posso apressar sua maturação; eles estão usando o tempo a que têm direito, cumprindo seu potencial como só eles sabem. Com a frequência original, não é preciso força de vontade para ir em frente. Se acompanharmos o fluxo de nossa onda, libertando-nos do que o ego diz serem as únicas opções e mantivermos presença integral, esse momento de amadurecimento a princípio parecerá alívio. Então nos sentimos plenos, como uma criança. Perderemos a noção do tempo, tendo simultaneamente o prazer de uma coisa que se prepara para nascer. Podemos perceber que a hora do nascimento ainda não chegou, mas que, quando isso acontecer, será maravilhoso. Há uma confiança em que a alma faça um grande trabalho, fornecendo o que é preciso. Finalmente, quando menos esperamos, o fruto se solta da árvore e surge uma surpresa: uma grande ideia, plano, oportunidade ou ato instintivo, um fato ou pessoa útil.

Seu potencial é ilimitado

Quando contemplamos a ideia de renovação, vale a pena lembrar que, à medida que crescemos e libertamos o ego da necessidade de uma identidade especial, ficaremos mais livres para utilizar o manancial de conhecimento e experiência de todas as vidas já vividas na Terra, todas as experiências que as almas têm em outras dimensões e todas as "superposições" possíveis da realidade quântica. A identidade — e, portanto, a criatividade — de fato é ilimitada: o que volta depois da entrega pode ser um milagre, algo com que talvez não consigamos nem sonhar agora. Devemos manter vivas a imaginação e a fé infantil, pois assim é que reconheceremos o que quer tornar-se realidade.

Descubra qual a sensação de estar em seu corpo

Como eu disse antes, para descobrir a frequência original, é preciso concentrar-se inteiramente no corpo, fundir-se com ele e sentir o que realmente está acontecendo. A razão é que a alma — e, assim, a frequência original — está impregnada em todo o corpo e, se a mente não estiver nele também, não reconheceremos conscientemente a sensação de "alma". Portanto, ela não terá realidade. Porém há um problema, que se deve à tendência de o corpo ressoar, como um diapasão, e mudar a própria vibração conforme as frequências do ambiente. Embora sempre esteja presente, a alta frequência original da alma pode ficar temporariamente camuflada por diversas vibrações baixas, como as da preocupação, pânico, inveja, raiva ou exaustão mental.

Quando a vibração do corpo fica caótica pelo excesso de vibrações distrativas da superfície, a mente tende a saltar e projetar-se em outros lugares e épocas ou simplesmente se desorienta e nos "dá um branco". Quando há estímulos demais ou as vibrações são baixas e negativas — como quando não fazemos o que amamos, ficamos presos a hábitos emocionais prejudiciais, doentes ou com dor, ou poluímos o organismo com drogas e alimentos nocivos —, o corpo simplesmente deixa de ser um lugar confortável. Todo mundo provavelmente identifica quando alguém está "fora do corpo", com aquele olhar vago de "não há ninguém em casa", quando parece reagir automaticamente ou faz as coisas por fazer, sem envolver-se plenamente. Quando as pessoas estão fora do corpo, não dá para senti-las e talvez isso gere ansiedade: "O que esse cara vai fazer agora? Parece que esse carro está sem motorista!". Não é raro sairmos de *nosso* corpo. Experimentemos sorrir e olhar no olho do caixa na próxima vez que formos ao mercado e vejamos como ele volta ao corpo e entra em contato.

Então, qual a verdadeira sensação de "estar no corpo"? Quase todos nós achamos que "temos" um corpo, que ele está em algum lugar abaixo de nós fazendo alguma coisa — fazendo o coração bater, bombeando sangue, digerindo a comida. Mas estar realmente no corpo a ponto de tornar-se esse corpo e conhecer o mundo desse ponto de vista é outra coisa. Quando estamos no corpo como corpo, somos como um animal — estamos no mesmo nível que a vida, temos dela uma *experiência direta* e com o mundo, uma relação viva. Reagimos imediatamente às situações, sem uma pausa para analisar nem comparar, e nos colocamos sincera e plenamente em cada ato. Ficamos tão dentro do momento que podemos expandir-nos e contrair-nos instantaneamente, ir para a direita ou para a esquerda e ajustar o nível de energia para adaptar-nos perfeitamente às circunstâncias. Algumas pessoas chamam isso de "estar em sintonia consigo mesmo" ou "estar em forma". Quando estamos inteiramente no próprio corpo, os olhos brilham, comunicamo-nos instantaneamente, somos de todo convincentes e, se também estivermos em nossa frequência original, o corpo transmite às pessoas uma sensação de segurança, cura e confiabilidade.

> Nunca somos mais profunda e essencialmente
> nós mesmos do que quando estamos imóveis.
> **Eckhart Tolle**

Acalme o corpo para sentir a frequência original

Quando nos concentramos em nosso corpo e fazemos do centro do aqui e agora a sua morada, às vezes percebemos uma vibração superficial, como um zumbido desagradável, se estivermos sentindo ansiedade ou dor, ou se a mente e as emoções estiverem aceleradas. À medida que nos fundimos ainda mais com o corpo, talvez encontremos mais vibrações superficiais, com texturas energéticas ásperas como lixas, pegajosas como cera, secas como cinzas, frias e úmidas como argila ou irritantes como um choque elétrico. Prossigamos, buscando detectar vibrações ainda mais sutis. Mesmo que pareça que não vamos conseguir sentir nada, mergulhemos mais fundo e continuemos atentos. Descobriremos que os nervos estão formigando e que as células estão vibrando. O corpo está tratando de se manter saudável. Se prestarmos mais atenção, poderemos até ouvir o tom feliz e saudável do corpo.

Acalmar deliberadamente o corpo nos ajuda a contornar mais depressa as vibrações superficiais distorcidas. Muitas vezes, isso é apenas uma questão de sair da percepção verbal, analítica e linear do hemisfério esquerdo do cérebro. Passando ao hemisfério direito e à percepção artística, intuitiva e voltada para a beleza, a energia se torna mais suave e se abre. Ela é mais relaxante. Às vezes também acalmamos o corpo e elevamos a vibração pessoal quando realizamos movimentos contínuos, ritmados: andando, correndo, fazendo tai chi, nadando ou pedalando. Além disso, realizar atos repetitivos — como balançar-se, dar tapinhas no corpo, respirar conscientemente, recitar mantras, remar ou tocar tambor — também funciona como calmante.

Experimente isto!
Entre ainda mais fundo em seu corpo

Neste exato momento você tem uma oportunidade de Ser. Concentre-se no interior de sua pele e esqueça que existem coisas como passado e futuro. Isso, bem aqui, é fascinante.

1. Diga a si mesmo: "Neste momento e neste corpo, estou 100% presente". Sinta o que isso significa e alinhe-se com essa afirmação.
2. Baixe o volume de seus pensamentos como se ajustasse o volume de um rádio. Logo você escutará o transbordamento do corpo, que pode soar como um sino, um ruído branco ou um zumbido estável. Imagine algo mais profundo por trás ou através do zumbido do corpo. Entre no silêncio de seu âmago, que está ali sempre, a despeito de qualquer ruído físico.
3. Imagine-se no centro de sua cabeça, olhando para fora por trás dos próprios olhos. Nesse ponto mais central existe um diamante minúsculo e brilhante, que emite uma luz transparente que se irradia por seu cérebro, deixando a mente num estado neutro de observação.

4. Imagine-se olhando para fora de dentro desse diamante. Ele pode percorrer seu corpo como um minúsculo disco voador. Deixe que ele voe até sua garganta e pare lá. Veja o mundo desse ponto — sua cabeça está acima de você agora. Em seguida, voe até o meio de seu peito, perto do coração, e pare lá. Olhe para o mundo. Parte do corpo está acima e parte está abaixo de você. Você está centrado no meio.
5. Agora, voe para a base da coluna e pare lá. Veja o mundo desse ponto. Você está bem mais perto da energia da terra, a mente do cérebro está bem acima, e o corpo entende outros corpos diretamente, sem precisar da linguagem.
6. Experimente voar para diversos lugares de seu corpo e sentir as vibrações do arco do pé, do joelho, da ponta do dedo indicador, da base da língua, do centro de uma vértebra, do coração, do diafragma. À medida que for assumindo esses diferentes pontos de vista, você perceberá que vê o mundo de uma determinada maneira, que há um certo tipo de percepção inerente a cada lugar. Alguns deles são incrivelmente silenciosos e sábios.
7. Volte ao centro de sua cabeça, abra os olhos e caminhe um pouco, prestando atenção ao ambiente da seguinte maneira: perceba apenas cores, formas, texturas, temperaturas, odores e ruídos. Não rotule nada; apenas permaneça na experiência direta, fluindo de uma impressão a outra, como faria um animal.
8. Mais tarde, experimente fazer uma atividade que priorize um ou dois de seus sentidos: ponha música para tocar e dance na sala, faça uma bebida com frutas frescas e beba-a lentamente. Observe o prazer de seu corpo e atente para como ele se sente exatamente.

O coração é a chave da frequência original

Talvez a maneira mais calmante de descobrir a frequência original seja ativar a percepção do coração e dar atenção amorosa ao corpo e à situação à mão. Um meio rápido de fazer isso é *deixar* que a vida seja como é, optar por encontrar a sanidade da alma em uma experiência imediata e lembrar-nos de como gostamos de nos sentir quando estamos no máximo da generosidade, gentileza e desprendimento. Seja assim diante do momento e de tudo o que ele abarca. De algum modo, tudo está em perfeita ordem; deixe que a finalidade se revele a você. Seja receptivo.

A frequência original e o campo eletromagnético do seu coração

Num artigo publicado na edição do inverno de 2005 da revista *SHIFT*, do Institute of Noetic Sciences, Rollin McCraty, Raymond Trevor e Dan Tomasino falaram do campo do coração em nosso corpo. Eles afirmaram que o "coração gera o campo eletromagnético rítmico mais forte e extenso do corpo". A amplitude desse campo é sessenta vezes maior que o do cérebro, e ele permeia cada célula e pode ser detectado a metros de distância do corpo. "As emoções negativas, como a raiva e a frustração, estão associadas a um padrão irregular, desordenado e incoerente dos ritmos cardíacos." As emoções positivas correlacionam-se a um padrão regular e coerente. Além disso, quando mantidas por algum tempo, as "emoções positivas aparentemente dão origem a um modo de agir característico, que chamamos de *coerência psicofisiológica*". Esse modo se caracteriza por uma "maior eficiência e harmonia na atividade e nas interações dos sistemas do corpo", bem como por uma "redução do diálogo mental interior, menor percepção do stress, maior equilíbrio emocional e maior lucidez mental, discernimento intuitivo e desempenho cognitivo". Tem sentido pensar que quando as vibrações do coração são "coerentes", o corpo, a mente, as emoções e a alma estão em harmonia ou, talvez, em oitavas da mesma frequência — sua *frequência original*.

Já vi que acontece algo impressionante com as pessoas quando o coração se abre: os olhos crescem e brilham, elas sorriem sem acanhamento (como dizia minha irmã caçula, "Socorro! Não consigo parar de sorrir!"), a compreensão inunda sua mente e o *terceiro olho* — o chakra, ou centro de energia, da fronte — se abre, trazendo visões e *insights* repentinos. Se tratar com ternura e compaixão o medo que faz seu corpo tremer ou as contrações que causam a dor que sente — e se, além disso, conseguir falar com seu corpo como falaria com o filho que caiu de sua primeira bicicleta grande —, você entrará no campo do coração. É essa vibração específica, que os budistas geralmente chamam de "dignidade centrada", que o ajudará a discernir sua frequência original.

Experimente isto!
Intua o corpo para sentir sua vibração pessoal

Esta semana, pelo menos uma vez por dia, centre-se: concentre-se no interior de sua pele, no ponto eletromagnético central que está em seu cérebro, e seja receptivo a tudo o que perceber.

- Intua seus tecidos, órgãos, ossos e células. Que sensação a vibração provoca? Há alguma vibração superficial que lhe parece hiperativa ou subativa? Descreva-a em seu diário com adjetivos baseados nos sentidos: qual o som que ela tem? Com que se parece? Qual a sensação cinestésica que ela provoca? Que sabor tem? Qual o seu odor? Há alguma emoção que você naturalmente associaria à vibração?
- Sinta além de todas as vibrações superficiais indo aos lugares mais recônditos de seu corpo e à frequência nuclear de seu coração. Que sensação essa vibração estável provoca? Descreva-a em seu diário com adjetivos baseados nos sentidos: Qual o som que ela tem? Com que se parece? Qual a sensação cinestésica que ela provoca? Que sabor tem? Qual o seu odor? Há alguma emoção que você naturalmente associaria à vibração?
- Com o tempo, detecte suas formas habituais de encobrir sua frequência original com vibrações superficiais e veja se consegue pegar-se "desafinando". Então, treine render-se novamente a seu âmago. Não busque uma mudança de forma; apenas desfrute de Ser.

Sua frequência original não é tão "alta" quanto "real"

É verdade que sua frequência original é muito alta, mas seria um erro pensar que você pode chegar a ela aumentando sua vibração ou "tentando" ter um tom alto. Se usar da vontade para tentar ter ou ser alguma coisa, significa que, no fundo, você acha que ainda não a tem ou não é naturalmente desse jeito, que há uma distância a percorrer ou um obstáculo a vencer. Quanto mais você tentar, mais estridente e frágil ficará sua vibração e mais longe você ficará de sua frequência original naturalmente alta. Você não precisa gerar sua frequência original; ela sempre se irradia livremente. Basta entregar-se a ela. Quanto mais honesto for, mais fácil será você continuar sintonizado com seu eu mais verdadeiro. *Sua vibração pessoal pode variar de minuto a minuto, mas a meta é mantê-la em sintonia com sua frequência original para que, por fim, ela se torne sua frequência original.*

Como Lisa, é possível reconhecer a frequência original por meio de uma qualidade própria da alma, como êxtase, alegria, generosidade, doçura, regozijo, sinceridade, dignidade ou disposição para rir e se envolver. Ou por uma textura de energia cuja sensação é como seda, manteiga macia, diamante, ar das montanhas ou água corrente. É possível senti-la de um modo quando em silêncio ou meditando e de outro quando em ação. Às vezes você consegue concentrar-se em sua frequência original por meio de um processo que consiste em contrastar os antigos estados de frequências mais lentas — que você presumia que eram normais — com estados mais elevados — de que talvez só se lembre vagamente. O objetivo é tirar uma foto do estado de sua frequência original com detalhes táteis, para que você não perca a noção dele. Você precisa de um sentimento confiável em que possa voltar a centrar-se quando perder o equilíbrio por causa de pessoas agitadas ou feridas, quando fugir de seu corpo graças a experiências que lhe façam lembrar de traumas do passado ou quando estiver aturdido pelo excesso de opções.

Precisamos ficar imóveis e continuar em movimento/em outra intensidade [...]
T. S. Eliot

Qual é a pior resolução que você consegue imaginar?

Imagine-se num estado mental em que está preocupado com problemas e questões problemáticas. Talvez outras pessoas o estejam incomodando e distraindo ou você esteja consumido demais para raciocinar com clareza. Talvez você esteja preocupado com um fracasso ou com a saúde de uma pessoa querida. Há um estado de espírito em que todos nós caímos que promove ansiedade e agitação. Veja se é capaz de provocá-lo e senti-lo temporariamente.

Experimente isto!
Liste suas preocupações negativas

1. Com base em seu "estado de preocupação", liste as coisas que se enquadrarem nas seguintes categorias:
    - Que problemas você está tentando resolver?
    - Que questões você está trabalhando em seu processo pessoal de crescimento psicológico e espiritual? Que feridas antigas estão vindo à tona?

- O que, em relação ao ambiente e a outras pessoas, o tem incomodado ultimamente?
- Com quem você está preocupado e por quê?
- O que o está amedrontando ou provocando sua ansiedade?
- O que gera caos em sua vida agora?
- O que você fisicamente precisa e deseja agora que não está obtendo?
- De que você se sente emocionalmente privado?
- A que você está resistindo? Onde está o conflito em sua vida?
- Que coisas o fazem sentir-se contraído quando pensa nelas?
- De que modo você se sente preso? De que modo você se sente subjugado?
- Em que parte de sua vida você acha que algo é injusto?

2. Amplificando e lembrando as situações específicas em que sua vibração pessoal se retrai e as preocupações ou densidades se acumulam, é possível perceber facilmente seu estado de ser de baixa vibração, algo que gosto de chamar de "antiga realidade". Em seguida, escolha alguns dos itens que relacionou acima e escreva sobre as sensações específicas que detecta em seu corpo quando sintoniza vibrações negativas. Sinta a realidade.

3. A partir do estado de tensão e ansiedade que você criou ao listar e sentir as condições que o restringem, projete sua vida no futuro e faça um quadro com a pior resolução que consegue imaginar. O que pode acontecer se tudo der errado, você tiver azar e ninguém o ajudar? Imagine tudo em detalhes e tire uma foto mental para poder recordar depois. Então expire e relaxe.

Esticando o elástico de seu estilingue para trás ao máximo, quando o soltar, você irá o mais longe possível em sua realidade positiva. A questão aqui é reconhecer conscientemente quanto a realidade negativa é terrível e identificar as sensações específicas do corpo que acompanham esse estado vibratório. Talvez você note um aperto na garganta ou no peito, uma sensação de frio e suor ou uma tendência a hiperventilar. Talvez se sinta pesado e escuro por dentro ou queira explodir como uma bomba atômica e acabar com tudo à sua volta. Essas tendências estão relacionadas a seus métodos de gerenciamento inconsciente do stress.

Qual o melhor cenário que você consegue imaginar?

Agora mudemos de marcha e pensemos nas coisas que você aprecia ou gostaria de fazer pelos outros. Talvez você esteja sonhando com a viagem que fará nas férias, uma peça que vai assistir ou um projeto criativo que está prestes a iniciar. Talvez você esteja feliz por um amigo que teve muita sorte. Há um estado de espírito — bastante contrário ao anterior — em que todos nós caímos que promove entusiasmo e fluxo. Provoque-o e sinta-o.

Experimente isto!
Liste suas experiências positivas

1. Com base em seu "estado feliz", liste reações às seguintes categorias: À medida que entra em contato com lembranças e experiências, sinta seu corpo abandonar qualquer resquício de contração deixado pelo exercício anterior e entrar numa ressonância que desperta facilmente as qualidades de sua alma. Recorde uma ou mais experiências em que:
   - Seus instintos o levaram a uma grande decisão.
   - Uma oportunidade fabulosa lhe caiu no colo ou alguém foi incrivelmente generoso com você.
   - Você conheceu pessoas especiais que eram como almas gêmeas suas.
   - Você foi generoso sem se preocupar com retribuição ou agradecimento.
   - Você ouviu informações e verdades importantes que o animaram a voltar a crescer.
   - Você estava tranquilo, satisfeito, grato e em paz, com a sensação de que "tudo estava bem".
   - Você teve uma visão que conseguiu tornar realidade de acordo seus próprios padrões.
   - Sua imaginação fluiu e você, magicamente, teve ideias maravilhosas e originais.
   - Você viveu uma fase de sincronicidade, sorte, fluxo e cooperação por parte de pessoas talentosas.
   - Você recebeu exatamente o que precisava sem ter de pedir nada.
   - Seu bom humor era tanto que ninguém conseguiria arruiná-lo.
   - Você estava com um animal especial ou num lugar especial, na natureza, sentindo-se ligado à vida e talvez a uma sensação do Divino.

2. Amplificando e lembrando as situações específicas em que sua vibração pessoal se expande, quando a sorte e os sucessos se acumulam para gerar maiores possibilidades, é possível facilmente identificar e sentir sua frequência original e a "nova realidade". Em seguida, escolha alguns dos itens que relacionou acima e escreva sobre as sensações específicas que detecta em seu corpo quando sintoniza vibrações positivas. Sinta a realidade.
3. A partir do estado de entusiasmo e centramento que você criou ao listar e sentir as experiências positivas que teve, projete sua vida no futuro e faça um quadro com a melhor resolução que consegue imaginar do ponto de vista que tem hoje — o que pode acontecer se tudo correr bem, você tiver muita sorte, todos o ajudarem e todas as qualidades positivas aumentarem naturalmente e suas capacidades se ampliarem? Imagine tudo em detalhes e tire uma foto mental para poder recordar depois. Então expire e relaxe.

Mais uma vez, a questão é reconhecer conscientemente quanto a realidade positiva é maravilhosa e exaltante e identificar as sensações específicas do corpo que acompanham esse estado de alta vibração. Talvez você perceba um calor que se irradia, uma sensação de alívio, energia borbulhando, uma expansão de seu campo energético ou uma vontade de sorrir ou brilhar. Talvez você se sinta cheio de generosidade, amor e ternura. Talvez você se sinta excitado, como um cavalo de corrida prestes a entrar na raia.

Experimente isto!
Passe livremente de um estado a outro

Agora você tem dois estados de ser bem definidos pelos quais pode optar. É como a briga de dois oponentes por um prêmio. De um lado, o ilusório estado vibratório "infernal", que o enrola para não sentir sua alma! Do outro, a verdadeira frequência original do céu, que revela quem você é. Você tem oscilado aleatoriamente entre as duas, sendo primeiro uma e depois a outra, mas agora é hora de assumir a responsabilidade por sua oscilação. Assim, você não ficará tempo demais no mundo do medo nem sofrerá desnecessariamente.

1. De seu atual ponto de vista — que é o de quem acaba de estar em sua frequência original —, experimente passar para o lado oposto e voltar a fundir-se com o estado de contração e sacrifício da pior resolução possível. Relembre sua lista de problemas e preocupações e mergulhe novamente nesse estado de ser. Observe a sensação provocada.
2. Agora relaxe e volte à sua frequência original. Reveja sua lista de experiências positivas e entre em outro estado de espírito, sintonizando com essas vibrações mais altas. Observe como se sente e quais as mudanças em seu corpo.
3. Agora volte à vibração contraída e entre em sintonia com ela, funda-se com ela e torne-se essa vibração. Observe a sensação provocada em seu corpo. Ele gosta desse estado?
4. Agora volte à sua frequência original. Sinta a cordialidade, o relaxamento, a naturalidade, a fluidez, a permissão. Seu corpo gosta desse estado?

Depois de oscilar entre os extremos da pior e da melhor resolução possível, você perceberá que voltar ao estado mais denso, contraído, dá um certo trabalho. Depois de algumas vezes, seu corpo provavelmente perguntará: "Mas eu *tenho* de fazer isso?" Não é fácil se fechar e manter esse nível de contração e falsidade, mas é evidente que fazemos isso o tempo todo. Por outro lado, você vê como as coisas funcionam sem esforço quando está em seu estado de melhor resolução possível, em sintonia com sua frequência original.

Cabe a você escolher como quer se sentir

Está esperando a hora em que vai se sentir bem? Todo dia, nas pequenas e nas grandes situações, temos a opção de estar retraídos e ansiosos ou em casa, no centro. Cabe a nós decidir como queremos nos sentir e quem desejamos ser. Ninguém conseguirá criar condições para nosso bem-estar se não decidirmos por ele. Chega um momento na vida de todo mundo em que simplesmente temos de decidir ficar bem, sentir-nos saudáveis e não esperar que as situações melhorem ou que os problemas se resolvam. A vida é curta, então devemos aproveitá-la. E desfrutar cada momento, um de cada vez, não é tão difícil assim.

É aqui que temos de ser brutalmente honestos e fazer-nos certas perguntas devastadoras, humilhantes e, apesar de tudo, libertadoras. Estou sofrendo para punir alguém? Estou atrasando meu crescimento por querer obstinadamente que as pessoas me deem segurança ou façam as coisas por mim? Estou hesitando em viver uma vida boa porque não quero admitir que cometi um erro? Estou mantendo meu sofrimento por preguiça de pensar em alguma coisa melhor? Tenho orgulho de mim mesmo? E a maior de todas as perguntas é: estou disposto a renunciar ao velho, transformar-me e saber como é bom quando não estou no controle?

Enquanto pensa nas respostas a essas perguntas, observe quais são as suas desculpas. Como você explica a falta de coragem para si mesmo e para os outros? Nós todos temos justificativas para não viver plenamente. No entanto, cada vez que você recita as suas, num nível profundo gera uma vergonha que dificulta a entrega.

> Vale a pena lembrar que este mesmo corpo que está sentado aqui agora, [...] com suas dores e prazeres [...] é exatamente o que precisamos para ser plenamente humanos, plenamente despertos e plenamente vivos.
> **Pema Chödrön**

Analise sua vida e veja a quem ou a que deu o poder de tirá-lo do santuário de sua frequência original. O que você deixou tornar-se mais importante que sua paz interior? A negatividade da política? Uma doença, um chefe louco, motoristas grosseiros, os cães do vizinho que não param de latir, um irmão alcoólatra ou a falta de um bilhete de agradecimento? Se quiser continuar adentrando sua nova vida de alta frequência, você terá que tomar de volta o poder que deu a todas essas coisas. Isso significa que, quando elas surgirem, você as deixa de lado e, em vez de sua "frequência irritada", prefere sua frequência original. Você se volta para as nuances da influência positiva de sua frequência original sobre seu corpo, suas emoções e sua mente.

À medida que for se convencendo a viver em sua frequência original e a voltar a ela assim que perceber que se afastou, você pode fazer a si mesmo algumas declarações que o ajudem a lembrar-se de que a realidade de sua frequência original é a *única* realidade, como: Vou parar de passar minhas dores e sofrimentos para os outros. Não farei nem direi nada que faça as pessoas sofrerem física, emocional ou mentalmente. Não pensarei nada, seja a meu próprio respeito ou a respeito de outrem, que reduza nosso potencial ou nossa magnificência. Buscarei as boas razões em minha experiência. Serei compassivamente honesto. Confiarei e agirei com base em minha alma em todos os momentos. Quando escolhe intencionalmente sua frequência original, você não está fazendo outra coisa senão catalisar sua própria iluminação e a de todos os demais.

Seu corpo de luz límpida está no comando

Para encontrar-se e manter sua frequência quando está num contexto pouco familiar, é importante lembrar-se de quem você é. Você é um ser ilimitado que é feito de consciência e energia e está ligado a tudo o que é por meio de um campo unificado que coordena e regula *com perfeição* o fluxo da criação. Sua substância básica é a luz. Quando comecei a fazer leituras intuitivas de vida para outras pessoas, ensinaram-me a dizer em silêncio a meus clientes: "A luz em mim conhece e ama a luz em você". Sentindo a verdade disso, criava-se imediatamente uma sintonia importante. Ao longo dos anos, passei a ver a energia da alma das pessoas como uma luz límpida e transparente. Ela não retém nada, não tem bloqueios e, de um modo brilhante, é pura e clara. A meditação a seguir o ajudará a reencontrar sua frequência original quando a perder. Com a prática, você aprenderá a fazê-la em instantes: antes de uma reunião, quando estiver fazendo uma palestra ou até quando estiver dirigindo.

Experimente isto!
Ative seu corpo de luz límpida

1. Acalme-se, centre-se em seu corpo, fique 100% no momento presente e crie paz e receptividade. Relembre sua lista de experiências positivas.
2. Imagine que seu corpo de luz límpida aparece por trás de suas costas. Esse corpo é igual a você, só que é feito de luz pura e transparente e não tem feridas nem bloqueios. Seu corpo de luz irradia sabedoria, amor, harmonia e conhecimento da abundância. Ele dá um passo à frente e põe as mãos em seus ombros.
3. Com a imaginação, sinta a vibração mais alta de seu corpo de luz; dê-lhe as boas-vindas e sintonize a frequência. Enquanto o faz, seu corpo de luz entra em você, fundindo-se com você perfeita e facilmente.
4. Ele corresponde perfeitamente ao seu corpo físico; cada parte sua corresponde a sua contraparte física: o coração de luz funde-se com o coração físico, as células de luz correspondem às células físicas, o cérebro de luz junta-se ao cérebro físico. Sem pressa, perscrute as várias partes de seu corpo enquanto esse processo se verifica.

5. Entregue-se ao corpo de luz quando ele assumir o controle, dizendo: "Você sabe administrar este cérebro, este coração, estes pulmões, estas mãos, esta voz. Mostre-me como. Sei que você me renovará, reorganizará e ensinará". Caia em sua própria luz e sinta-se amparado.
6. Uma coisa estranha acontece: enquanto deixa seu corpo de luz límpida ganhar o controle para guiá-lo, você atinge um ponto de saturação em que "reage" e percebe que é o corpo de luz límpida. Sua identidade muda. Ao ouvir a voz do corpo de luz límpida dando-lhe orientação, você percebe que é a sua voz. Talvez você diga: "Agora estou aqui e sei o que é real".
7. Deixe que a luz límpida impregne não apenas cada célula, como também suas emoções, sentimentos e pensamentos. Deixe que ela atue sobre seu cérebro e seu corpo, dissolvendo as sombras, preenchendo as lacunas, aperfeiçoando todos os seus sistemas, apagando dúvidas e preocupações, abrindo novos caminhos e reprogramando você com frequências atualizadas. Continue no silêncio.
8. Agora "entre em consonância com o diapasão" da vibração de seu corpo de luz límpida e deixe que as ondas de sua luz e de seu tom original ondulem através de cada espaço de seu corpo e saiam por sua pele para o espaço ao seu redor. Deixe-a expandir-se até o universo, se quiser. À medida que se expande, sua luz límpida se junta à luz límpida da presença que encontra em todos os lugares. No centro da luz, você consegue escutar ou sentir o tom eterno e indestrutível, ou frequência original, de sua alma.

Viver em sua frequência original torna sua percepção mais clara. À medida que você se acalma e se centra mais, as pessoas que o rodeiam podem estar chegando às partes anteriores, mais caóticas do processo de transformação. Talvez você se sinta tentado a fundir-se com os que estão sofrendo para ajudá-los. É provável que você seja tirado de seu centro e jogado em frequências inferiores cem vezes por dia. Você terá de ser extremamente gentil consigo mesmo, mas, ao mesmo tempo, disciplinado para "escolher mais uma vez". À medida que for se acostumando a viver em sua frequência original, talvez as pessoas o procurem para descobrir que "qualidade especial" é essa que você tem.

Cameron, que é consultor administrativo e praticante de artes marciais, descreveu como a firma em que trabalha, que fora fundada por dois visionários, foi comprada recentemente por uma grande empresa de tecnologia. O novo diretor-geral é impessoal, detesta gerentes e deixa de transmitir informações importantes. O resultado é que ninguém mais sabe como acompanhar o próprio desempenho, definir metas e resolver problemas. A empresa deixou de ser um lugar maravilhoso para se trabalhar e transformou-se num verdadeiro hospício. Com seu conhecimento dos fluxos e estados de energia, Cam observou a mudança e os padrões que estão ocorrendo sob a superfície. Ele disse que não tem nenhum subordinado no trabalho. Mas, como é geralmente centrado e calmo e deixa o coração aberto nas situações problemáticas, as pessoas o estão procurando para se orientar, e boa parte de seu tempo está sendo consumida na ajuda aos colegas.

É interessante ver que as pessoas reagem à realidade energética interior: Cam não é o líder do grupo, mas sua energia é a mais confiável. Porém ele também está se sentindo acuado, já que todos os dias está cercado por um campo de energia caótica. Ele acha que vale a pena continuar mais um tempo nesse emprego porque está praticando manter sua frequência original — mais ou menos como pratica o *aikido* —, mas também acha que está desperdiçando seu talento nos "jogos de energia" que estão ocorrendo lá. Ele prevê que, em algum momento do futuro próximo, vai acabar encontrando outra situação na qual as pessoas estejam mais na sintonia em que ele está.

> O privilégio da vida é ser quem você é.
> **Joseph Campbell**

Só para recapitular...

Você atingiu um grande momento de virada, no qual está pronto para abrir mão da antiga realidade baseada no medo e adotar a realidade baseada na alma. Para tanto, você precisa parar, estar presente no corpo e encontrar sua frequência original, a vibração de sua alma que se expressa através de seu corpo. Seu ego e sua força de vontade não podem controlar tudo. É hora de "só ser" e "ficar com" a vida como ela é. Entregando-se, você passará a um estado de plenitude no qual sente que algo de autêntico está amadurecendo dentro de você, embora não possa apressar esse amadurecimento. Na hora certa — e quando você menos esperar —, soluções perfeitas e novas ideias surgirão espontaneamente, trazidas pelo entusiasmo, confiança e expectativa positiva de sua frequência original. Entrando mais fundo em seu corpo, acalmando-o, abrindo espaço e eliminando sempre o entulho, você conseguirá evitar mais depressa as vibrações distrativas da superfície.

Você não encontrará sua frequência original aumentando a vibração para um nível artificialmente alto, mas sim sendo honesto e verdadeiro a cada momento e deixando que sua energia se irradie naturalmente, sem interferências. É possível encontrar sua frequência original abrindo o coração e praticando a misericórdia. Além disso, vale a pena comparar o que você sente serem as piores resoluções com aquelas que seriam as melhores, oscilando do estado de maior retração ao estado mais aberto e fluido. Assim, poderá identificar o estado de sua frequência original e voltar a ele quando perder o equilíbrio por causa de vibrações inferiores. É preciso ser honesto consigo mesmo e determinar quem você quer ser e como quer se sentir. Ninguém pode fazer isso por você, e há muitas desculpas e mecanismos de retardamento que precisam ser eliminados.

Mensagem da frequência original

Como explico na seção *Ao leitor,* incluí estes trechos inspiradores ao fim de cada capítulo para que você troque sua forma normal, rápida, de leitura por uma experiência direta de um tipo mais profundo. Por meio dessas mensagens, é possível mudar intencionalmente sua vibração pessoal.

A mensagem abaixo destina-se a transportá-lo a uma forma de conhecer o mundo que se aproxima daquela com que você experimentará a vida na Era da Intuição. Para entrar na *mensagem da frequência original,* basta adotar um ritmo mais lento, menos apressado. Inspire e expire lentamente uma vez e fique o mais calmo e imóvel que puder. Deixe que sua mente fique suave e receptiva. Abra sua intuição e prepare-se para *intuir* a linguagem. Veja se consegue experimentar as sensações e realidades mais profundas que ganham vida *à medida que você ler.*

Sua experiência pode ganhar uma maior dimensão, a depender da atenção que você investir nas frases. Concentre-se em poucas palavras de cada vez, faça uma pausa nos sinais de pontuação e "fique com" a inteligência que está dando a mensagem — ao vivo, agora mesmo — a você. Você pode dizer as palavras em voz alta ou fechar os olhos e escutá-las na leitura de outra pessoa para ver que efeito têm sobre você.

FUNDA-SE COM O CAMPO DO CORAÇÃO

Em toda parte à sua volta: sinta o repousante veludo negro-azulado do espaço profundo. Ele o ampara do mesmo modo que o céu ampara as estrelas. Flutuando no centro, confiando inteiramente no silêncio envolvente, você está sendo criado momento a momento pela força de uma Presença sábia que jamais o abandona. Sua dádiva da atenção amorosa e constante é a dádiva da vida, a dádiva do eu e a essência do Coração. A surpresa é: dentro de seu próprio coração, a Presença que cria e vive em cada coração. E você é a Presença que vive dentro do grande Coração.

Imagine: seus relacionamentos, seu trabalho, suas posses — tudo se dissolve. Você não precisa de comida, água, dinheiro nem aprovação. Você não tem nenhuma meta, nenhuma necessidade, nem sequer um corpo. Tudo o que é sólido e lento se transforma em transparência. Você não tem convicção, certo ou errado, memória, crescimento, erro, nada a comunicar. O que resta é uma vibração de luz clara, uma onda de amor. Você é um coração que brilha, flutua, pulsa. É isso que você é, o que você sabe e como sabe.

Agora veja, no campo do cosmos: cada estrela brilhante é um coração feito de luz e de Presença. E veja também, no campo da Terra: cada estrela brilhante é o coração de um ser que vive ou viveu. Uma é o líder mundial corrompido pelo poder, outra, a mãe que sente fome, outra, seu filho que está morrendo, outra, o mestre ascensionado, outra, a garçonete do almoço, outra, o soldado que não voltará para casa, outra, o anjo que o guarda, outra, seu bichinho de estimação que morreu. E veja, mais perto, no campo do corpo: cada ponto brilhante é um minúsculo ser celular, um microcoração que emite e capta luz, transmite amor, um pouco de poeira mágica dando forma à vida.

Quando você vê a estrela distante como um coração, ela o vê como uma estrela distante com um coração. Quando você vê o coração imortal da vida na criança que está morrendo, ela celebra com gratidão seu coração eterno. Quando você vê a célula leal como um coração imortal, ela o vê como sua ampliação. Essas linhas de reconhecimento são os fios vibrantes do amor que ligam o cosmos consciente; esses fios da atenção entretecem-nos no campo de um coração que brilha e ressoa; esses filamentos de energia são reconhecimento de nossa unidade. Imagine e sinta a imensidão da rede de corações e linhas de corações do campo do coração. Imagine o tom estável, refinado, que dá vida e gera amor reverberando através dele. Esse é o som de "casa".

Imagine: todos os corações olham para você e o conhecem. Receba incondicionalmente a atenção amorosa e passe-a adiante ao atentar conscientemente para os outros. Receba e dê, receber e dar. A luz do coração banha-o e você cresce cada vez mais; você lembra de seu eu, então as ondas continuam, transbordando, cascateando e ondulando pelo espaço. Agora mais amor do coração chega a você. Receber e dar, receber e dar. O Coração está batendo no campo do coração, lembrando-lhe, a cada onda, a Presença em nós que nos ampara a todos.

6

"INTUINDO" A VIDA COM SENSIBILIDADE CONSCIENTE

> Os líderes inovadores que trabalham nos reinos invisíveis atuam com base em suas percepções subjetivas das organizações ou situações. [...] Esses líderes trabalham com o subconsciente invisível para prever o caos iminente. [...] Eles conseguem transformar o caos em criatividade e respaldar as inquantificáveis mudanças no pensamento que precisam transpirar para que ocorra uma mudança transformadora.
>
> **Karen Buckley e Joan Stuffy**

Como a fênix que acaba de levantar-se das cinzas, estamos diante da perspectiva de voltar ao mundo e aprender a ajustar-nos a uma nova realidade "normal", na qual podem acontecer coisas surpreendentes. É possível que, de agora em diante, vivenciemos com frequência a sincronicidade e a telepatia, tomemos atitudes corretas antes de perceber conscientemente o que precisa ser feito, conheçamos as coisas sem percorrer os canais habituais e nos baseemos nos altos e baixos da energia sutil para determinar um rumo. Talvez estejamos muito mais sensíveis que antes e nos perguntemos como aproveitar esse novo e relativamente desconhecido poder de percepção.

A *sensibilidade* é a capacidade de discernir sentimento e sensação física e emocional. E, à medida que ela aumenta, podemos captar informações não verbais por meio de seus cinco sentidos e de ínfimas variações de expansão, contração e movimento de seu corpo. A *sensibilidade consciente* — que estamos prestes a explorar e desenvolver — é a capacidade de perceber imediatamente estímulos sutis e informações não verbais de fontes físicas ou não e de discernir o sentido *enquanto ele se processa*. À medida que ficamos mais hábeis em aumentar a capacidade de saber diretamente por intermédio da vibração, a vida apresentará muitas melhoras e esse novo poder de percepção pode ser usado para coisas que nunca imaginamos possíveis. Porém, talvez alguém se faça algumas perguntas bem básicas: Como posso entrosar-me com o mundo? Como agir para saber o que é significativo?

"Intuir" é a nova regra de entrosamento

O entrosamento com o mundo é um novo tipo de proposta. Não se trata tanto de ambição, de chamar atenção, de conquistar nem de fazer acordos diretos quanto de intuir como chegar a uma experiência comum com pessoas, objetos, máquinas, processos e acontecimentos. Os principais métodos para conduzir-nos, saber e agir serão a experiência direta (sensibilidade consciente), o conhecimento direto (intuição), a comunicação direta (telepatia) e o amor direto (alta empatia), todos eles funções da frequência original e do momento presente.

Eis aqui como começar: devemos nos centrar em nossa frequência original e, então, estender intencionalmente o sentido da percepção 360 graus em torno de nosso corpo e além dele. Ao fazê-lo, abarcaremos coisas, algumas das quais em particular. Então devemos *intuir* tudo o que percebermos. Intuir é usar a sensibilidade para penetrar em algo, fundir-se com ele e tornar-se ele por um breve instante. Quando intuímos alguma coisa, além de familiar, ela se torna parte nossa, e começamos de imediato a conhecê-la. É um pouco como representar o papel das coisas que estamos observando.

Além de meu corpo, minhas veias são invisíveis.
Antonio Porchia

Digamos que alguém se expanda e perceba o sofá, que o intua. Fundindo-se com o sofá, tornando-se ele por um breve instante e reconhecendo seu tipo próprio de consciência, fica sabendo por experiência própria que ele quer espuma nova. Então a pessoa se expande um pouco mais e percebe a árvore que está do outro lado da janela. Intui a árvore e, ficando em seu lugar e vivendo sua vida por um momento, descobre que ela está sendo comprimida por outra árvore e quer mais luz. Depois, se expande e percebe o ônibus na rua da cidade; em seguida, o grupo que se encontra na prefeitura, os vales ou montanhas a algumas horas de distância e assim por diante. Tudo aquilo que intuímos nos revela sua natureza interior. Isso acontece por uma espécie de osmose, quando nos tornamos e "ficamos com" aquilo. Intuindo o mundo que nos cerca, sentimos uma maior relação com tudo.

Conhecendo nossa frequência original e vivendo nela, nós a definimos como referência para comparação com outras espécies de frequência. Depois que intuímos o sofá ou a árvore e experimentamos suas vibrações e pontos de vista, podemos facilmente voltar ao centro e lembrar novamente da própria frequência. Após comparar conscientemente as vibrações, a etapa seguinte é usar o estado — que está sempre mudando — do corpo e a vibração pessoal como barômetro daquilo que está acontecendo ao nosso redor. Devemos nos lembrar de que o corpo é como um diapasão que muda facilmente de ressonância conforme o ambiente. Quando encontramos alguém muito efusivo, por exemplo, também nos animamos. O corpo registra dados com base no estado vibratório de outra pessoa. Mas quando voltamos a centrar-nos em nossa frequência original, de repente sabemos se essa pessoa está assim porque é um gênio que teve uma grande ideia ou um bipolar que precisa de medicação. O corpo se torna um veículo para receber informações vibracionais, e a frequência original nos ajuda a decifrá-las.

Às vezes recebemos informações vibracionais sem perceber que estávamos observando alguma coisa. De repente, sentimos muita vontade de ligar para uma irmã e acabamos descobrindo que ela está vivendo uma crise no trabalho e precisa de sugestões. Como o corpo está sempre de sobreaviso para possíveis riscos, podemos captar vibrações negativas perdidas que não são particularmente relevantes num dado momento, mas podem causar-nos stress indevido. Por exemplo, talvez você note que está preocupado sem nenhuma razão. Quando volta a centrar-se em sua frequência original, percebe que ficou tenso de manhã porque os motoristas no trajeto para o trabalho pareciam extraordinariamente irritados. Como esse não é um risco imediato, você pode deixar o *insight* de lado e relaxar. Quando trabalhamos com a sensibilidade, é importante continuarmos em sintonia com a frequência original e perguntar-nos muitas vezes ao longo do dia: "O que estou percebendo? O que já sei a respeito disso? Essa informação é útil e apropriada para mim agora?". Devemos criar o hábito de verificar, ouvir o corpo e atentar para comunicações sensoriais importantes, do mesmo modo que lemos o e-mail e jogamos fora um *spam*. Tornando conscientes as informações vibracionais, limpamos a "tela" e minimizamos a negatividade e as distrações desnecessárias, além de aumentar pouco a pouco a sensibilidade consciente.

A sensibilidade consciente ajuda a conhecer as coisas por experiência própria

Quando renunciamos às ideias preconcebidas, voltamos a atenção e a sensibilidade para uma coisa, a intuímos e ficamos com ela — principalmente com verdadeiro desejo de conhecê-la e apreciá-la —, um conhecimento impressionante se revela. Intuindo e fundindo-se temporariamente com a vida e o ponto de vista místico de uma pessoa, um animal, uma planta, um lugar, um problema ou uma situação, vamos conhecer os segredos que cada um deles guarda por meio de experiência direta e conhecimento direto. Intuindo uma planta saberemos se ela precisa de água ou fertilizante porque sentiremos que nós também precisamos de água ou fertilizante. Intuindo um animal de estimação saberemos se ele quer passear porque *nós* sentimos vontade de passear. Intuindo um lugar saberemos se ele tem água ou depósitos de minérios no subsolo porque sentiremos esses recursos como parte de *nosso* corpo. Intuindo um problema saberemos se ele naturalmente quer tomar um certo rumo porque *nós* sentimos vontade de seguir um rumo sem restrições. Intuindo um amigo saberemos se ele precisa desabafar alguma coisa para tornar a abrir o coração porque *nosso* coração está apertado e *nós* queremos conversar.

Saberemos dizer *sim* ou *não* com base em quanto nos sentimos à vontade diante da situação. Quando, prestando um pouco mais de atenção, intuímos um processo ou situação, recebemos camadas de dados acerca de como as coisas provavelmente se desenrolarão porque tudo contém em si toda a própria história se nela penetramos o bastante. Intuir a vida é como fazer o dever de casa antes de pôr mãos à obra. Só depois disso é que podemos usar a mente estratégica para investigar e implementar as revelações colhidas. Ainda será preciso conferir os canhotos do talão de cheques e analisar dados, mas o raciocínio lógico e organizacional será mais usado para a implementação.

Até acumular mais experiência com a sensibilidade, basta intuir um caminho nas opções triviais do dia a dia. Mesmo que em breve precisemos tomar decisões importantes ou estejamos nos sentindo pressionados, não nos precipitemos para não nos sobrecarregar. O primeiro passo para uma grande decisão é uma pequena decisão. Devemos perceber se queremos ovos ou aveia no café da manhã. Depois devemos sentir qual o momento certo para sair de casa para um compromisso. Em seguida, qual o telefonema que devemos dar primeiro. Façamos essas opções conscientemente, observando como o fluxo de energia quer nos direcionar e o que nos dá a sensação que mais se harmoniza com a frequência original. Quando chegarmos às opções importantes, já conseguiremos recolher os *insights* de que precisamos por meio da leitura das vibrações ao redor e em nosso íntimo.

> Mesmo que por anos nossas tentativas de atenção não pareçam dar resultado, um dia uma luz que é proporcionalmente exata a elas inundará a alma.
> **Simone Weil**

Por intermédio da *experiência direta,* que é sentir e perceber sem o comentário da mente, captaremos impressões que podem parecer simplistas, mas que estão carregadas de sentido. Por exemplo, suponhamos que sejamos entrevistados para três empregos. Qual deles é o melhor? O corpo reage à primeira entrevista sentindo frio e à segunda, sentindo sonolência. Mas, na terceira, sentimos perfume de flores e nos mostramos excepcionalmente bem articulados. Intuitivamente gostamos da terceira opção porque nos dá uma sensação de naturalidade e boas-vindas. Quando a entrevista acaba e entramos no carro, estamos um pouco tristes por deixar o local. É possível que sejam necessárias mais pesquisas, porém podemos confiar nessas impressões; o corpo não mente.

É possível estar com um cliente e telepaticamente escutar a própria voz interior reclamar de não estar sendo ouvido — até, de repente, perceber que isso é o que *o cliente* está pensando. Imediatamente perguntamos: "Estou lhe ouvindo bem? Haverá algo que eu talvez tenha entendido mal?". Descobriremos que a alta empatia — a sensação de amar a luz das pessoas e, por isso, sentir-se perto delas — nos ajuda a saber exatamente do que os outros precisam, antes mesmo de eles próprios o saberem. Dá para saber, sem razão nenhuma para isso, que é hora de a família mudar a dieta e os hábitos alimentares ou que um amigo está se sentindo só e precisa sair para se divertir um pouco.

Experimente isto!
Intua um objeto, máquina ou planta

1. Escolha um objeto. Concentre-se nele. Mantenha a percepção aberta a todas as impressões desse objeto. Dê vida a esse objeto e guie-se pela curiosidade para conhecê-lo, do mesmo modo que faria com um novo amigo. Comece com o sentido da visão e examine sua aparência. Em seguida, passe para o sentido do tato e — sem chegar a tocar de fato o

objeto — expanda seu corpo de luz além do físico, deixando que ele se torne um campo de energia maleável e que parte dele vá, como uma nuvem, até o objeto e o envolva. Imagine que seus olhos estão nessa nuvem. Imagine que se aproxima muito — quase no nível molecular — do objeto para que suas partículas de luz possam entrar nas partículas de luz dele. Seu ponto de vista está bem perto da própria matéria do objeto.
2. Flua para dentro dele com sua energia e percepção. Cumprimente a consciência do objeto e peça-lhe permissão para compartilhar seu espaço durante algum tempo, a fim de poder conhecê-lo. Ao fundir-se com ele, sensações, impressões e revelações serão transmitidas instantaneamente para seu corpo e sua mente. Continue relaxado e curioso. Você pode receber impressões sobre a história, o tempo de vida, o potencial, o significado simbólico, os pontos fortes e fracos da estrutura e as necessidades desse objeto.
3. Tome nota de tudo mentalmente. Irradie uma vibração de apreço e amor pelo objeto, expressando gratidão por sua existência. Então retire-se dele, volte inteiramente oara o seu corpo e analise o que percebeu e aprendeu.

Experimente isto!
Intua um animal ou outra pessoa

1. Escolha um animal ou uma pessoa, presente ou distante, e realize o mesmo processo acima, não se esquecendo de pedir-lhe permissão para compartilhar seu espaço e conhecê-lo. De uma criatura viva, você poderá receber impressões relativas à saúde, hábitos e necessidades emocionais, talentos e desejos, fluxo ou represamento da energia, padrões de raciocínio e destino dela.
2. Antes de retirar seu corpo de luz, agradeça ao corpo e à alma desse ser irradiando gratidão e a energia de seu coração e transmitindo-lhe a ideia de que você está feliz por ele estar vivo. Volte para o seu corpo e analise o que percebeu e aprendeu.

Intuir a vida cria intimidade e dedicação

Quando alguém intui a vida, aprende a dar mais importância a tudo — e tudo com que se importa lhe retribui. Ao encontrar algo que a mente rotula como "não eu" — como a mesa da cozinha —, se não nos apressamos a rotular como "mesa de cozinha" (o que a mantém "só na cabeça" e separado dela) —, nós a experimentaremos diretamente como um tipo de energia que é parte de nós porque existe em um *campo pessoal*. O campo pessoal é a energia sutil que há dentro e em torno do corpo físico e que contém a percepção mental, emocional, espiritual. Tudo o que percebemos imediatamente se torna parte do campo pessoal e, portanto, parte de nós. Assim, se intuímos e nos fundimos com a forma do objeto que permanecerá inominado, teremos percepções que se originam no ponto de vista dele. Sentiremos sua força vital, sua harmonia, sua beleza, seu amor, sua integridade e sua saúde. Saberemos como é ser madeira ou aço, por exemplo, ou ter quatro pernas ou quinas agudas ou arredondadas. Forjamos um vínculo com algo que antes era estranho, mesmo que se trate de um objeto ou de uma máquina. Costumo tirar regularmente um tempo para intuir e amar meu carro, meu computador, minha máquina de lavar e meu secador, e posso jurar que minhas máquinas olham por mim e, por isso, raramente quebram. Elas me enviam pensamentos: "Por favor, limpe o filtro", "Preciso de uma troca de óleo", "Logo vou quebrar, portanto não me leve em sua viagem".

> **Quando realmente estamos despertos para a vida dos nossos sentidos — quando realmente estamos vendo como nossos olhos animais e ouvindo com nossos ouvidos animais —, nós descobrimos que nada no mundo que nos cerca é sentido diretamente como um objeto passivo ou inanimado. Cada coisa, cada entidade, recebe nosso olhar com seus próprios segredos.**
> **David Abram**

Aprendendo a fundir-se conscientemente com as pessoas e as coisas, reduzimos o controle do ego e ampliamos nossa identidade. Assim que a percepção se funde com outra coisa, deixa de haver separação e há uma mescla. Deixamos a personalidade distinta de um instante antes. Então podemos falar como uma mesa de cozinha consciente. Por fim, vamos nos sentir tão ligados à vida que, se quisermos, conseguiremos sentir os sentimentos e sensações das pessoas e pensar os pensamentos delas. Com o tempo, isso nos ensinará muitíssimo sobre o companheirismo e o consciente coletivo, que discutiremos mais detalhadamente no capítulo 10.

O que aprendi com um afogamento no Japão

Essa lição de comunhão me foi demonstrada dramaticamente durante uma de minhas visitas ao Japão. Eu estivera fazendo leituras detalhadas de vida para os clientes todos os dias, sem intervalo, e agora estava diante de uma faixa de pedestres. Era a hora do almoço. Havia um grupo grande — umas cinquenta pessoas — esperando ao meu lado e outro grupo, de tamanho semelhante, no lado oposto da rua. A luz ficou verde, e os dois grupos se cruzaram com fluidez, como dois grandes cardumes. Por ser a única loura na multidão, eu chamava a atenção de uma maneira sutil. Ninguém olhava diretamente para mim, as pessoas mal me tocavam, mas estavam me intuindo com curiosidade, como se minhas entranhas fossem um livro aberto. Após semanas desse tipo de invasão e, para completar, um contato diário e profundo com o subconsciente japonês — o qual, segundo descobri, estava cheio de ideias de autossacrifício as mais variadas —, eu comecei a sentir o desgaste.

    Tive uma febre e me sentia subjugada, tinha dificuldade de respirar e estava prestes a desmaiar. Já não sabia se conseguiria manter minha realidade e meu espaço pessoal. Uma noite, sozinha no quarto do hotel, me senti inundar pelas imagens das multidões e todas as histórias de todos os clientes que vira e tive a sensação de estar me afogando. Uma "mão" saiu do chão e me puxou. Numa visão que só durou alguns segundos, senti que estava me afogando num mar de energia aquosa. Eu morri para minha velha realidade norte-americana, individualista, e "ressuscitei" numa nova realidade. Estava totalmente submersa, nadando num oceano de percepção fluida em que tudo e todos estavam interconectados. Depois, vim a saber que muitas culturas asiáticas consideram isso normal.

    Eu podia estender-me para fora desse mar de sensação sem o deixar, como uma onda que começa a se formar, e assumir diferentes formas: podia ser eu mesma, um cliente, uma pessoa que vira na rua ou uma árvore. Quando crescia dentro de outras pessoas, eu as conhecia como se *fosse* elas. Então voltava a relaxar no oceano de energia. De repente, entendi a realidade japonesa de dentro dela. A partir daquele dia, não me senti mais invadida porque já não me sentia contida. Minha temperatura voltou ao normal e me senti ligada a todos os que vi e feliz por eles. Eles eram como minha família, e eu via que, nessa realidade interior, todos sabiam uns dos outros e cuidavam de proteger-se mutuamente porque o sofrimento de um afetava o resto. E é por isso que os japoneses dão tanta prioridade a não ferir a suscetibilidade alheia — todos ficam magoados quando um é ridicularizado ou não se sente à vontade. Essa experiência me mudou completamente. Ela demonstrou uma verdade sobre a interconexão humana que hoje começa a ser vivida por todo mundo, não apenas os asiáticos, e constitui uma grande parte de nossa futura realidade.

> Quando você começa a usar sentidos que negligenciou, sua recompensa é ver o mundo com olhos inteiramente novos.
> **Barbara Sher**

Confie em seu Observador Interior e siga o caminho de maior ressonância

Parte de um bom trabalho com a sensibilidade consciente consiste em aprender a distinguir entre o que a alma quer que percebamos e coisas que não são particularmente úteis. Dentro de cada um há uma força — podemos chamá-la de Observador Interior, Revelador, Espírito Santo; existem muitos nomes para ela. É a força da alma que orienta a atenção para perceber coisas que nos ajudem a aprender lições de vida e a nos expressar com autenticidade. Eu *conheço* minha irmã, nós crescemos na mesma casa, com os mesmos pais, mas nossa lembrança das experiências da infância me faz rir dos mundos tão diferentes que nós aparentemente ocupamos. É óbvio que nossos Observadores Interiores nos faziam perceber coisas inteiramente opostas. Ela achava que a política de nossa mãe em relação à comida, que consistia em fazer-nos comer pelo menos um pouco — ou uma "porção para não fazer desfeita" — de cada tipo de alimento que tivéssemos no prato, era problemática, ao passo que eu a considerava justa. Minha irmã hoje é uma nutricionista doutorada, e eu como praticamente qualquer coisa.

Podemos confiar em nosso Observador Interior e na sequência de coisas que ele nos faz notar. O segredo é aprofundar o envolvimento com aquilo que percebemos, perguntando a ele: "Por que estou notando essa pessoa?", "O que devo fazer com essa percepção?". Talvez, enquanto está no aeroporto, você perceba uma pessoa que tem uma deficiência. Por quê? Ela pode estar demonstrando um tipo de coragem que você deve aplicar na sua vida. Também podemos negociar com nosso Observador Interior. Se estiver preocupado com a possibilidade de um acidente de carro, por exemplo, em vez de viver num estado paranoico, peça-lhe: "Se houver risco real de um acidente iminente, por favor me conscientize dele para que eu possa evitá-lo. Se houver outras ameaças que não forem importantes para mim, não me informe a respeito delas. Só preciso das informações com as quais puder fazer alguma coisa!". O segredo então é relaxar e confiar em sua sensibilidade consciente e seu Observador Interior.

Ao nos conduzir por meio da sensibilidade e da vibração, devemos escolher pessoas e oportunidades que nos pareçam muito acolhedoras e ressoem em harmonia com nossa frequência original. É possível distinguir pessoas, oportunidades, lugares e respostas que façam conosco uma "bela música". Algumas pessoas e situações podem ressoar no mesmo tom que nossa frequência original — digamos, dó central — e outras podem estar uma oitava acima ou abaixo dessa — digamos, dó alto ou dó baixo. Outras podem ressoar em dó central, mas ter um timbre diferente. Um violino tocado em dó central não soa igual a uma tuba tocada nesse mesmo tom, mas os dois podem soar maravilhosamente bem juntos. Quando encontrarmos pessoas, ideias e oportunidades que sejam dissonantes de nossa frequência original, não devemos nos envolver com elas — ou, se não pudermos evitar, que seja o mais perifericamente possível.

> Todos percebemos. Somos uma percepção;
> não somos objetos; não temos solidez alguma. Somos ilimitados.
> **Don Juan/Carlos Castañeda**

À medida que pensar em envolver-se com novas pessoas e experiências, vale a pena considerar estes "testes da realidade". Pergunte-se:

1. Esta opção está na mesma sintonia que eu? Ela está uma oitava acima ou abaixo da sua frequência original? Ela está em harmonia comigo?
2. Enquanto imagino a possível interação, existe cooperação, comunicação fácil, apoio e benefício mútuos? O fluxo é natural? Sinto-me melhor por causa do meu envolvimento? Esta opção me ajuda a ser ainda mais sensível, empático e perceptivo ou terei de ficar atento para não me fechar?
3. Será preciso que eu eduque, apoie, converta, lute ou faça mais do que me cabe para que esta opção tenha sucesso? Terei que sacrificar-me de algum modo?
4. O que eu aprenderia contribuindo com meu envolvimento e deixando-me afetar por ele?

Não há nada de errado em dizer "não" a ofertas tentadoras. Quanto *menos* nos envolvermos com vibrações dissonantes — ainda que elas sejam apenas um pouco dissonantes, mais energia e criatividade autêntica teremos. Talvez, antes tenhamos conseguido suportar um emprego que nos esgota, mas agora teremos a sensação de sufocamento. Devemos definir o próprio tom. Convidando as pessoas a juntar-se a nós numa frequência mais alta, estará contribuindo para dar mais credibilidade ao modo de ser da nova Era da Intuição.

Atualize sua realidade para que corresponda à sua frequência original

Aprendemos a manter uma vibração pessoal em sintonia com nossa frequência original, reiterando a opção de nos sentir como gostamos. Agora, enquanto nos expandimos para abarcar mais do mundo, ainda mantendo a frequência original, perceberemos muitas situações que parecem pré-históricas e chatas, processos lentos que se arrastam e pessoas que não avançaram tanto. Talvez nos sintamos fora de sincronia com o modo como as coisas sempre foram ou com amigos, familiares, parceiros, clientes ou sócios, deixando de entrar em ressonância com eles. Talvez nos cansemos da maneira primitiva, inconsciente ou inescrupulosa que as pessoas têm de fazer as coisas.

Não faz muito, duas empresárias, ambas espiritualmente sábias e experientes, contaram-me histórias parecidas. Uma está encarregada de um projeto ecológico de urbanização imobiliária, levantando financiamentos imensos, administrando sócios emocionalmente imprevisíveis e resolvendo problemas intermináveis com os proprietários da cidade e vizinhos, enquanto faz de tudo para não sucumbir à pressão para abandonar a visão espiritual original do projeto por conveniência. Houve ondas de sucesso seguidas por revezes. No momento, ela está diante da perspectiva de um novo sócio capitalista que está forçando sua saída do projeto, basicamente roubando-o de quem tem a visão que lhe serviu de base. Apesar da prática de permanecer em sua frequência original, ela está à beira da falência, com o corpo esgotado pelo excesso de adrenalina e diante do ponto da virada, quando terá de entregar-se e voltar a centrar-se — mais uma vez.

A outra empresária entrou num processo semelhante com a empresa que tinha. Quando o mercado desandou, a empresa não pôde pagar as contas. Todos ficaram furiosos com ela, que engordou, ficou deprimida e foi procurar um advogado especializado em falências. Então, um belo dia, ocorreu-lhe que bem poderia parar de se preocupar — afinal, de que estava adiantando? Pouco depois, um de seus produtos caiu no interesse do público e vendeu bem nacional e internacionalmente. A maré virou. Ela se entregara e entrara novamente em contato com sua frequência original, e a vida começou a reaparecer de uma forma nova e mais encantadora. Então recobrou a saúde, perdeu peso e pagou suas dívidas, e sua pequena empresa foi comprada por uma empresa famosa. Ali ela está à frente de uma divisão própria e tem liberdade para produzir as coisas que mais quiser. Agora sua intuição está mais aguçada do que nunca. Ela detectou o potencial de outro produto que teve ainda mais sucesso que o primeiro. Então os novos sócios maquinaram uma jogada para ficar com o produto e retirá-la dos lucros futuros.

Essas duas mulheres estão aprendendo uma lição parecida. Ambas se dedicaram a empreendimentos ambiciosos que as inspiravam espiritualmente. Ambas haviam decidido, talvez inconscientemente, expandir-se depressa e, para atingir esse fim, optaram por associar-se a gente que ganhava dinheiro por meio do *glamour*, da celebridade e da arte de aparentar ser melhor do que os outros. Criando a partir de sua alta frequência original, elas viveram momentos em que os resultados foram mágicos. Então, escolhendo sócios cuja vibração na verdade era bem mais baixa que a delas, puderam ver como o medo e o ego — a "antiga realidade" — pode arruinar uma coisa boa. As duas agora precisam restabelecer sua frequência original e escolher sócios e oportunidades que ressoem em harmonia com elas. Elas estão num processo de *arrumação da frequência*.

> A voz de nosso eu original muitas vezes é abafada, subjugada e até sufocada pelas vozes das expectativas alheias. A língua do eu original é a do coração.
> **Julia Cameron**

Encha seu mundo de sua frequência original

Talvez estejamos num ponto semelhante, em que fazemos experiências com as vibrações e observamos seu efeito sobre a vida e o sucesso. Já podemos ter constatado os resultados mágicos que essa frequência original pode criar e os obstáculos e fracassos que as oportunidades e os relacionamentos dissonantes podem precipitar. Talvez agora precisemos deixar que essa frequência seja a base de tudo na vida, de saber que a realidade pode ser fluida e cheia de alegria em *todas as áreas*. Enquanto não aceitarmos a harmonia como um modo de vida, ainda continuaremos atraindo gente que questione ou negue nossa realidade. Enquanto ficarmos parcialmente "limpos" e parcialmente entregues a velhos hábitos emocionais prejudiciais, a vida terá uma mistura de pessoas da "antiga realidade", baseada no medo, e da "nova realidade", baseada na alma.

Talvez você esteja num ponto semelhante ao de Cameron, do capítulo anterior, quando dedicou às situações mais energia do que o necessário. Ou talvez tenha "aguentado" pessoas difíceis, estabilizando-as com sua energia e tentando manter-se estável para poder fazer tudo de novo no dia seguinte. À medida que sentir sua capacidade se expandir e perceber que não precisa sacrificar nenhuma parte de sua expressão pessoal pelo sucesso, verá que pode imaginar "entrar em consonância com o tom de seu diapasão" e irradiar a vibração de sua frequência original por todo o campo que o cerca para que ela seja a frequência que organiza o seu mundo. Quanto mais aceitar que isso é possível e pode tornar-se realidade, mais você verá as pessoas e situações de sua vida entrarem em ressonância com sua frequência original. E então a vida milagrosamente melhora. Você logo verá que não precisa baixar sua própria vibração para estar no mundo — é igualmente fácil criar uma realidade bem-sucedida com sua frequência original e ter amigos e colegas que o compreendam e apoiem.

Experimente isto!
Intua um local energizado

Usando sua sensibilidade consciente para encontrar lugares cuja energia ressoe conforme sua frequência original, você poderá maximizar seu nível de energia e saúde, aumentar sua lucidez e até acelerar seu crescimento.

1. Centre-se e acalme seu corpo. Comece onde quer que esteja: em casa, no jardim, no escritório, no mercado ou numa trilha. Sinta a energia inerente ao ponto em que pisa. Ela vem diretamente do centro da terra para dentro de seus pés e seu corpo e enche o espaço a seu redor. Agora mexa-se lentamente, explorando esse espaço. Deixe que seu corpo encontre um lugar onde queira parar. Sinta a energia dele. O que é que ela tem de interessante?
2. Deixe que seu corpo se mova novamente e pare. Sinta a energia. Continue fazendo isso até chegar ao ponto mais magnético, à energia mais alta que puder encontrar. Sinta a diferença entre esse lugar e os demais.

Inspire toda a energia desse lugar que seu corpo desejar e transmita seu amor à terra e a ele.

3. Experimente isso num restaurante para saber onde quer sentar ou quando estiver ao ar livre, na natureza, arrumando os móveis ou plantando um jardim — onde quer caminhar? Onde cada acessório ou planta quer ficar? Descubra o local de sua casa que transmite a quietude mais profunda e use-o para meditar. Encontre uma árvore antiga, especial, que o ajude a pensar com clareza quando você se encosta nela.

Use os três níveis de seu cérebro para refinar sua sensibilidade

Conforme indica o diagrama a seguir, o cérebro tem três níveis, cada um dos quais tem uma percepção distinta. Eles são como uma escala ou escada de percepção que se pode subir e descer. A parte superior — o *neocórtex,* com seus hemisférios esquerdo e direito — processa a percepção abstrata e conceitual. O hemisfério esquerdo rege o raciocínio analítico e a linguagem, e o direito coordena o reconhecimento de padrões, a intuição e a criatividade. O *mesencéfalo,* o nível da percepção sensorial, ajuda-nos a sentir-nos ligados ao mundo por meio da semelhança e do afeto. A parte inferior — o *cérebro reptiliano* — volta-se para a sobrevivência e percebe por meio de reações instintivas de atração-repulsa e lutar ou fugir. Ele é responsável pela motivação e pela experiência direta. Já que os dados do corpo são transmitidos pela coluna, o cérebro rep-

Os três níveis de seu cérebro

- Neocórtex
- Mesencéfalo
- Cérebro reptiliano

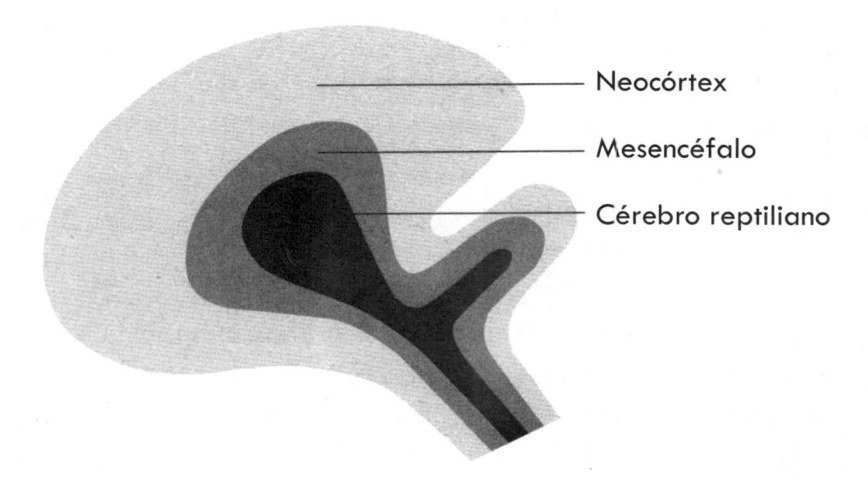

tiliano é o ponto em que as informações primeiro se tornam conscientes. Elas então assumem uma dimensão extra no mesencéfalo, quando os sentidos as amplificam e repassam para a parte superior do cérebro, onde ganham sentido e tradução na linguagem e se tornam parte de um padrão mais amplo de conhecimento. Se tiver sempre em mente a imagem da escada, você conseguirá subir e descer os degraus com fluência, passando facilmente da sensibilidade corporal à intuição e ao sentido e reconhecimento de padrões.

Para enfatizar a sensibilidade, descemos a escada rumo ao saber do corpo. Para enfatizar a percepção abstrata, subimos. Se passarmos o dia inteiro trabalhando com o hemisfério esquerdo, podemos ficar saturados de palavras e ondas beta, o que pode trazer stress e nervosismo. Se imaginarmos que vamos para o hemisfério direito e descemos para o mesencéfalo — onde vivenciamos a intuição, os sentidos, as semelhanças e o afeto —, conseguiremos passar às ondas alfa e teta, que são mais lentas, e aliviar a tensão. (Lembremos que as ondas delta ocorrem principalmente durante o sono profundo.) Se descermos ainda mais — até o cérebro reptiliano, onde são vividos os instintos e há uma relação direta com o ambiente —, conseguiremos afastar qualquer possível resquício de stress. "Descendo" pelo cérebro, entramos mais fundo no corpo e nos acalmamos. Quando estamos calmos e estabilizados, é mais fácil sentir a existência de uma frequência original em todos os níveis do cérebro e corpo.

Tipos de sensibilidade dos três níveis do cérebro

Reconhecimento inicial **CÉREBRO REPTILIANO**	Sentidos e sentimentos **MESENCÉFALO**	Sensibilidade mais refinada **NEOCÓRTEX**
"vibrações" sutis nervosismo/estômago embrulhado instinto visceral atração/repulsão expansão/contração ressonância/dissonância	olfato/sentido interior do olfato paladar/sentido interior do paladar tato/clarissenciência audição/clariaudiência visão/clarividência empatia/comunhão	sentido racional *flashes* de compreensão apreensão repentina de padrões misticismo percepção de seres não físicos percepção de campos unificados consciente coletivo

Para ativar a sensibilidade mais sutil, convém fechar os olhos e manter-se abaixo do sentido da visão, já que a visão e sua contraparte interior, a *clarividência*, estão estreitamente relacionadas ao neocórtex e nos transportam quase instantaneamente para a linguagem, o sentido e os conceitos. Para desenvolver a sensibilidade, devemos permanecer em fusão com o corpo. Experimentemos ouvir os sons — dentro de nós e ao redor, perto e longe, baixos e altos. Então façamos uma transição sutil que nos permita "ouvir" os sons que estão abaixo dos sons audíveis. Talvez escutemos mensagens dos órgãos, a voz de um amigo ou as plantas. É preciso ter cuidado para não derivar por tangentes, já que a *clariaudiência* está vinculada à voz interior e pode nos levar a um excesso de comunicação intrapessoal e de volta à parte superior do cérebro.

Remedia-se o problema descendo abaixo do som, numa transição para a percepção tátil. De olhos fechados, sintamos o que há ao redor e dentro de nós com base na temperatura e nas texturas. Talvez seja possível sentir que a cabeça está mais quente que os pés, que há diferenças de temperatura no ar ou que um tecido tem pequenos nós. Passemos ao sentido interior do tato — a *clarissenciência* — e recebamos impressões. A energia tem uma textura? Como é a energia do ambiente em que estamos: estagnada, elétrica ou acolhedora? Agora experimentemos juntar os sentidos da audição e do tato. Procuremos sentir a impressão física que o tique-taque do relógio ou a campanhia do telefone causam no corpo. Ainda de olhos fechados, vamos detectar os odores em volta. Quanto mais tranquilo estivermos, mais odores sutis perceberemos, como o de uma folha fria de papel em branco e o de outra que acaba de sair de uma impressora aquecida. Usando o sentido interior do olfato, é possível receber impressões sobre o cheiro da saúde do corpo ou da possível solução para um problema. O mesmo pode ser feito com o paladar, sentindo que uma situação é doce ou amarga, por exemplo.

> Estou convencido de que há correntes universais de Pensamento Divino vibrando no éter em toda parte e de que qualquer um que consiga sentir essas vibrações se inspira.
> **Richard Wagner**

Sintonizando percepções sutis e descendo a escada em direção aos sentidos instintivos (veja o quadro com as escalas de vibrações do dia a dia no capítulo 2), desenvolveremos a sensibilidade consciente. A sensibilidade nos traz informações sobre outros corpos, objetos, lugares, acontecimentos, tendências, épocas e processos, inclusive os do futuro próximo. É possível, de repente, entender a natureza de coisas como feridas emocionais e cura, motivações, padrões complexos de pensamento por trás de comportamentos e resultados e, por fim, também os estados emocionais iluminados — como o êxtase, o regozijo e a felicidade — e o funcionamento de dimensões superiores da percepção.

Experimente isto!
Intua investimentos financeiros

Caso esteja pensando em comprar ou vender ações e fundos mútuos ou em fazer outros investimentos, pegue um papel e faça uma lista com suas opções. Sente-se em silêncio e olhe para ela. Concentre-se no primeiro item: você deve vender ou manter esse fundo mútuo? Intua-o com seu sentido expandido do tato. Que impressões você recebe? A vibração é alta, irregular ou dá a impressão de solidez e realidade a longo prazo? Você sente uma ferroada, uma picada ou alguma sensação de afundamento ou vazio? Essa opção o torna feliz, apático, receoso, contraído, entusiasmado ou inconsciente? É possível, inclusive, fundir-se inteiramente como o fundo mútuo, tornar-se ele e falar como ele, transmitindo a si mesmo uma mensagem. Anote suas impressões ao lado dessa opção. Passe à opção seguinte, e faça assim com todas. Quando acabar, procure fazer algumas pesquisas, ouvir o que os outros estão dizendo e verificar se há alguma base para suas percepções. Então tome uma posição.

Quanto antes você souber, mais a sua sensibilidade lhe servirá

Quanto tempo leva para reconhecer informações não verbais transmitidas por vibrações? Quanto antes registrarmos e decifrarmos uma impressão, mais conscientemente sensível nos tornaremos. Você poderia começar conscientizando-se das coisas que *de fato percebe* com rapidez e facilidade. Como a maioria das pessoas, você é mais sensível ao que considera importante ou fascinante. Se os medos e preocupações predominarem, é possível ser hiperalerta a tudo o que ameaçar o bem-estar físico, a segurança financeira ou o casamento. Por outro lado, se assumimos um compromisso com o crescimento, talvez percebamos coisas positivas que nos ajudem a expandir-nos, como uma frase que amplia a compreensão, uma necessidade urgente de tomar um pouco de sol ou um novo tema de estudo que leve a uma maior exploração.

Em seguida, você poderia estimular sua curiosidade para saber o que seu corpo está captando durante o dia e em que impressões ou informações sutis você está baseando muitas de suas decisões de conduta mais rápidas. Por que você de repente parou o trabalho e resolveu sair para cumprir algumas tarefas? Por que retornou uma ligação antes de outra? Por que foi ríspido com alguém que normalmente trata com gentileza? Por último, veja se consegue ampliar sua sensibilidade para conscientizar-se de variáveis ou forças ocultas que podem afetar você ou seus entes queridos. Percebendo aquilo que você está percebendo, você simplificará o circuito que vai da informação à ação apropriada.

Quando o corpo capta as informações não verbais do ambiente como vibração, essa vibração se intensificará se não a reconhecemos conscientemente e não agirmos com base nela. Há momentos em que ficamos temporariamente insensíveis por estar demais no lado esquerdo do cérebro, adotar um tipo de foco por muito tempo ou estar fora do corpo. Mas a alma está falando conosco — e, se a informação for importante, não vai parar de pressionar até que recebamos a mensagem. Digamos que alguém fique tenso no trabalho e, ao chegar em casa, esteja de mau humor. Talvez tenha passado por cima dos primeiros sinais que lhe indicavam que não pode render muito com uma carga de trabalho descomunal ou que ficar tempo demais sob luz fluorescente não é saudável. Já que não entendeu imediatamente a mensagem nem fez nada para aliviar as preocupações do corpo, a pressão foi crescendo até chegar à beira de uma enxaqueca.

Quando não registramos as primeiras pequenas ondas de expansão e contração, as informações vão se tornando mais "agudas" e insistentes. A princípio, o corpo sussurra, depois limpa a garganta, bate à porta, esmurra-a feito louco e, por fim, liga a luz vermelha de emergência e a sirene. Pequenas contrações vão se transformando gradualmente em tensões, dores, dores crônicas, doenças e paralisias até que finalmente ocorrem traumas e acidentes. Sob cada dor e cada trauma, há uma mensagem não escutada da alma e do corpo. Portanto, captar logo as informações sutis por meio da sensibilidade consciente pode poupar-lhe muito sofrimento e preocupação!

Experimente isto!
A que você tem mais e menos sensibilidade?

Conscientizar-se das seguintes categorias de experiências pode ajudá-lo a ser mais conscientemente sensível ao que você está sentindo.

- Liste as coisas que "o tiram do sério", aquelas que o deixam descontrolado.
- Liste coisas que o amedrontam profundamente, produzindo ansiedade.
- Liste coisas que quer aprender e que pode encontrar personificadas em outras pessoas.

- Liste coisas que as pessoas notam ou sentem às quais você aparentemente é insensível.
- Liste maneiras pelas quais você associa seus cinco sentidos a sensações de prazer e beleza.
- Diga quanto tempo você leva para perceber as tensões, dores ou pequenos males de seu corpo.
- A que você é sensível no ambiente (luz, umidade, cor, alimentos, feiura, temperatura, ruído, altitude etc.)?
- Diga como você poderia perceber as informações não verbais do ambiente com mais antecedência.
- Quais de seus sentidos são os que mais predominam? Quais você gostaria de desenvolver mais?

A vibração sutil dos sinais de verdade e ansiedade

Você é extremamente sensível à verdade e à mentira, à segurança e ao perigo. Quando uma informação é registrada em seu cérebro reptiliano, assume duas formas: *sim* e *não*. Você reconhece essas pistas por meio de sensações instintivas de expansão ou contração, de energia que circula ou não circula. Devemos tomar cuidado para não descartar essas sensações como meras idiossincrasias do corpo: elas constituem um sistema todo particular de discernimento de sensibilidade consciente! Quando consideramos uma ação ou opção como apropriada, segura, verdadeira e legítima, a energia que se faz sentir é expansiva: talvez sintamos a energia aumentar, tornando-se ativa ou vital, ou talvez sintamos calor, vertigem, entusiasmo e nervosismo. Essas reações são os *sinais de verdade,* que podem ser sentidos em várias partes do corpo. Algumas pessoas têm uma sensação de calor que se espalha pelo peito. Outras sentem a energia borbulhar da parte inferior do diafragma para o peito, a garganta e os olhos, que podem encher-se de lágrimas. Outras tantas sentem o sangue correr para o pescoço e o rosto, fazendo-as corar, ou a energia subir pela coluna ou descer pelos braços, dando-lhes arrepios elétricos. E outras ainda relatam estalos e sons ocos, como se alguma coisa se alinhasse e voltasse a seu devido lugar.

Quando consideramos uma ação ou opção como insegura, imprópria, falsa e injusta, recebemos um *sinal de ansiedade.* É possível que sintamos a energia cair, fugir, tornar-se mais sombria ou contrair-se. Talvez sintamos frio ou um vazio na boca do estômago. Talvez repugnância, peso, depressão ou um sentimento de estar "petrificado". Em vez de corar, podemos ficar lívidos ou sentir-nos cinzentos ou azuis. Talvez alguém sinta dor ou tenha literalmente uma experiência "de arrepiar os cabelos". Entre os sinais mais comuns de ansiedade estão: náusea ou dor no estômago, dor no pescoço, aperto no peito, dor de cabeça e uma sensação como um nó ou um soco no plexo solar.

Um de meus alunos fez um exercício para utilizar conjuntamente o olfato e os sinais de verdade e ansiedade para resolver um problema. Ele tinha três possibilidades. Quando imaginava cada solução e o odor que poderia ter, a primeira cheirava a bife grelhado; a segunda, a terra; e a terceira, a laranja cortada. Por qual delas sentia mais atração? Ele disse que seu corpo gostava de todas elas. Quando lhe pedi que sentisse os estados emocionais ou o tipo de energia que cada uma poderia promover, ele preferiu imediatamente a possibilidade que cheirava a laranja porque gostava da animada sensação de movimento que lhe transmitia. As outras duas pareciam-lhe bem, porém entediantes.

Se alguém entrar numa casa e tiver um arrepio que não tenha relação com a temperatura ambiente, o que isso pode significar? Talvez tenha havido um falecimento recente nessa casa, talvez ela seja mal-assombrada, seus ocupantes podem ter tido uma discussão feia, pode-se estar prestes a ter um azar ou dissabor por causa da permanência nela ou talvez ela lembre uma experiência negativa do passado que precisa ser entendida e depurada. Se o coração dispara quando somos apresentados a alguém que pode vir a ser um sócio no trabalho, isso significa que encontramos uma alma gêmea ou que devemos, por precaução, perscrutar a frequência original para ver se essa pessoa não é um "perigo oculto"? Se alguém precisa dar um telefonema, mas fica adiando o momento de pegar o telefone, quer dizer que há alguma coisa na relação com a pessoa que deve ser esclarecida ou que falta algum dado que poderia mudar aquilo que será dito? Esse é o tipo de coisa a que devemos prestar atenção e a cuja decodificação devemos nos dedicar.

> Você está na beira da praia e vê que as ondas jogaram na areia um chapéu velho, uma caixa velha, um sapato e um peixe morto. Você diz: "Acaso, bobagem!" A mente chinesa pergunta: "O que significa o fato de essas coisas estarem juntas?"
> **Carl Jung**

É possível aplicar a sensibilidade ao trabalho

David, que é consultor administrativo e recrutador de RH na região de San Francisco, diz que, quando começou a incluir o recrutamento em sua prática de consultoria, disseram-lhe que teria de telefonar para pelo menos cinquenta desconhecidos por dia. Só que ele estava começando a praticar uma filosofia segundo a qual tudo na vida é inter-relacionado e cooperativo, de modo que, quando iniciou sua nova prática, David virou sua mesa em direção ao leste para poder sentir a maior parte dos Estados Unidos. Toda manhã ele se sentava à sua mesa, fechava os olhos e conectava-se a todo o país. Ele visualizava e sentia milhares de pontos luminosos salpicando a terra, espalhados ao longo de todo o percurso em direção à costa leste. Cada ponto luminoso era uma pessoa ligada por um fio de luz a ele, sentado à sua mesa. Em seguida, ele revia as listagens de empregos para sentir quais os tipos de pessoas que precisava. Então alegremente enviava os pedidos pelas linhas de luz, como se estivesse fazendo soar uma sineta para convidar as pessoas a virem. Ele via que certos pontos luminosos iam inchando e ficando maiores.

Aí abandonava a imagem e, satisfeito, voltava-se para sua lista de "chamadas a fazer". O nome que primeiro saltasse da página para seu campo de visão era o que ele chamava. Em pouco tempo, David estava tendo um sucesso fenomenal. Os colegas não entendiam por que ele tinha tanta sorte. Em vez de cinquenta telefonemas por dia, ele fazia dez — só que eram os dez telefonemas certos. A maioria dos cargos preenchidos por ele se compunha de gente que ligava do nada ou de sugestões. Seus clientes gostavam de sua naturalidade e da facilidade com que as coisas aconteciam quando ele estava envolvido.

Vários dentre meus clientes que são CEOs e empresários bem-sucedidos contam histórias semelhantes de utilização de métodos heterodoxos baseados na sensibilidade. Peter, que chegara a um alto cargo na administração de uma firma de investimentos, disse-me que, quando assumiu um departamento enorme, ganhou uma sala toda de vidro, na qual não conseguia ficar. Ela o isolava dos outros, e a única maneira que ele tinha de saber que estratégias criar e implementar era andando e falando com as pessoas. Muitas vezes, ele só conversava sobre as famílias ou os planos que as pessoas tinham para as férias. Ele percebeu que seu corpo captava informações que não eram verbalizadas; esse conhecimento se fundia numa visão geral e, quando voltava para sua "cela", os planos surgiam sem esforço. Ele se sentia à vontade em seu papel, contanto que pudesse "passear".

O corpo é um barômetro do que está acontecendo ao redor

Já perdi a conta do número de vezes em que isto aconteceu: sintonizo meu corpo para ver o que estou vivenciando, tentando recapturar um movimento de consciência e energia para poder escrever a respeito em minha circular ou contar numa aula. Posso estar sentindo frustração e pânico ou ondas de alívio inexplicável. Posso perceber que avancei para um novo nível de percepção. Quando falo dessas percepções, recebo um monte de respostas — muito mais do que a estatística provavelmente preveria — dizendo: "A mesma coisa aconteceu comigo!"

Uma empresária que conheço entrou nos escritórios de sua firma um dia, sentou a sua mesa e sentiu que alguma coisa vaga a incomodava. Ela permaneceu com a sensação algum tempo e deixou-a aflorar. O que lhe veio não era uma boa notícia, mas foi útil. Ela percebeu que seus funcionários estavam *entediados*. Que horror! Ela havia criado uma empresa e condições de trabalho que não motivavam as pessoas a dar o melhor de si. O que poderia fazer? Ela continuou mais um pouco com a sensação e teve outra revelação: *ela mesma estava entediada!* As repercussões dessa constatação a deixaram impressionada — era incrível que ela, sua empresa e seus empregados estivessem tão estreitamente ligados que uma mudança em sua atitude afetasse, como uma onda, todo o local. Em momentos assim, nos perguntamos: "O que veio primeiro, o ovo ou a galinha?" Será que, num nível vibracional, telepático, seu tédio contagiava os empregados ou estes estavam irradiando uma energia que a afetava? Ou será que todo o sistema estava reagindo ao mesmo tempo a mudanças de energia no ambiente? A resposta é D, todas as alternativas acima.

> Cuide de seu corpo com fidelidade constante. A alma só tem esses olhos para ver e, se eles estiverem embaçados, todo o mundo se obnubilará.
> **Johann Wolfgang von Goethe**

Philip foi casado algum tempo com uma mulher que tinha um problema com a raiva e costumava descarregar nele pelos motivos mais bobos. No início do relacionamento, os ataques de fúria dela o pegavam de surpresa, e ele sentia o peito e o plexo solar se contraírem de repente, como se tivessem recebido um golpe de verdade. Ele tentava deixar passar, esperar que a tempestade amainasse e não pagar na mesma moeda, mas seu corpo não conseguia reagir sem dor. Depois de um ano disso, ele notou que seu corpo começava a dar sinais de ansiedade e nervosismo logo antes de uma das violentas explosões dela. Era quase como se o corpo sentisse o cheiro do "ozônio" que se acumulava no ambiente a seu redor ou captasse um tipo de tensão extremamente sutil. E, assim, o corpo de Philip tornou-se um barômetro confiável do clima emocional instável do relacionamento, prevendo com exatidão — muitas vezes com horas de antecedência — o início do ciclo de raiva da mulher.

O corpo pode saber coisas em outros tempos e espaços

Experiências assim não são nem um pouco raras. As pessoas costumam dizer, em reação a uma crise, à morte de uma pessoa querida ou mesmo a uma reviravolta feliz, "Eu sabia. Senti que isso ia acontecer". Seu corpo registra informações, não apenas sobre seus relacionamentos e o ambiente imediato, como também sobre o que está por acontecer, pois as ondas de vibração trazem constantemente dados sutis. Talvez as "entidades quânticas" do padrão de conhecimento de um acontecimento distante ou futuro se dissolvam em ondas e reapareçam em nosso corpo como impressões quando se tornam partículas novamente, ignorando por completo tempo e espaço.

No campo unificado, a distância não importa; o tempo não conta. O conhecimento é imediato e está em toda parte ao mesmo tempo. Pensemos no corpo como a lente mais importante do universo *para nós*. Meu corpo é a lente mais importante do universo *para mim*. O que acontece no campo maior que diz respeito aos interesses da alma é filtrado pelo campo pessoal e ganha foco na lente do corpo, onde pode ser reconhecido conscientemente como se estivéssemos olhando para uma bola de cristal. Esse processo se intensifica e se acelera cem vezes mais quando intencionalmente buscamos *insight* ou orientação.

É fácil receber impressões de realidades ressonantes

Se eu me sobrepuser a você porque compartilhamos lições de vida e sequências de crescimento semelhantes, nossas realidades estarão em ressonância. Será fácil conhecer *você* pelo que *eu* estou pensando, e as emoções e anseios que *você* sente pelo que *eu* estou sentindo. Temos um campo energético comum. De modo bastante análogo, você verá que as pessoas que compartilham de um ambiente físico muitas vezes têm lições semelhantes. As pessoas que trabalham numa empresa que exige dos funcionários muitas horas extras estão, de algum modo, diante do problema do autossacrifício. As pessoas que vivem num país controlado por um ditador estão, de algum modo, tendo que aprender sua própria autoridade e autenticidade. Queremos entender as tendências políticas de nosso país? Olhemos para o que está acontecendo em nossa energia, nas emoções e pensamentos. Quais são os nossos problemas? Qual o máximo a que chegamos em crescimento?

As realidades imaginadas também são ressonantes ou dissonantes, e seu corpo lhe dirá precisamente se um possível futuro é viável ou não. Queremos saber como seria trabalhar com um novo sócio ou investir em um imóvel? O corpo terá uma reação imediata à realidade futura que imaginarmos. Queremos saber como um processo transcorrerá? Basta imaginá-lo e ou corpo "lerá" o padrão do fluxo geral dos acontecimentos, expandindo-se e contraindo-se conforme os prováveis avanços e obstáculos.

Experimente isto!
Intua as vibrações dissonantes ou ressonantes

1. Selecione três pessoas que você conhece. Imagine que o corpo de cada uma está irradiando sua vibração pessoal para o seu corpo. Quando encontra a sua e começa a passar através de você, essa vibração entra facilmente em sincronia com a sua ou não? Ela está de algum modo "apagada"? Imagine sua vibração pessoal, concentrada em sua frequência original, se irradiando em direção a elas e perpassando-as. Ela ressoa facilmente? A pessoa se adapta para harmonizar-se com você? Ou há alguma dissonância, mesmo que pequena? Agora experimente fazer a mesma coisa com um amigo querido e sinta a diferença.
2. Pense em três lugares nos quais você gostaria de passar as férias. Imagine seu corpo em cada experiência. Perscrute os sinais e a vibração dele para descobrir quanto ele entra em ressonância ou dissonância com cada um desses lugares.
3. Pense em três tarefas que você precisa fazer. Imagine seu corpo fazendo cada uma. Perscrute em seu corpo qual a tarefa que tem mais ressonância, seja por corresponder a sua frequência original, por estar na lista de "urgências" do universo ou por oferecer-lhe aquilo que você primeiro precisa. Classifique-as conforme a prioridade de seu corpo.

Experimente isto!
Descreva sensações sutis

Descreva as seguintes sensações sutis ou diga como e onde as reconhece em seu corpo:

- Como você se sente quando alguma coisa está tentando dar-se a conhecer?
- Como você se sente quando passa por cima de uma intuição?
- Como você se sente quando passa de uma visão pessoal a uma visão de mundo coletiva?
- Como você se sente quando alguma coisa está prestes a dar errado? Como você se sente quando alguma coisa está prestes a dar muito certo?
- Como você se sente quando está captando informações do corpo de outra pessoa?
- Como você se sente quando reconhece em algo um "sinal" ou símbolo de alguma coisa?
- Como você se sente quando está recebendo uma onda de energia que contém dados?

Algumas dicas para tornar-se mais conscientemente sensível

Quando se trabalha com energia e percepção, conhecer mais alguns dos *princípios essenciais de frequência* pode ajudá-lo a decifrar os dados codificados nas ondas e vibrações.

1. **Há um bom uso da vontade quando se intui algo.** Quando expandir sua atenção pelo campo à sua volta para conhecer com a sensibilidade, não "force" nada. Simplesmente permaneça aberto, maleável, curioso e expansivo. Receba tudo o que quiser vir. Atente para o que seu Observador Interior quiser lhe mostrar. Sua tarefa é expandir-se e deixar-se impressionar. Se você olhar nos olhos de alguém, por exemplo, não force sua entrada, senão acabará não vendo nada. Deixe que seus olhos fiquem relaxados e receptivos, pois assim receberá um fluxo contínuo de informações.

2. **Há uma diferença entre intuir "indo até" alguma coisa e intuir incluindo alguma coisa.** Se sua visão de mundo se basear na separação,

você perceberá que está "indo até" outra pessoa, ideia, acontecimento ou processo para intuí-lo e terá uma imagem linear dessa "conexão". Você está vencendo uma distância, e isso exige força de vontade, além de promover a ideia de que precisa deixar seu próprio centro para encontrar o que quer. Quando faz isso, você precisa recentrar-se após cada incursão. Caso se flagre conhecendo as coisas desse modo, não deixe de voltar a si mesmo e de perguntar-se: "O que *eu* penso disso? Isso funciona para *mim*? Qual é *minha* versão disso?" Se não voltar a seu próprio centro, você pode sair por uma tangente, ficar vivendo na realidade do outro ou sentir-se esgotado.

Lembre-se que você sempre está no centro de seu campo pessoal e que pode simplesmente expandir esse campo de percepção para incluir a coisa que deseja entender. Você nunca precisa sair de sua "casa" nem de sua frequência original. Seu campo sentirá por você. Assim, será mais fácil fundir-se com aquilo que deseja entender, senti-lo como um aspecto de si mesmo, manter o coração aberto e conhecer por comunhão consciente.

3. **É um erro achar que só você sente uma determinada coisa.** Quando você divide com todos a responsabilidade por conhecer as coisas, surgem do campo respostas (e perguntas) magicamente, quando você precisa delas. Você verá que todos são mensageiros do grande Eu único e unificado. Todos os corpos — inclusive os dos animais, pássaros, insetos e plantas — podem transmitir informações vibracionais.

4. **Você recebe aquilo que precisa saber — para fazer o que precisa fazer — no momento presente.** Há boas razões para que você talvez não consiga ir muito longe em sua intuição do futuro. Você percebe o que é importante, e as coisas são importantes porque você está aprendendo uma lição relacionada às percepções. Você recebe informações à medida que precisa delas. Assim que usa as informações e integra a experiência que elas se destinam a propiciar, você magnetiza a ideia e a experiência seguintes. Talvez você não consiga conhecer o que jaz muito adiante ou talvez suas intuições sobre o futuro se revelem imprecisas por estar ignorando uma percepção importante bem debaixo de seu nariz. Você terá uma visão mais ampla se integrar e usar percepções que se enfileiram, como aviões que aguardam a ordem de pousar.

5. **A sensibilidade se fortalece com confiança e validação.** Se entrar em acordo com sua alma e seu corpo para confiar nas informações sutis trazidas pelas vibrações, para perceber pistas que indiquem que há uma mensagem aguardando o momento de ser transmitida, para decifrar o sentido das mensagens não verbais, para usar as informações com o fim de tornar-se uma pessoa melhor e para validar todo o processo regularmente, você vai otimizar sua sensibilidade consciente. Quando seu corpo lhe mandar uma mensagem por meio da sensibilidade, agradeça-lhe em voz alta, e abrace-o ou acaricie-o com afeto. O corpo adora *input* sensorial!
6. **As emoções são sinais exagerados de sensibilidade.** Independentemente de suas emoções serem expansivas e agradáveis ou retraídas e desagradáveis, você provavelmente ignorou pistas anteriores, mais sutis da sensibilidade e, agora, a energia se intensificou para chamar sua atenção. Suas emoções contêm informações que o orientam para o que sua alma deseja e para as lições de vida para as quais precisa atentar.

Qualidades de uma pessoa conscientemente sensível

Uma pessoa conscientemente sensível:
- tem um senso nítido de seu eu e uma personalidade maleável;
- fica à vontade sendo um Eu e um Nós, sendo uma partícula, uma onda e um campo de percepção;
- entra no que conhece, funde-se com ele e torna-se ele;
- é profundamente dedicada e neutra e faz do estado empático o Mestre;
- percebe a realidade impessoal exterrior como uma realidade pessoal interior;
- tem certeza de que o conhecimento subjetivo se equipara à realidade objetiva;
- sabe que o corpo físico é consciente e alerta;
- usa sua vibração pessoal para catalisar o que precisa;
- trabalha com a energia universal para criar e curar;
- cura restabelecendo a unidade e o amor e eliminando a dúvida;
- cura os demais curando-se a si mesma, sabendo que dentro dela há outros;

- sente o movimento e a opção "certos" e suas opções são "extremamente confortáveis";
- sofre quando não está em harmonia com a vida e quando está com gente que se sente separada e isolada.

Só para recapitular...

É possível entrosar-se com as experiências e levar a vida usando a sensibilidade para intuir o mundo conscientemente. Para tanto, você vai percorrendo um caminho no ambiente em que vive, incluindo as pessoas, objetos, situações, processos e acontecimentos que encontra e fundindo-se com eles. Em vez de relacionar-se com eles, você entra num estado de comunhão consciente e os conhece como aspectos de si mesmo, de dentro de você. Isso promove o cuidado e a compaixão. Agora é importante você imaginar que "entra em consonância com o tom de seu diapasão" e irradia a vibração de sua frequência original por todo o campo que o cerca para que ela seja a frequência que organiza toda a sua realidade. Isso significa que talvez seja necessário fazer uma certa faxina e organização para reafirmar a vibração que escolher como a base de seus relacionamentos, seu trabalho e sua expressão pessoal.

Todos nós podemos manifestar as propriedades de um campo de consciência que transcende o espaço, o tempo e a causalidade linear.
Stanislav Grof

Sua lucidez aumentará à medida que você for se desligando das vibrações dissonantes e do autossacrifício. Você sabe o que funciona com você sentindo o que está em harmonia com sua vibração pessoal, independentemente de isso ter um timbre diferente ou estar uma oitava acima ou abaixo da sua frequência original. Você interpreta os dados sutis codificados nas ondas e vibrações com base em como o seu corpo reage: seja por intermédio de um sinal de verdade (expansão) ou de um sinal de ansiedade (contração), isto é, por intermédio de informações sensoriais agradáveis ou desagradáveis. Quanto mais cedo você captar as informações, menos elas se acumularão até atingir níveis estressantes. Seu corpo é o barômetro do que está acontecendo a seu redor e até do futuro próximo. É natural compartilhar diretamente o conhecimento por meio de vibrações com as pessoas cuja frequência for semelhante à sua.

Mensagem da frequência original

Como explico na seção *Ao leitor,* incluí estes trechos inspiradores ao fim de cada capítulo para que você troque sua forma normal, rápida, de leitura por uma experiência direta de um tipo mais profundo. Por meio dessas mensagens, é possível mudar intencionalmente sua vibração pessoal.

A mensagem abaixo destina-se a transportá-lo a uma forma de conhecer o mundo que se aproxima daquela com que você experimentará a vida na Era da Intuição. Para entrar na *mensagem da frequência original,* basta adotar um ritmo mais lento, menos apressado. Inspire e expire lentamente uma vez e fique o mais calmo e imóvel que puder. Deixe que sua mente fique suave e receptiva. Abra sua intuição e prepare-se para *intuir* a linguagem. Veja se consegue experimentar as sensações e realidades mais profundas que ganham vida *à medida que você ler.*

Sua experiência pode ganhar uma maior dimensão, a depender da atenção que você investir nas frases. Concentre-se em poucas palavras de cada vez, faça uma pausa nos sinais de pontuação e "fique com" a inteligência que está dando a mensagem — ao vivo, agora mesmo — a você. Você pode dizer as palavras em voz alta ou fechar os olhos e escutá-las na leitura de outra pessoa para ver que efeito têm sobre você.

ENTRE EM SINTONIA COM A SENSAÇÃO MAIS VERDADEIRA

Você é muito mais ilimitado, privilegiado e provido do que pensa! Tudo está ao alcance de suas mãos, esperando sua permissão para acontecer. Todo o conhecimento está à espera apenas de sua curiosidade para revelar-se. O campo vivo de presença em que você reside e do qual é feito é sensível ao desejo de um único átomo; ele reage e muda e se abre para suas mais ínfimas necessidades. Fluindo com a disposição dele, você poderá sentir facilmente a naturalidade e o prazer de servir. Sim, você está descobrindo os benefícios de uma sensibilidade consciente e refinada e da ressonância harmoniosa. Está descobrindo o quanto ela contribui para que você viva bem e acesse a espiral ascendente da sabedoria. Mas aonde, de fato, leva a comunhão consciente? Por meio do conhecimento compartilhado, do sentimento compartilhado e da motivação compartilhada, ela o leva a uma experiência do Nós, à verdade de seu Pertencimento. Sua comunhão com as formas de vida que são suas irmãs mostra-lhe o desprendimento do mundo. Olhe ao seu redor e veja os detalhes simples, intua as motivações dos objetos. Por que eles existem? Não há senão um verdadeiro sentimento: a generosidade.

O café o recebe, e você percebe e sente o esmalte vermelho brilhando nas unhas dos felizes dedos do pé da mulher — as sandálias os exibem — e o celular do homem, que vive para ligá-lo aos outros, que está empurrando o ombro contra o pescoço para ficar com as mãos livres e poder pegar o dinheiro, que vai para onde ele quiser que vá, de bom grado, sem nunca ter um lugar fixo. As pernas gordas do bebê gostam de provocar seu sorriso, penduradas no antebraço aconchegante do pai. A lâmina redonda de granito, polida para tornar-se o tampo de uma mesa, apoia muitos braços, xícaras, livros e pãezinhos, e viveu pacientemente como montanha até ser arrancada da família para ir para a sua cidade, mostrar suas manchas verdes e negras tão belas e homogêneas. Você consegue sentir o amor da caneta às marcas que faz, a mão com dedos que se alegram por saber pressioná-la para criar formas de letras, ao transmitir motivos vindos do cérebro pelo pescoço, ombro, braço e punho ao papel que espera. Ele vem de uma árvore que cresceu no Oregon e viveu uma vida não muito longa — para que você pudesse trazer seus pensamentos, essas coisas efêmeras, a este mundo que se ama tanto que a única coisa que sabe fazer é Dar.

7

DOMINANDO A RESSONÂNCIA NOS RELACIONAMENTOS

> A profunda sensação de contato e aconchego que é evocada pela experiência do "lar" e pela presença de alguém que vem de nosso lar, ou com quem criamos um lar, reflete uma espécie de correspondência, uma ressonância generalizada entre o que está dentro de nós e o que está fora de nós, entre o passado e o presente, entre o que nós fomos, o que nós somos e o que nós queremos ser.
>
> **Stephen A. Mitchell**

Se estiver lendo este livro de modo contínuo, você perceberá que avançamos alguns estágios no processo de transformação. Primeiro, chegamos a uma ideia geral das frequências e do modo como sua percepção está se acelerando. Em seguida, vimos o que poderia bloquear ou distorcer sua sensibilidade e como evitar isso. Depois, nós nos concentramos em encontrar sua frequência original e nos dedicamos a desenvolver sua sensibilidade consciente. Agora passaremos a outra fase: vamos aplicar os princípios da sensibilidade e da frequência a algumas áreas importantes da vida. A primeira delas é a dos relacionamentos, pois parece que tudo o que fazemos — até a meditação — se baseia na relação. Além da relação com pessoas e animais, temos relação com tudo: com nosso dinheiro, nosso carro, nosso corpo e com o Divino.

Ter relacionamentos pessoais maravilhosos — daqueles que poderíamos classificar até como almas gêmeas ou família espiritual — é o mais idealista de nossos sonhos. O que pode ser mais gratificante do que estar em sintonia com alguém? Ou trabalhar juntos em harmonia, adivinhando as necessidades um do outro? É um regozijo primal auxiliar na cura de alguém ou oferecer ajuda quando ela é necessária. Mas nossos relacionamentos cotidianos também podem deixar-nos péssimos, trazendo-nos as mais difíceis tribulações e traumas. O que fazer? Como tudo mais, os relacionamentos são vibracionais, de modo que saber trabalhar com os princípios da frequência pode transformar interações problemáticas em verdadeiras dádivas do espírito.

Quem povoa o seu mundo?

Olhe à sua volta. Que tipo de gente são seus amigos, colegas de trabalho e pessoas mais íntimas? Se você tiver sorte, eles são confiáveis, afetuosos e atenciosos. Têm tempo para você e querem o melhor para você. Eles fazem tantas concessões pelo relacionamento quanto você mesmo faz, além de ser flexíveis, comunicativos, produtivos e solícitos. Por outro lado, você pode estar cercado de pessoas que são vítimas magoadas, sanguessugas, cruéis, pouco comunicativas ou dominadoras passivo-agressivas.

Há uma razão para que seu mundo tenha as pessoas que tem. Todos os relacionamentos, mesmo os que parecem difíceis, são dádivas da alma para nos ajudar a encontrar bloqueios, talentos e novos rumos que não poderíamos descobrir sozinhos. Algumas pessoas podem compartilhar nossos interesses e reafirmar nossos talentos, ajudando-nos a cultivar a confiança. Outras são catalisadoras que nos ajudam a aprender lições de vida. Outras nos apresentam a novas ideias e potenciais. Outras ainda podem estar conosco simplesmente pela alegria, porque as almas gostam de estar juntas. Os relacionamentos problemáticos existem para nos ajudar a nos libertar de hábitos emocionais prejudiciais.

> O amor é nosso verdadeiro destino. Não descobrimos o sentido da vida sozinhos — nós o descobrimos com alguém.
> **Thomas Merton**

Os relacionamentos são um caminho para a transformação

Os relacionamentos aceleram o processo de transformação porque nos ajudam a nos ver — tanto os traços positivos quanto os bloqueios — mais rápida e claramente. É difícil evitar a emergência de questões nucleares e o crescimento no ambiente energeticamente amplificado que decorre da combinação dos campos vibratórios de duas pessoas. Nessa ressonância intensificada, é possível depurar mais depressa os hábitos emocionais prejudiciais e descobrir novos aspectos de identidade — o que, por sua vez, nos expande. Logo nos vemos como um ser muito maior, mais complexo. Os efeitos do amor e do medo nos são imediatamente telegrafados nos relacionamentos, de modo que é fácil testar bem depressa o que funciona e o que não funciona quando se trata de levar mais alma para a vida. E os relacionamentos nos impelem para além da ideia de que só *nós* temos certos problemas, de que só *nós* temos certo potencial — o que contribui para que cultivemos a empatia. Vemos que tudo aquilo que vivemos pode ser vivido por todos e vice-versa — e isso nos dá força.

Se nosso ego tivesse a última palavra, ficaríamos presos à visão limitada que afirma: "Eu sou eu, você é você e nunca nos igualaremos!". Só que estamos nos transformando agora, e isso significa que podemos nos ver como seres vibratórios feitos de energia e saber que nós e os demais são campos de percepção que se interpenetram. Podemos realmente entender que todos compartilhamos tudo, sabemos uns dos outros, apoiamos reciprocamente nossa existência e evoluímos em conjunto, jamais sozinhos. Embora pareça complexa, agora também é possível sentir a elegância da simplicidade de nossa inter-relação: na essência, todas as nossas frequências originais acabam por fundir-se em uma só frequência original. Todos vibramos conforme a frequência universal do amor.

Quando intuímos um relacionamento, percebemos que pertencemos a um único *campo relacional* que contém a mescla das histórias, talentos e potenciais de ambas as pessoas. Esse campo se torna uma espécie de guia para ambas as pessoas — e assim que conseguimos fundir-nos com ele, somos capazes de aceitar a sabedoria e as características naturais do relacionamento, suas lições de vida e seu destino como parte da vida. Portanto, além de conhecer-nos como um indivíduo, estamos a caminho de conhecer-nos como a consciência do relacionamento; começa a ocorrer-nos que somos *tanto* um eu individual *quanto* um eu coletivo. Por fim, à medida que aprendemos a incluir mais gente em nosso manancial de relacionamentos, atravessamos as escalas da identidade, nos sentindo um indivíduo, um relacionamento, uma família, uma organização, uma nação, a humanidade e assim até as dimensões superiores não físicas, quando todos participam de um estado unificado e o Eu se torna Percepção pura.

A frequência das pessoas
de sua vida combina com a sua

Independentemente de nossos relacionamentos fluírem em sincronia perfeita ou serem emocionalmente perturbadores, a razão é sempre o fato de a outra pessoa ter um padrão de frequência semelhante ao seu. A frequência das pessoas que estão em nosso mundo *combina* com a nossa. Se alguém aparece na vida de uma pessoa e seu Observador Interior a percebe, existe uma vibração pessoal comum. Se ela acontecer no mundo dessa pessoa, a pessoa acontece no dela. Criam-se mutuamente para um fim comum. Evidentemente, ninguém é idêntico a ninguém, mas ambos têm frequências parecidas. Quando se reúnem, seus campos pessoais se fundem e nasce o campo de um relacionamento. Esse campo então dá origem a sua experiência como dupla, dando-lhes recursos comuns, como energia, sabedoria de experiências passadas e acesso a novos talentos. Graças a isso, é possível saber coisas que o outro sabe por osmose. É interessante que as pessoas que possuem padrões vibratórios extremamente diferentes e pouco em comum não ocorram nas realidades uma da outra.

> Nós não atraímos o que queremos, mas sim o que somos.
> **James Lane Allen**

Esse processo de correspondência costuma gerar confusão porque (1) pode ser consciente ou inconsciente e (2) os parceiros muitas vezes põem para fora lados opostos da mesma questão e não veem o problema mais profundo que têm em comum. É ótimo constatar que nos parecemos com as pessoas a quem admiramos, mas talvez não seja fácil admitir que temos algo em comum com as pessoas que nos irritam ou intimidam. Em todo relacionamento, a cada momento, a voz do campo do relacionamento aborda um tema em ambas as pessoas. Se um dos parceiros precisa viajar a trabalho e ficar fora durante um mês e o outro se queixa de estar sendo abandonado, a verdade é que ambos precisam de espaço e independência. Se os parceiros discordam, cada um precisa perceber que o outro está expressando preocupações que importam a ambos. Não é possível falar com o parceiro de coisas que só dizem respeito a ele; cada observação sobre o outro é uma observação sobre ambos. Descobrir as mensagens que vêm do campo do relacionamento e reconhecer as questões comuns da parceria, sejam positivas ou negativas, são boa parte daquilo que é usar os relacionamentos para a transformação.

Descubra como e por que você se conecta com outros seres humanos

Para que os relacionamentos evoluam para um nível mais alto e para que valorizemos uns aos outros como devemos, precisamos entender o grande amor que subjaz às razões por que nos conectamos e a dinâmica energética do modo como nos conectamos. A popular lei da atração afirma que "igual atrai igual". Mas, então, há um antigo ditado que diz: "Os opostos se atraem". Sejamos mais precisos acerca do que acontece energeticamente para originar os relacionamentos. Estabelecemos a frequência de um *campo pessoal*, a energia que enche o espaço ao nosso redor; ela é a radiância da vibração pessoal. Ela pode ser uma vibração baixa ou a alta vibração de nossa frequência original. Seja como for, as pessoas que têm frequência semelhante simplesmente surgem ou aparecem em nosso campo e voltam a dissolver-se nele, em resposta a uma necessidade ou curiosidade mútua. Evidentemente, aparecemos no campo delas do mesmo modo. Analisaremos mais detalhadamente a dinâmica mais profunda da "atração" no capítulo 9. Mas, por enquanto, vamos pensar na atração como um tipo de frequência em comum.

Nós *na verdade* não atraímos as pessoas como um ímã atrai limalhas de ferro. Quando as almas têm ressonância natural, elas simplesmente aparecem uma para a outra. Quando a ressonância muda, elas desaparecem. Os relacionamentos sempre se criam e se dissolvem mutuamente. Uma pessoa pode intencionalmente tentar atrair alguém, fazer uma lista de desejos e aplicar estratégias diversas, mas é provável que esteja pensando em fazê-lo porque sua alma quer, e isso já está em andamento nos reinos interiores. Podemos ter certeza de que se nossa alma quiser que alguém apareça, isso vai acontecer. Se estiver na hora de encontrarmos o parceiro de vida ou de o número de clientes de uma empresa aumentar, as almas cuidarão disso. E, sim, nos livrar dos hábitos emocionais prejudiciais, reconhecer os desejos e usar um foco mental-emocional alinhado contribui para simplificar o processo de materialização. Mas o inverso também é verdade: se a alma não precisar de uma conexão, não há afirmação positiva que a faça acontecer.

> Centenas de caminhos pelo mundo são mais fáceis que o amor.
> Mas quem quer mais facilidade?
> **Mary Oliver**

Se sentimos *muita* atração ou animação por uma pessoa — não importa que ela seja amante, mestre ou um novo amigo —, é porque os dois querem *real-*

mente eliminar bloqueios e reafirmar semelhanças. Nós achamos que, quando a frequência de alguém corresponde a nossas metas e a nossas boas qualidades, trata-se de um caso em que "igual atrai igual". Porém, quando a frequência de alguém corresponde às nossas vibrações negativas reprimidas ou quando essa pessoa põe para fora o outro lado de uma polaridade na qual estamos presos, pensamos que a questão é de "atração de opostos". Muitas vezes, o forte magnetismo sexual "animal" dos primeiros estágios de um romance é causado pela adrenalina: na verdade, os parceiros estão amedrontando um ao outro porque cada um representa inconscientemente a pessoa que magoou o outro no passado.

Antes, se dizia que uma pessoa hiperativa poderia atrair seu oposto, alguém que tivesse a solidez e a imobilidade de uma rocha, e que cada um faria sua parte — a metade da polaridade — e equilibraria o outro. Hoje ambos precisamos ser equilibrados interiormente — capazes tanto de atividade *e* tranquilidade — para transformar nossos relacionamentos. Se nos sentimos atraídos pelo dinamismo de um amor, provavelmente estamos prontos para expandir nossa expressão pessoal. Caso alguém se ligue na generosidade de um líder diante dos menos favorecidos, pode estar curando a mágoa por uma negligência do passado. Nos relacionamentos abusivos, ambas as partes são vítimas e dominadoras. As almas estão dramatizando um padrão para torná-lo consciente, a fim de poder saná-lo e reabrir seus corações.

Experimente isto!
Prepare-se para receber as pessoas que deseja

1. Caso esteja pensando em encontrar novas pessoas de uma vibração mais alta ou esteja preparado para um novo parceiro de vida, um novo sócio ou mais clientes no trabalho, é sinal de que sua alma está começando a orquestrar uma nova fase de crescimento. Se estiver pensando nessas coisas, é porque elas estão dando os primeiros passos para tornar-se realidade. Você não tem que fazê-las acontecer — basta relaxar e deixá-las fluir.
2. Intua as características que definem o tipo de relacionamento(s) que você deseja. Como flui a energia? Como funciona a sensibilidade mútua? Quanto o processo de comunicação é sincero e fácil? Quanta alegria sentem os dois corpos quando estão juntos? Imagine tudo isso com a maior riqueza possível de detalhes *táteis* e sensoriais. Certifi-

que-se de que a vibração — ou tônica — do relacionamento de fato é *seu* novo nível de vibração: é o que você está estabelecendo como a frequência unificadora de seu campo pessoal mais atualizado. Seja quem for, a pessoa (ou pessoas) coincide com essa frequência e está pronta a tomá-la como sua nova realidade também. Relaxe e convide-a a aparecer, sabendo que isso está se tornando um fato. Espere com alegria.

3. Agora irradie ativamente a frequência de seu novo nível de vibração. Você pode, inclusive, imaginar que acima de sua cabeça existe um farol que projeta uma luz incessantemente, transmitindo sua frequência a todos os lugares, dia e noite. Ele está aí para tranquilizar *você* de que as pessoas o encontrarão rapidamente e, uma vez ativado, continuará irradiando e transmitindo a energia para fora, mantendo clara a vibração de seu campo pessoal.

Quando seus relacionamentos ressoam com o medo...

O medo subconsciente pode ressoar por seu campo e dar ensejo a pessoas movidas pelo medo com a mesma facilidade com que sua frequência original pode materializar almas gêmeas afetuosas. Quando compartilham percepções equivocadas e hábitos emocionais prejudiciais, as pessoas sanam o equívoco de seus hábitos entrando em contato com outras que têm as mesmas contrações subjacentes. Você não está sendo castigado por ter gente problemática em sua vida; está ganhando uma oportunidade de transformar-se rapidamente.

Os relacionamentos podem perder a harmonia de muitas maneiras; os egos temerosos podem azedar a interação, provocar sofrimentos e separar as pessoas. Se as duas estão retraídas quando estão a sós, o padrão se amplifica até chegar a um ponto em que se torna palpável quando elas estão juntas. E aí é comum que ambas resistam, projetando o que não querem ver uma na outra e dando margem à culpa, à punição e à rejeição. Caso esteja envolvido em relacionamentos problemáticos, a razão pode ser qualquer uma das seguintes:

1. **Ambos estão adotando subconscientemente os padrões emocionais não verbais do "sonar" da infância no que se refere ao modo como os pais agem um com o outro e com eles, tomando esses padrões como instruções aplicáveis a todos os relacionamentos.** Ligamos o piloto automático e reagimos sem perceber o que é verdadeiro no

presente. Nossa alma nos traz pessoas que têm o mesmo padrão subjacente e se alternam *conosco* no papel de vítima ou de dominador. A mãe era cruel com o pai, e a pessoa acabou se tornando a queridinha dele. Agora não pestaneja em roubar os homens das outras ou elas, os seus. Ou a mãe sufocava o filho com um amor carente porque o pai não tinha tempo para ela. Agora esse filho não consegue assumir um compromisso com mulher nenhuma ou, se faz, elas o dominam ou não podem assumir um compromisso com *ele*. Ou então um dos pais morreu ou foi embora quando a pessoa era criança e agora ela sente raiva dos parceiros quando percebe que eles precisam ter seu próprio espaço, *os* deixa ou é abandonado por eles.

2. **Ambos estão fixados numa postura emocional ou mental que interfere com a plena expressão da alma.** A alma de uma pessoa lhe traz alguém que repete ou questiona os pontos de vista de um modo que a ajuda a vê-los. Ela se especializou numa visão científica e agora a usa para explicar tudo o que acontece em seu mundo — e então encontra alguém que acha que a ciência é limitada e que ser artístico e deixar as coisas correrem é melhor. Ou transformou sua casa e jardim num belo refúgio do caos do mundo; aí seus novos vizinhos fazem um barulho louco, fumam sem parar no pátio e estacionam carros caindo aos pedaços na sua porta. Ou alguém quase morreu afogado num acidente de barco quando era criança, e sua alma lhe traz uma pessoa que ama a praia, adora velejar e nadar.

3. **Um dos dois ou ambos têm *karma* (coisas não resolvidas do passado).** Uma pessoa fez alguma coisa num passado longínquo que deseja reparar e entender. Ou entra num relacionamento que lhe permite representar inconscientemente uma situação em que agiu com avareza, mas agora quer ser generoso. Ou permite que outra pessoa repare com ela um delito do passado. Em outra vida ou na infância, uma pessoa roubou o patrão; agora seu pai a exclui do testamento. Numa outra época, uma pessoa morreu jovem, deixando a companheira sozinha com filhos pequenos. Agora, em vez de abandonar sua difícil parceira, fica e lida com ela e com seus enteados problemáticos por muito mais tempo do que qualquer pessoa em "sã" consciência ficaria. Um relacionamento kármico a princípio é automático e hipnótico. Depois ele costuma dar a impressão de que estamos num túnel: não conseguimos sair antes de chegar ao outro lado. Nós o escolhemos, queremos conti-

nuar com ele, só que não é tão gratificante quanto parecia. Quando ele acaba, balançamos a cabeça e nos perguntamos: "Mas, afinal, o que foi que deu em mim?".

> O encontro de duas personalidades é como o contato entre duas substâncias químicas: quando acontece alguma reação, ambas se transformam.
> **Carl Jung**

Quando seus relacionamentos mudam e terminam...

Assim como dois campos pessoais que vibram da mesma forma criam os relacionamentos, estes mudam e muitas vezes terminam quando a vibração do campo de um dos participantes muda. Se a vibração de um campo mudar — como poderia depois de um avanço espiritual — certas pessoas não poderão mais acontecer nesse campo e, a menos que elas tenham um avanço equiparável, provavelmente desaparecerão. Podemos não dar muita importância a isso dizendo: "Eles são uns chatos" ou "Por alguma razão, deixaram de gostar de mim". Alguns amigos vão embora e outros surgem do nada. Quando um período kármico termina, a vibração do campo de uma das pessoas também muda instantaneamente, precipitando uma mudança súbita na forma do relacionamento.

Meus pais mantiveram um casamento cheio de polarização e problemas de comunicação. Nenhum dos dois estava particularmente feliz, mas o relacionamento tinha uma característica de karma, pois eles reparavam coisas um no outro simplesmente ficando juntos. Eu sempre senti que meu pai precisava ser leal a minha mãe e lhe dar muita liberdade, e que ela tinha de aceitar isso, perdoá-lo e ser generosa com ele. Embora fosse um casamento muito tenso, acho que eles conseguiram um trabalho bastante bom até que, depois de 49 anos de convivência, minha mãe de repente resolveu se separar — aos 72 anos de idade! Não pude deixar de pensar: "Mas... depois de 49 anos? Por que *agora*?!" Porém já vi muito isso em meu trabalho — quando termina para a alma, está terminado. Não há como explicar por que tanto tempo; talvez, para a alma, isso seja insignificante. Algum limite invisível é atingido, e uma das pessoas sai da sintonia e da ressonância com o antigo padrão de vibração. Nesse momento, a realidade muda rapidamente para ambas. Em geral, aquela que sai avança depressa rumo a seu destino. A ironia é que a outra pessoa tomou simultaneamente a mesma decisão de seguir em frente, só que não percebe isso conscientemente e muitas vezes se sente vítima.

Depois de trabalhar anos com a mulher, Ravi começou a seguir um caminho espiritual: foi à Índia trabalhar com um guru, fez leituras sobre metafísica e nova física e ficou empolgado com o pensamento de vanguarda. A mulher continuou tradicional, com valores firmemente fixados na família, na segurança material e na cultura indiana. Embora respeitasse essas coisas, Ravi precisava ir além para descobrir uma nova identidade. "Se minha mulher se interessasse por pelo menos algumas dessas coisas, talvez eu pudesse continuar tendo algo em comum com ela!", resmungava ele. Mas ela achava que o foco espiritual dele era bobagem. A programação da cultura o mantinha preso a um papel, ao passo que sua frequência original o estava levando por um novo rumo, transformando-o num novo tipo de pessoa. A certa altura, ele não conseguiu mais suportar a divisão interior e deu entrada no divórcio, deixando toda a família perturbada e adquirindo uma fama nada invejável. O preço que teve de pagar pela evolução foi alto, mas ele viu claramente que se não fizesse a mudança, ia morrer. Todos estamos evoluindo, e o reconhecimento dessas marcas de crescimento muitas vezes se evidencia mais na maneira como nossos relacionamentos — sejam pessoais ou profissionais — evoluem ou ficam estagnados.

Quando a onda de uma das pessoas perde a sincronia com a do parceiro e entra numa frequência mais alta, isso é sentido de imediato. Se o relacionamento tiver sido relativamente inconsciente, a pessoa que foi "deixada para trás" pode ficar com raiva e tentar culpar, punir ou controlar a outra para forçá-la a voltar ao velho e cômodo padrão ou até agredi-la fisicamente. Se estiverem habituados a permanecer em sua frequência original, os parceiros terão uma chance muito melhor de evoluir juntos. Eles podem trazer o mau alinhamento para a consciência falando sobre ele. "Alguma coisa está diferente; algo mudou entre nós. O que é? Será que os termos de nosso contrato original — nossos sonhos e objetivos — estão mudando? O que você quer agora? O que eu quero agora? Podemos ocupar juntos um novo campo que irradie uma vibração mais alta? Podemos renegociar e deixar nosso relacionamento se adaptar e expressar alguma forma nova que queira aparecer a partir da nossa nova vibração?"

Se um casamento, uma família, uma amizade ou uma relação comercial for fluida, afetiva e honesta, será possível ajustar sua forma de maneira pacífica. Se os desígnios das almas perderem o alinhamento, o relacionamento pode se tornar outra coisa, assumindo uma forma que seja apropriada: passar de um casamento a uma amizade, por exemplo. Ou as pessoas podem facilmente afastar-se, com gratidão, para realidades totalmente diferentes. Realmente já não há nenhuma necessidade de se ficar arrasado nem furioso por causa do fim de um relacionamento, tendo em vista que ambas as almas estão sempre envolvidas em determinar a forma do relacionamento.

Quando você resiste a ficar só...

Se alguém foi rejeitado ou terminou um relacionamento, talvez se veja num período a sós, de volta ao palco do processo de transformação no qual deve deixar algumas coisas de lado, ficar sossegado e deixar que sua frequência original ressurja, trazendo novas ideias, motivações e contatos. Lacey é uma mulher sofisticada e charmosa que estava acostumada a relacionamentos com homens que cuidavam de todas as suas necessidades. Se um relacionamento terminasse, ela nunca tinha problemas para encontrar outro homem. Porém, à medida que sua própria frequência aumentou, esse comportamento parou de funcionar. Ela não conseguia mais encontrar um homem que lhe conviesse. Na verdade, sua alma estava lhe mostrando um padrão subjacente de bloqueio emocional que precisava ser sanado para que ela pudesse expressar livremente sua grande criatividade, que antes fora canalizada para levar os homens a fazer as coisas por ela. Para ela, ficar só era uma tortura da qual se queixava muito. Lacey estava obcecada por um novo relacionamento. Mas envolveu-se num grupo de mulheres e, por meio desse grupo, aprendeu a meditar. Depois começou a frequentar um templo da assim chamada igreja da União. Aos poucos ela se acalmou e permitiu-se "só ser". Esqueceu sua obsessão o suficiente para entrar num curso de pintura, descobriu que adorava pintar, e um novo talento começou a surgir. Não muito tempo depois, conheceu por meio da igreja um homem completamente diferente, que era um parceiro em pé de igualdade e defendia a expressão de sua alma.

Estar só não significa que não tenhamos um relacionamento. Antes de mais nada, sempre estaremos na companhia de nós mesmos. E, em segundo lugar, nossa alma nos dá o que precisamos, seja um relacionamento ou espaço. Quando temos um relacionamento, a tarefa é relacionar-nos com a alma da outra pessoa. Quando temos espaço, nos relacionamos com a própria alma e a presença do Divino em todas as coisas. Podemos criar um relacionamento com a comida ou a televisão — ou, por intermédio da imaginação, com nosso corpo de luz, o corpo físico ou seres não físicos. Podemos amar as pessoas que ainda não conhecemos e as que estão nos bastidores, dando-nos um espaço há muito necessário.

> O olho com que vejo Deus é o mesmo com que Deus me vê.
> **Mestre Eckhart**

"Relacionar-se" enquanto estamos numa fase de espaço pode parecer meio abstrato a princípio. Mas, praticando a atenção plena e desfrutando da luz, do amor e da generosidade que estão em toda parte, nos refazemos e nos fortalecemos; logo virá uma fase de forma na qual os relacionamentos concretos, físicos, reaparecerão renovados. Portanto, quando estivermos sozinhos, devemos intuir o corpo, o mundo, os objetos e o ar e descobrir a frequência original de todos os lugares. Entremos em harmonia com ela, criemos uma relação amorosa com o Pai-Mãe Ideal, o Amante Invisível, o Melhor Amigo Invisível. Na verdade, é impossível ser separado ou parar de estar em ressonância. Pertencemos a um campo unificado de seres que vibram da mesma forma que estamos vibrando. No fim, os mais caros relacionamentos poderão ser aqueles que temos com nossa frequência original e nosso próximo nível do Eu.

Os relacionamentos também têm uma frequência original

Já que os relacionamentos são um reforço e uma ampliação dos traços e vibrações daqueles que dele participam, é lógico que quando duas pessoas estiverem em suas frequências originais ao mesmo tempo, a capacidade de amar do campo desse relacionamento se expanda muito além do que jamais poderíamos imaginar ser normal. Lembremos: frequência original é afeto. É sentir como amamos sentir e amar o modo como gostamos de amar. Quando ambos os parceiros estão em suas frequências originais, dificilmente importam as diferenças de personalidade, estilo e opinião — eles *querem* gostar um do outro e entender um ao outro e estão sempre prontos a rir. É difícil se zangar com um bebê, por exemplo, quando ele está em meio a um daqueles ataques espontâneos de riso, principalmente porque esse riso vem da frequência original pura e cheia de alegria da criança. Ela é tão forte que praticamente a única coisa que se pode fazer é aderir a esse riso. Quando compartilhadas, as frequências originais são sempre assim. Elas criam um denominador comum. Como as nossas frequências originais são versões ligeiramente diferentes do amor, elas são todas compatíveis, como as notas de um acorde.

> Nós todos estamos ligados por um tecido de conexões invisíveis.
> Esse tecido está em constante mudança e evolução.
> Esse campo é diretamente relacionado ao nosso comportamento
> e nossa compreensão, sendo por eles influenciado.
> **David Bohm**

O campo de todo relacionamento tem uma frequência original que provém da fusão das frequências originais — ou corações — de ambas as pessoas. Quando o campo de seu relacionamento começa a ressoar conforme a frequência original que lhe é própria, raramente a pessoa e o parceiro saem de sintonia, e o amor crescerá cada vez mais. A frequência original de um relacionamento é aquele estado de afeto mútuo em que conseguimos sentir a lucidez superior e compassiva da razão pela qual estamos juntos e nos sentimos seguros. Basta pensarmos na sensação que se instala quando ambos são afetuosos, autênticos e espontâneos. Como a interação flui? Quando o coração das pessoas está aberto, nenhum dos dois quer outra coisa senão ajudar um ao outro a se tornar uma pessoa melhor. Quando estamos na frequência original de um relacionamento, vemos claramente o processo de combinação de frequências, conseguimos sentir os traços e questões específicos que estão sendo ativados entre os dois e entender a dinâmica sutil do modo como a cura e o processo de depuração provavelmente funcionarão, assim como a maneira como complementam a expressão do destino um do outro. A empatia criada permite-nos tornar-nos mais telepáticos e clarividentes, lendo a mente um do outro e pressentindo rumos e acontecimentos futuros.

Os problemas superficiais podem às vezes nos levar a pensar que há incompatibilidade (literalmente, incapazes de compaixão). Mas quando buscamos a vibração da alma do outro e valorizamos a sensação que o relacionamento promove quando estamos em nossa frequência original, o coração se abre e as ideias de incompatibilidade caem por terra. Se permanecermos em nossa frequência original quando o outro temporariamente esquece a dele, será bem mais fácil sair da negatividade. À medida que, com o tempo, o medo for eliminado do campo comum do relacionamento, este se tornará cada vez mais uma experiência da alma por meio da alegria, da criatividade e do simples estar juntos.

Nos relacionamentos românticos, primários, o sexo pode desempenhar um papel importante, ajudando os parceiros a deixar de lado as reações baseadas no medo e a se recentrar em suas frequências originais. Ele pode ser um espaço sagrado no qual as preocupações superficiais do mundo são postas de lado e o importante estado de percepção do afeto, da confiança, do carinho e da brincadeira é reafirmado. A maioria de nós não consegue promover toda a depuração, equilíbrio e transformação só com a imaginação — precisamos da experiência de saturação da alma para nos centrar fisicamente. O sexo é um dos meios de ter essa experiência. Além disso, ele pode equilibrar a energia yin e yang interior dos parceiros e, em suas expressões mais refinadas, pode dar-lhes uma experiência superior de união, de amar e ser amados. Se algum hábito emocional prejudicial se imiscuir na vida sexual, será especialmente importante eliminá-lo. É preciso ter um refúgio confiável e seguro com outra pessoa, da mesma forma que temos um tempo para meditar ou criar com privacidade.

Quanto maior a frequência original de um relacionamento, mais rápido as pessoas revelarão sua verdade interior e descobrirão talentos ocultos. Um relacionamento baseado na frequência original alia a intenção de irradiar o melhor de cada um e se torna um campo supersaturado que pode materializar para ambos experiências de qualidade mais alta de um manancial mais amplo de sabedoria. Então o relacionamento se torna o caminho para uma vida que realmente despertou.

Características dos relacionamentos baseados na frequência original

Nos relacionamentos que se baseiam na frequência original, as pessoas:
- dedicam-se igualmente, arranjam tempo uma para a outra e fazem concessões para entrar em acordo;
- são abertamente afetuosas, atenciosas, previdentes e compreensivas;
- são honestas e confiáveis;
- retribuem as boas ações, adaptam-se às necessidades uma da outra e alternam-se nos papéis principais e coadjuvantes conforme o necessário;
- querem o melhor uma para a outra e apoiam a expressão da alma e do destino uma da outra;
- dissolvem as emoções e os hábitos emocionais prejudiciais, como a culpa, o ciúme, a dissimulação e a vitimização;
- comprometem-se em manter os corações abertos e voltar ao afeto quando uma ou ambas recair no medo;

- sabem que estão lidando com as mesmas questões quando uma delas traz um problema;
- falam sobre o que as amedronta, agrada e motiva;
- procuram crescer e evoluem naturalmente, compartilhando cada momento e cada experiência que amplie suas zonas de conforto;
- respeitam os altos e baixos da necessidade de espaço, intimidade e envolvimento social.

Dando e recebendo da frequência original

Quando permanecemos centrados em nossa frequência original, dar e receber ganham uma aura quase mágica, emocionante. Deixamos de nos sentir obrigados a dar e receber; acabam-se as histórias de pagar na mesma moeda, dar para receber, adular para ganhar e controlar o que e como se recebe. É possível dar generosamente sem primeiras nem segundas intenções e receber coisas que nem imaginávamos desejar ou precisar. Ocorre-nos fazer alguma coisa para o parceiro e, no fim, era justamente isso o que ele estava precisando. Ele nos dá o que lhe parece agradável — e isso acaba se revelando a peça que faltava em um quebra-cabeça. Quando damos e recebemos da frequência original de um relacionamento, o campo compartilhado regula aquilo que tiver de ser sabido e feito, pondo-nos ideias na cabeça e motivos no corpo.

Dar e receber são polos de um só ciclo de atividade. Tanto dar quanto receber catalisam algo do campo para que as duas pessoas percebam e vivenciem. Ambos os papéis — o de quem dá e o de quem recebe — propiciam a autodescoberta e permitem que os parceiros se sintam de uma forma expandida (eu + o recebido = um novo eu). Lembro-me de um Natal em que perdi um dinheiro que meu pai me dera de presente na pilha de papel de embrulho. Depois de buscas frenéticas, contei a ele o que ocorrera, mas disse-lhe que ia agir como se tivesse usado o dinheiro e desfrutado dele e que, para mim, ele não tinha se perdido. Portanto, ele não precisava se preocupar com isso. Ele ficou impressionado, quase a ponto de chorar. É claro que uma hora depois, quando toda a confusão tinha acabado, eu encontrei o dinheiro. Só que agora ambos havíamos mudado com aquele drama. Nosso apreço um pelo outro aumentara, e nossa compreensão da força de ser quem dá e quem recebe estava mais clara. Sem que percebesse, o modo como eu tinha recebido fora para ele um presente.

Em nossa percepção transformada, como tudo está intimamente interligado, não perdemos nem jogamos nada fora se nos damos. O doador, o presente e o receptor são aspectos nossos; eles existem no espaço que ocupamos. Dando ou recebendo conscientemente, mobilizamos *a experiência que o presente propicia* em ambos. Na verdade, só há aumento, já que ambos percebem que têm a experiência do presente.

> Quando se ligam, as pessoas tornam-se um tanto diferentes. [...]
> Os relacionamentos nos mudam, nos revelam, evocam mais em nós.
> Só quando nos juntamos aos outros é que nossos presentes ficam visíveis, inclusive para nós mesmos.
> **Margaret Wheatley e Myron Kellner-Rogers**

A frequência original de um relacionamento revela sua finalidade

Quando nos centramos na frequência original de um relacionamento, mesmo que esse relacionamento seja com alguém que mal conhecemos, ela funciona como uma referência de sabedoria que pode ser usada para revelar-nos por que os caminhos se cruzaram ou por que estamos juntos. A partir dessa perspectiva calma, neutra e amorosa, é possível procurar temas que se apliquem aos dois. Depois disso, o campo compartilhado que ocupamos nos ensinará, propiciando-nos intuições acerca do provável desdobramento do processo de aprendizagem e depuração entre nós.

Vamos atentar mais uma vez para quem são as pessoas que povoam nosso mundo, inclusive os atores e personagens que vemos na mídia e nos livros. Os temas que elas representam são pistas sobre o que as almas querem que *nós dois* vejamos com atenção. Lembremos: quando um dos membros de uma dupla percebe alguma coisa, ela é relevante para ambos. Os amigos estão tentando fazer muito dinheiro ou lutando para evitar a falência? É possível que todos estejam prontos para mudar de marcha e encontrar um meio de ter sucesso no qual o medo não está incluído. O parceiro anda entediado e se queixando de uma posição na vida? Talvez os dois estejam prontos para avançar para um novo nível de expressão pessoal. Alguém anda lendo muitos livros de Jane Austen? Talvez essa pessoa e o parceiro precisem de mais namoro, mais audácia ou uma vida mais simples. Talvez esteja impressionado com algumas pessoas de categoria que fazem diferença no mundo e cuja vida é equilibrada e produtiva. Provavelmente está pronto para integrar essas qualidades e, assim, entrar numa fase expandida da vida e dos relacionamentos.

E se uma pessoa tiver um relacionamento com alguém que demonstre um traço repulsivo de caráter? Será que essa coisa terrível está nela também? Para descobrir a finalidade de uma situação complicada como essa, é preciso mergulhar nas emoções e nos hábitos emocionais subjacentes. O comportamento que desagrada pode ser a forma que a outra pessoa encontrou de "medicar" uma ferida emocional da qual está dissociada, como a rejeição ou uma experiência avassaladora de terror. O paralelo é que se pode ter uma ferida semelhante e lidar com ela da maneira oposta. Por exemplo, imaginemos duas pessoas que tenham sofrido com a energia sexual imprópria de um dos pais. Independentemente de o abuso sexual ter acontecido de fato ou não, uma pode tornar-se promíscua e sexualmente agressiva, ao passo que a outra pode tornar-se "certinha" e pudica. Se elas se sentirem atraídas, o relacionamento parecerá uma loucura e elas provavelmente se culparão uma à outra por agir de um modo que desestabiliza sua própria posição. Centrando-se na frequência original do relacionamento, elas poderão encontrar as lembranças suprimidas e a vulnerabilidade comum. Então vem a compreensão: elas estão desempenhando papéis opostos e poderiam muito bem estar no lugar uma da outra. A partir daí, a cura pode acontecer.

Você cura os outros curando a si mesmo

Tanto os relacionamentos casuais quanto os íntimos contêm informações acerca de como estamos crescendo e nos curando, podendo ensinar-nos como servir às pessoas e trabalhar em profissões terapêuticas e assistenciais de uma maneira mais eficaz. Quanto mais gente incluirmos dentro de nós como aspectos nossos, mais telepáticos e empáticos nos tornaremos. E quanto mais empáticos formos, mais conseguiremos identificar as causas do sofrimento dos outros. Se entrarmos em fusão inconsciente com eles, teremos a sensação de que esse sofrimento é nosso e desejaremos nos livrar dele, curando-os e melhorando a situação *deles*. A verdade é que *o sofrimento é nosso se nós o sentirmos*. Embora os médicos trabalhem para curar o corpo físico, a cura completa das feridas energéticas e emocionais, que precipitam doenças e lesões físicas, só pode ser atingida quando cada um trabalha no laboratório da própria vida e do próprio corpo. "Médico, cura-te a ti mesmo."

Sam, que perdeu os pais num acidente automobilístico quando era muito jovem, tinha propensão a resgatar mulheres que tinham sido abandonadas. Ele se permitia sentir a ferida do próprio abandono conforme esta aparecia nas mulheres porque, assim, ela estava a uma distância segura, mas não conseguia experimentar diretamente a angústia de sua própria perda. Sua lógica inconsciente era a de que, curando essas mulheres, sua ferida desapareceria. Por ironia, com isso ele afastava as mulheres; elas sentiam que ele via nelas algo de errado já que tentava mudá-las. Então o abandonavam e reforçavam a ferida dele. Curar a própria ferida tentando curar a de outra pessoa não funciona. E curar a ferida de outra pessoa por ela, tampouco. A cura não "pega" porque a outra pessoa não faz uma opção consciente nem assume a responsabilidade pela experiência.

Por ocuparmos campos de percepção e energia mutuamente inclusivos, quando uma pessoa cura alguma coisa em si mesmo, cura também uma parte da ferida do parceiro — e, aliás, de todo mundo que estiver em seu campo — com a elevação da vibração comum a todos. À medida que curamos a ferida de um abandono, por exemplo, deixaremos de contribuir para que a ferida do outro se mantenha, pois não teremos em nós uma ressonância que lhe corresponda. O parceiro terá mais facilidade em optar por renunciar a perpetuar o próprio sofrimento e torná-lo uma realidade. A vibração pessoal catalisa a comunicação direta corpo a corpo. *A cura na verdade é a comunicação telepática livre de pressões entre almas e corpos.* É como se o corpo e a vibração pessoal da pessoa saudável dissessem àquela que não está saudável: "Eis aqui um exemplo de sistema em sintonia. Estou ressoando com você em amor, e você pode criar sua própria versão disso sempre que quiser". A ferida curada lhe é oferecida para que essa pessoa a sinta e, se ela estiver pronta, os dois corpos negociarão uma transferência do padrão sutil de como a cura poderia ocorrer e de qual seria a possível sensação depois. O parceiro então optará por entrar com gratidão no espaço de cura que foi propiciado ou irá embora e encontrará alguém que corresponda a esse sofrimento e o reafirme. É claro que isso cabe a ele. Curar-se ou ficar ferido é uma opção de identidade.

> Gosto não apenas de ser amada, como também de ouvir que sou amada; o reino do silêncio é grande o bastante na eternidade.
> **George Eliot**

É possível "ler" as pessoas com sensibilidade consciente

Quando conhecemos alguém novo, as primeiras impressões que recebemos são claras? Talvez percebamos que captamos muitos *insights* sutis e que sabemos mais sobre o que fazemos as pessoas serem como são do que imaginamos. Logo que conhecemos uma pessoa, seja pessoalmente, por telefone ou até por e-mail, nosso corpo — o barômetro de confiança — se expande ou se contrai enquanto se ajusta para ressoar conforme a vibração pessoal dela. Nossa frequência pode corresponder instantaneamente ao estado emocional dela. Se nos sentimos felizes, revigorados ou inteiramente aceitos, provavelmente é porque essa pessoa é alegre, "para cima" e avessa a críticas e julgamentos morais. Talvez nos sintamos envolvidos por uma grande onda de energia terna e percebamos que essa pessoa cativa pelo encanto. Se sentimos frio ou retraídos, talvez pressintamos imediatamente que a pessoa está tensa — porque é tímida e está preocupada, é desconfiada e está ocultando um segredo ou precisa controlar os detalhes do ambiente por se sentir subjugada.

Assim como as pessoas e os animais sabem quando alguém está olhando para eles, o corpo sente as mínimas alterações de pressão que acompanham os fluxos de energia sutil quando eles se expandem ou são restringidos. Conseguimos sentir uma onda que acumula massa, uma onda perturbada, uma onda excessiva e perigosamente amplificada, que corresponde à sensação da iminente polarização e oposição dos fluxos de energia. E também conseguimos sentir as ondas regulares, uniformes e coerentes que caracterizam as pessoas que estão em harmonia. A sensação transmitida pelas pessoas confiáveis é de total presença, "realidade" e congruência. Talvez nos sintamos mais verdadeiros na presença delas. Quando escutamos uma verdade, é possível que a vibração pessoal emita um som harmonioso ou vibre com mais clareza, como um sino.

Quando alguém mente, talvez nossa vibração pessoal dispare de maneira assistemática ou faça uma pausa, como se tivéssemos inspirado rapidamente uma porção de ar. O corpo sente que alguma coisa está em desarmonia, e isso pode, num nível visceral, causar um pouco de medo. Talvez sintamos algo parecido quando encontramos pessoas que não estão em sintonia consigo mesmas: é possível que elas estejam dizendo uma coisa com as palavras e projetando outra nas imagens interiores da própria imaginação, enquanto sua vibração pessoal parece tranquila e serena. Alguma coisa não "bate" e, interiormente, inclinamos a cabeça e prestamos mais atenção até distinguir muitas linhas tênues. Há uma diferença sutil entre a energia que se acelera por causa da adrenalina (medo) e a energia que se acelera por causa de uma animação saudável. Do mesmo modo, sentimos a diferença entre a energia calma, afetiva, e a imobilidade congelada.

Experimente isto!
Sinta a diferença entre um coração fechado e um coração aberto

1. Como você sabe quando o coração de alguém está aberto ou fechado? Descreva as sensações sutis de seu coração e seu corpo quando está com alguém que o aceita, entende, estima e defende. Ou quando está se divertindo, rindo e brincando alegremente com alguém. O que seu coração e seu corpo sentem quando o parceiro o julga, interpreta mal suas boas intenções, o culpa ou acusa, se fecha e fica lacônico ou toma decisões que o afetam sem lhe perguntar nada?
2. Lembre-se de uma ocasião em que alguém o magoou, ofendeu ou "tirou do sério" e você reagiu recolhendo sua energia e se fechando. Como seu coração se sentiu? Lembre-se de uma ocasião em que seu coração "foi" até alguém. Escreva sobre essas sensações sutis. Pratique captar os sinais sutis que indicam quando o coração de alguém está aberto ou fechado e quando o seu próprio coração está aberto ou fechado, quantas vezes puder e durante alguns dias.

Andrew foi ignorado quando era criança pela mãe inacessível e, subsequentemente, teve uma série de relacionamentos nos quais as mulheres também o ignoravam, e ele as acabava deixando. Depois passou alguns anos sozinho, trabalhando os próprios problemas, sem confiar em sua mecânica de eleição de namoradas, até resolver que finalmente era hora de encontrar uma parceira de vida que realmente combinasse com ele. Uma mulher, cujo aniversário era apenas alguns dias depois do seu e parecia ter com ele uma afinidade excepcional, era particularmente atraente e desejável. Era fácil imaginar uma vida em comum com ela. Entretanto, dois fatos relevantes vieram gradualmente à tona: (1) ela ficara sem ter onde morar, dormindo em sofás na casa de amigos, durante quase um ano e (2) ainda estava casada com um homem que se casara com outra mulher sem contar a esta qual era a situação dele. Quando Andrew perguntou-lhe por que não tomara as providências para oficializar o término dessa relação, sem pensar ela respondeu: "Ah, não tive tempo de cuidar da papelada".

Ao analisar por que essa mulher apareceu em sua vida e por que sentira tanta atração por ela, Andrew percebeu que, embora parecesse disposta a ter um relacionamento com ele, ela não estava disponível: na verdade, estava impondo uma estranha vingança ao marido, pois também não lhe permitia estar plenamente disponível para a nova "esposa". Ela não estava disponível nem para si mesma, já que não fazia nada para criar um lar no qual pudesse centrar-se e expressar com clareza sua verdade. "Ela deve estar irradiando os feromônios da indisponibilidade, minha droga preferida!", brincou Andrew. Ele viu que tinha interpretado mal a indisponibilidade e a hiperatividade dessa mulher como uma aura atraente de mistério e que, na verdade, era seu corpo reagindo com adrenalina e pavor, já que conhecia muito bem o padrão da rejeição potencial. E então disse "não" àquela fonte de problemas e decidiu permanecer em sua frequência original, ciente de estar muito perto da capacidade de reconhecer um relacionamento saudável.

Perguntas a fazer na leitura de pessoas e relacionamentos

- Essas pessoas são congruentes em si mesmas? Sua apresentação se alinha com seu próprio medo ou sua própria alma?
- Elas estão projetando uma fachada falsa ou se relacionando comigo a partir do ego?
- Estou lendo a energia com precisão? Nossa correspondência tem algum ponto cego? Minhas reações vêm de motivações secretas ou de um lugar neutro?
- O que elas provocam imediatamente em mim? Como meu corpo reage a elas?
- Estou captando pistas sensoriais? Elas parecem ser "flores que não se cheira"? Ou "soam" estranhas, esganiçadas ou ocas?
- O que posso estar aprendendo com essas pessoas? Para que posso estar querendo chamar a atenção em relação a mim mesmo?
- Elas são confiáveis? Honestas? Estão mentindo ou ocultando alguma coisa?

- Elas têm algum problema pessoal que possa vir a sabotar o relacionamento ou o fluxo de um projeto?
- Elas têm alguma necessidade de controlar — e, nesse caso, qual é e como a exercem?
- Esse relacionamento é benéfico para mim? Por quê?
- É hora de atualizar ou mudar esse relacionamento? É hora de terminar esse relacionamento?

Como passar do conflito ao fluxo de energia

Parte do domínio da ressonância dos relacionamentos consiste em entender a natureza cíclica da interação e o modo como seus diversos movimentos interiores de onda se emparelham aos de seu parceiro. Você está oscilando constantemente — entre níveis de identidade, dar e receber, lucidez/amor e confusão/medo, espaço e forma e entre sua consciência interior yang/assertiva e sua consciência interior yin/receptiva. A vida não se destina a ser só de um jeito. Quanto mais fluido você for — ou seja, quanto menos interromper a onda —, mais equilibrado você será e mais poderá aplicar os princípios que regem as ondas para aumentar o fluxo e a alma de seus relacionamentos.

Os relacionamentos podem funcionar do antigo modo opositivo, movido a conflitos, conforme representam as figuras 1 e 2 do diagrama abaixo, ou de

Passando da oposição ao fluxo em forma de 8

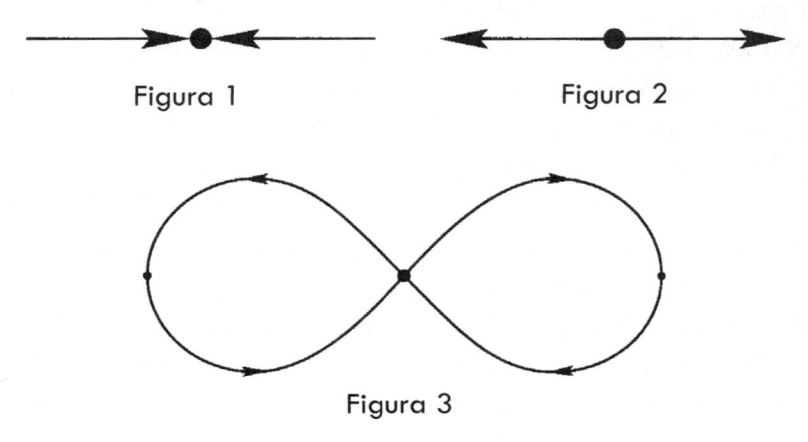

Figura 1   Figura 2

Figura 3

um modo transformado, no qual a frequência e o fluxo da energia têm papel fundamental na dinâmica, mostrado na figura 3.

A **Figura 1** representa a depressão de uma onda, ou a fase de influxo, de centramento, de um ciclo. Independentemente de ela se aplicar a você como indivíduo ou ao curso do desenvolvimento de um relacionamento, é nesse estágio que ocorre a experiência da unidade, do espaço e da gestação do novo. Se estamos em nosso processo particular, precisaremos parar, ficar imóveis e retomar o contato com a frequência original. Se estivermos num relacionamento, é aí que as pessoas são atraídas uma pela outra e se esquecem do mundo exterior. Quando o influxo se dá, o ego quer parar o fluxo e convencê-lo de que assim "é que a vida é". Começam as fixações. Num processo pessoal, podemos nos sentir isolados, introspectivos, considerar-nos um inútil ou em depressão porque nada está acontecendo. Num relacionamento, os parceiros se fixam um no outro e em suas semelhanças, passam juntos um tempo desmedido, vivem praticamente na vida um do outro e perdem de vista sua própria verdade.

A **Figura 2** representa a crista de uma onda, ou a fase de refluxo, de criatividade, de um ciclo. Independentemente de ela se aplicar a você como indivíduo ou ao curso do desenvolvimento de um relacionamento, é nesse estágio que ocorre a experiência da diversidade, da descoberta e da materialização. Quando o refluxo começa, o ego quer parar o fluxo e convencê-lo de que *assim* "é que a vida é". Num processo pessoal, quando as fixações começam nesse estágio, podemos nos sentir hiperativos, subjugados, presos às criações ou alienados de nós mesmos. Num relacionamento, é aí que os parceiros divergem ao descobrir suas evidentes "diferenças". Eles se afastam da unidade e caem num impasse polarizado no qual não conseguem concordância e começam a queixar-se, a culpar-se um ao outro e, achando que o parceiro não lhes convém, acabam por sentir-se isolados.

Nas realidades em que ficamos saltando contra a vontade entre a fixação na fusão e a fixação na dessemelhança, acabamos criando um sofrimento desnecessário. Se não vivermos a "virada" da onda — que costuma ocorrer quando tudo o que vimos fazendo de repente ganha sentido —, prolongaremos essa fase, gerando negatividade. Concentrando-nos na fluidez e na tendência natural que a vida tem de oscilar, conseguiremos passar a um modo transformado de relacionar-nos tanto com a própria natureza superior quanto com a natureza superior dos outros. O segredo está em ver que (1) o fluxo não para nunca, (2) a onda ou ciclo sempre se curva e prossegue até uma virada, (3) a parte do ciclo que estamos percebendo, seja ela qual for, é a que precisamos agora e (4) a parte do ciclo em que estamos evoluirá naturalmente para a fase seguinte no momento certo.

Como um relacionamento pode oscilar harmoniosamente

A **Figura 3** representa um relacionamento em fluxo, um relacionamento que nos permite lembrar como é quando se está no fim de uma fase, quando a onda se curva, levando-nos à próxima experiência de que precisamos. A mente não congela numa posição nem fica presa a maniqueísmos. Em vez disso, confiamos no fluxo de energia, percebemos o que é novo, reconhecemos que vale a pena compreendê-lo e ficamos à vontade diante do paradoxo, que é um modo de pensar inclusivo. "Ficar juntos *e* ficar separados são coisas igualmente boas. Ter ideias diferentes é educativo." Se, no momento de maior oposição, conseguirmos ver como o traço de que não gostamos no parceiro também está em nós, "ocorre a virada" e lembraremos que é possível voltar a centrar-nos na frequência original desse relacionamento.

Se, nas épocas de maior fusão do relacionamento (o ponto do centro do 8), percebermos que será revigorante distanciar-nos do parceiro e ver o que ele prefere criar e aprender em seguida, não agiremos com possessividade nem desconfiança. Se, quando ambos se encontrarem nos pontos mais afastados do relacionamento (as margens externas, mais extremas, do 8), for possível perceber o grande desejo de "voltar para casa" e contar ao parceiro o que vivemos, ver como ele reage e o que pode acrescentar, não nos sentiremos isolados nem o culparemos.

> [...] o coração em ti é o coração de todos; não há válvula, não há parede, não há cruzamento em parte alguma da natureza, mas um só sangue corre ininterruptamente em circulação infinda por todos os homens, como a água do globo é toda um só oceano, e, em verdade, sua maré é uma só.
> **Ralph Waldo Emerson**

O relacionamento entre duas pessoas interiormente equilibradas cuja prioridade é permanecer na frequência original do relacionamento é uma dança harmoniosa e bela, na qual ambas sabem conduzir *e* ambas sabem seguir. Ambas gostam de ser íntimas *e* particulares; ambas gostam de ser independentes *e* sociáveis. Ambas confiam no fluxo e sabem que o que vem do outro é importante para elas também. Se um parceiro precisa ser particularmente dinâmico, o outro naturalmente tem vontade de dar-lhe espaço para que ele aja com eficiência. Na próxima vez, ele o apoiará. Quando um parceiro acusa o outro de alguma coisa, é possível manter a lucidez e facilitar um retorno ao afeto. Na próxima vez, será ele quem manterá a calma. Se pudermos oscilar continuamente entre as fases opositivas de um ciclo, conseguiremos acessar muito mais o potencial do relacionamento, pois a conclusão de cada ciclo contribui para aumentar a confiança e a saturação de alma do campo compartilhado.

Fórmula para o bom fluir dos relacionamentos

Fase um

1. Vocês sentem-se simultaneamente atraídos um pelo outro porque suas frequências ressoam com questões em que ambas as almas desejam concentrar-se. Os dois sentem atração, amor e admiração.
2. O amor leva tudo o que impede mais amor para o espaço do relacionamento a fim de que essas coisas sejam trabalhadas. Os medos subconscientes das duas pessoas vêm à tona. Vocês desempenham papéis opostos, têm opiniões divergentes, culpam e punem um ao outro, voltam a suprimir os problemas para viabilizar a convivência ou rompem. Isso geralmente se repete, se arrasta e pode muitas vezes acabar com o relacionamento. Para ter sucesso, o relacionamento deve progredir até a Fase Dois e a Fase Três.

Fase Dois

3. Vocês optam por voltar a centrar-se na frequência original do relacionamento, encontram um meio de tornar a abrir o coração e dizem o que estão sentindo sem culpa nem projeção (nada de frases começando com "Você...").
4. Vocês buscam vulnerabilidades comuns, entendem suas percepções equivocadas e, desta vez, optam por transformar cada um *seu próprio* hábito emocional prejudicial (o parceiro faz sua opção em seu próprio ritmo).
5. Vocês reafirmam aquilo que valorizam no relacionamento e no outro, redefinem seus objetivos com a união e lembram que desejam amar um ao outro.
6. Mais interferências contrárias a um amor maior afloram agora do subconsciente de ambos.

Fase Três

7. Repitam a Fase Dois! A cada vez que o amor vence o medo, seus corpos ficam mais habituados ao relacionamento em frequência mais alta, de modo que vocês param de escolher vibrações negativas porque elas são chatas e difíceis demais.

Só para recapitular...

A frequência das pessoas que estão em seu mundo combina com a sua. Vocês compartilham de um campo de vibrações. Seu crescimento pode se acelerar se você entender as finalidades dos relacionamentos de sua vida: os outros reforçam seus talentos positivos e o ajudam a compreender suas atuais lições de vida, apresentam-lhe novos rumos ou ajudam-no a ver e sanar feridas emocionais e hábitos emocionais prejudiciais. Os relacionamentos baseados no medo têm questões específicas a resolver, mas as pessoas que têm frequências extremamente diferentes não aparecem na vida uma da outra. Os relacionamentos mudam ou terminam porque as vibrações dos parceiros mudam — porque as almas entram em novas fases. Não há necessidade de ficar contrariado com o fim de um relacionamento se vocês derem apoio ao crescimento da alma um do outro. Quando está só, você continua relacionando-se com muitas outras coisas; é impossível parar de estar em ressonância.

Os relacionamentos também têm uma frequência original, que revela sua finalidade mais profunda e a mecânica do provável desdobramento dos processos de transformação dos parceiros. Quando você dá e recebe de sua frequência original num relacionamento, só pode haver aumento para ambas as pessoas. Os relacionamentos ajudam-no a experimentar uma identidade expandida; você deixa de pensar em si como indivíduo e sente-se um relacionamento, uma família, um grupo, uma organização, uma nação e a humanidade. Para curar os outros, você precisa sanar *em si mesmo* a ferida emocional que viu neles. À medida que se tornar mais hábil com a empatia e a sensibilidade consciente, você captará informações detalhadas sobre as pessoas por intermédio de seu corpo e sua intuição. É possível deixar de ter relacionamentos prejudiciais, baseados no conflito e na oposição, e passar a ter relacionamentos saudáveis, baseados no fluxo, trabalhando com os princípios que regem as ondas para oscilar conscientemente.

Mensagem da frequência original

Como explico na seção *Ao leitor,* incluí estes trechos inspiradores ao fim de cada capítulo para que você troque sua forma normal, rápida, de leitura por uma experiência direta de um tipo mais profundo. Por meio dessas mensagens, é possível mudar intencionalmente sua vibração pessoal.

    A mensagem abaixo destina-se a transportá-lo a uma forma de conhecer o mundo que se aproxima daquela com que você experimentará a vida na Era da Intuição. Para entrar na *mensagem da frequência original,* basta adotar um ritmo mais lento, menos apressado. Inspire e expire lentamente uma vez e fique o mais calmo e imóvel que puder. Deixe que sua mente fique suave e receptiva. Abra sua intuição e prepare-se para *intuir* a linguagem. Veja se consegue experimentar as sensações e realidades mais profundas que ganham vida *à medida que você ler.*

    Sua experiência pode ganhar uma maior dimensão, a depender da atenção que você investir nas frases. Concentre-se em poucas palavras de cada vez, faça uma pausa nos sinais de pontuação e "fique com" a inteligência que está dando a mensagem — ao vivo, agora mesmo — a você. Você pode dizer as palavras em voz alta ou fechar os olhos e escutá-las na leitura de outra pessoa para ver que efeito têm sobre você.

LEMBRE-SE DO AMOR QUE CARACTERIZA A ALMA

A compatibilidade profunda, que se estabelece de alma para alma, começa com a agradável ressonância da familiaridade, com a intuição de que de algum modo já nos conhecemos. Quando falamos, nossas ideias vão se encaixando como peças de um quebra-cabeça, usando-se como base à medida que aos poucos descobrimos um mundo criado conjuntamente, mais interessante e complexo do que qualquer um de nós poderia conhecer sozinho. É a excitação de nossas mentes que se interpenetram e estimulam que alimenta o coração romântico e a paixão física. O desejo de descobrir o caminho que leva a isso que tanto conforta — a afinidade que parece preexistir ao momento em que nos conhecemos — é o combustível de um amor para a vida inteira. Pois quanto mais perto chegamos da causa de nossa misteriosa harmonia, mais ela recua, levando-nos mais longe, a uma experiência maior e mais expandida de nosso eu comum.

    O voo e o entrelaçamento de nossas mentes inspiram em nós uma sensação de maravilhamento — imaginar que a reciprocidade desse intercâmbio seja possível, que possa durar por toda a eternidade. Ficamos atônitos, nossos corações fundem-se em alívio e profunda gratidão, e quando pressentimos novos intercâmbios espontâneos, nossos corações batem aos saltos! Então, infiltrando-se por todas as células, nossa atenção se torna mais lenta e cai abaixo do nível das palavras. Não conseguimos falar; só podemos render-nos, penetrar, fundir e entrar em um transe de beleza. Então aqui está o ritmo da atração física, a princípio lento e, depois, buscando avidamente a unidade da sensação, a sensação da unidade. Posso cair em você e abrir mão dessa coisa em mim que me mantém separado, que faz de mim um eu. Somos livres e gratos pela liberdade um do outro.

E dia após dia, com fé na surpreendente substância de si mesmo e do parceiro, a intimidade cresce. Com o ritmo da respiração fácil, nós nos afastamos um do outro e divergimos de uma maneira interessante, então nos reaproximamos e trocamos saberes. Nós crescemos. E, libertando-nos e desejando-nos repetidamente, construímos uma confiança que reforça todos os aspectos do amor. Tudo o que vem do outro é um alívio que nos leva para Casa. Fazemos juras que são afirmações de verdades superiores, e não contratos legais de autossacrifício. Comprometemo-nos a acreditar na magnificência do parceiro primeiro como alma e só depois como personalidade. Para ver a alma, a percepção do mesmo eu, olhando pelos olhos do outro, falando com a sua voz — isso é o colapso da falsa atração da carência, do falso medo da culpa e da rejeição. Ver a Alma como nossa prática diária torna a atração e a rejeição fenômenos pré-históricos; sabemos que sempre estivemos, estamos e estaremos um no outro como o outro e nós mesmos.

Juramos criar e amar o manancial tranquilo e cálido do lar do coração, voltar a centrar-nos nessa frequência, lá viver com a máxima constância. É penoso deixar esse lar, é penoso para Nosso Eu pensar negativamente a respeito do outro, mais penoso falar negativamente e ainda mais penoso, agir por medo. O outro escuta nossos pensamentos, pensa nossos pensamentos, sente nossas emoções contraídas e não distingue sua propriedade. Escolhemos o prazer e a alegria para servir a Nosso Eu. Assumimos um compromisso com a saúde física e emocional para servir a Nosso Eu. Dizemos "Sim!" à criatividade e à celebração com a maior frequência possível para servir a Nosso Eu. Tudo o que fazemos é "fazer amor" e sentir o amor vivo em nós. Não tem sentido ficar lembrando ao outro suas falhas; isso só faz o Nosso Eu ficar remoendo o que não está funcionando. Ver o que não é um desperdício de tempo precioso para levar amor aos corpos.

Quem somos nós agora? Nosso repertório cresceu até incluir os talentos e pontos fortes de cada um. Sabemos como é vir de onde o outro vem, viver a infância um do outro, carregar os fardos um do outro e até morrer a morte um do outro. Com dois de nós vivendo todos esses elementos comuns tudo fica bem mais fácil de suportar, mais fácil de digerir, de algum modo. Podemos ir mais rápido se quisermos. Ou mais devagar! À medida que evoluímos, surgem novas perspectivas. Será que agora somos mais como os anjos? À medida que nos entregamos ao Nosso Eu, naturalmente incluímos mais vida, convidamos mais gente para viver conosco um amor familiar e conhecemos com um lar afetivo ainda maior. Não possuímos nem prendemos um ao outro; a confiança e a estima recobrem a ampla estrada branca em que viajamos.

8

ENCONTRANDO AS MELHORES SOLUÇÕES, OPÇÕES E PLANOS

Para mudar um paradigma existente, você não luta para tentar mudar o modelo problemático. Você cria um novo modelo e torna o antigo obsoleto.

R. Buckminster Fuller

Patrick é um treinador e consultor corporativo que tem fascínio pela percepção. Ele se lembra de como, aos 5 anos de idade, ao folhear um livro, teve consciência de um buraco escancarado e profundo no outro lado da sala. Chamando-o de "olho de Deus", ele vivenciou simultaneamente estar em seu próprio corpo *e* estar dentro do olho de Deus, olhando para si mesmo com seu livro. "Aquilo não era minha imaginação, pois a sensação era física, real", disse ele. Hoje, quando trabalha com as empresas, Patrick tem uma capacidade espantosa de sentir ao mesmo tempo muitas posições e possibilidades, de ver em um quadro, quase instantaneamente, como tudo se encaixa e como diferentes combinações de variáveis funcionarão.

Ele diz: "É como se um imenso pincel saísse de dentro de mim e descrevesse um arco amplo, pintando todo um panorama. É uma espécie de 'fluxo de energia em vídeo', de filme de energia! Primeiro ele vem como um saber e, depois, se traduz em cenas, num nível 'semiconsciente'. Sinto o fluxo do padrão e sinto como a energia mudaria se outras coisas acontecessem, o tipo de intenção que cada pessoa teria de ter para que ele funcionasse e até quando alguém se encaixa mal a esse padrão. Se uma variável muda, toda a tela se ajusta. Às vezes, consigo entrar no modo como um dos participantes está se sentindo e logo entendo como ele acha que o processo funcionará. Em seguida, comparo isso ao que meu corpo sabe — e descubro como comunicar as nuances do processo".

Adoro a história de Patrick porque ele é o exemplo de uma nova forma de trabalhar com a energia e a consciência ao resolver problemas e fazer planos. Ele está em fluxo, aberto a alinhamentos e opções espontâneas decorrentes de acasos felizes e deixa que o processo tenha uma inteligência própria. Ele não tem receio da empatia, tem facilidade em trabalhar com os reinos invisíveis, lê a energia, a mantém aberta, não tenta chegar a uma resposta cedo demais e deixa que a intuição e a sensibilidade, assim como sua lógica, o informem.

Um novo tipo de solução de problemas vibracionais pode tornar a vida mais fácil

Ver-se como um ser vibracional e trabalhar com os princípios da frequência mudam o modo como chegamos a soluções, planos e metas. Nesse novo modo de buscar respostas, tomamos decisões com base não nos critérios do ego, mas sim da alma, e não dependemos só de nós mesmos para tomar cada decisão. Já não definimos as situações como boas/vantajosas ou ruins/problemáticas. Conforme o antigo modo de resolver problemas, nós isolávamos um problema, interrompíamos o fluxo e concentrávamos toda a atenção para fazê-lo transformar-se numa coisa que nos agradasse mais. Coletávamos dados e opiniões, analisávamos tudo, projetávamos os dados no futuro, escolhíamos uma resposta, a implementávamos e então tirávamos o problema de nossa lista. Pronto! O próximo! O antigo modo de pensar sobre a definição de metas e a elaboração de planos envolvia o estabelecimento de uma visão — às vezes inspirada, às vezes a extensão esperta de outra ideia — e a análise das medidas que precisavam ser tomadas para fazer aquilo acontecer. E então seguíamos aquele plano apesar de todos os obstáculos, usando de vontade e proezas mentais para vencer os problemas que iam surgindo no caminho. Éramos guerreiros do planejamento e da solução de problemas!

Depois que a percepção se abre no processo de transformação, vemos tudo e todos dentro de nós, no momento, ligados e cooperativos. As respostas estão bem aí, os recursos surgem à medida que precisamos deles e vemos como a vida sempre nos leva a alguma coisa melhor. Os problemas se transformam: deixam de ser coisas que interrompem a atenção para tornar-se coisas que dirigem a atenção para um novo lugar. Na Era da Intuição, resolver problemas significa consultar o fluxo da energia e o consciente coletivo para ver o que quer acontecer em seguida. Tomar decisões significa escolher o que ressoa com nossa frequência original e com as frequências dos relacionamentos e dos grupos de que participamos. Metas, planos e estratégias não são coisas talhadas em pedra, mas sim parte de um filme orgânico e holográfico, em constante evolução, com o qual temos de permanecer sintonizados. Para fazer planos, entramos em sintonia com fluxos de energia de frequência mais alta e em fusão com campos mais complexos, para depois observar que queremos acontecer no espaço expandido. Os critérios para encontrar soluções melhores — ou seja, *soluções que ressoam de acordo com frequências mais altas* — tornam-se então muito mais uma questão de determinar se o resultado libera o fluxo de alma, funciona em harmonia com os princípios da frequência e produz experiências que não são vantajosas apenas para dois lados, mas beneficiam todos os envolvidos.

> Provavelmente só o salto intuitivo nos permitirá resolver problemas neste mundo complexo. Essa é a maior vantagem do homem sobre o computador.
> **Tom Peters e Robert Waterman**

Quando encontra seu destino, você resolve o único "problema" da alma

Antes de explorarmos os princípios da frequência por trás do planejamento e da solução de problemas em geral, vejamos qual é o único "problema" da alma e a estratégia para sua solução. O problema da alma é o seguinte: *como posso ajudá-lo a trocar a percepção da separação pela experiência da unidade?* Afinal, é a experiência da separação que causa os problemas, de modo que quando o problema da alma é resolvido, os demais são eliminados. A solução da alma para a separação é demonstrar a percepção da unidade revelando-nos o *destino* e ajudando-nos a vivê-lo plenamente. O destino é a vida de frequência mais alta, na qual descobrimos nossos talentos ilimitados e passamos a fazer aquilo que mais nos agrada. Com o destino, experimentamos um fluxo de energia harmonioso e um senso de oportunidade perfeito, vendo como a Unidade nos prové e guia todos os passos. Os problemas tornam-se mensagens da alma e a resolução de problemas torna-se simplesmente "viver". Reconhecemos que a vida está funcionando perfeitamente para dar-nos tudo o que precisamos e que tentar controlar o futuro é uma perda de tempo. Quanto mais nos tornarmos nossa alma, mais a vida se tornará nosso destino.

Já que somos um indivíduo no tempo e no espaço, o corpo é um tipo específico de lente e fomos naturalmente criados para filtrar energia para o mundo de certo modo. Talvez esse filtro transforme a energia em arquitetura ou em joias finas, experiências de aprendizagem para crianças ou organizações complexas. Talvez sejamos feitos para viajar como emissário para outros países em prol de uma causa ou para amar a terra e cultivar belos alimentos. Quando fazemos aquilo para que fomos feitos, vivenciamos o destino, e isso promove uma experiência de unidade. À medida que nos acercamos plenamente de nosso destino, sentiremos que recebemos o sonho mais caro: Quer dizer que eu vou fazer *isso*? Problemas? Que problemas? Eu vou fazer *isso*! Logo vemos que a finalidade oculta de todos os problemas é corrigir as percepções equivocadas, limpar nossa visão e nos tornar mais leves e alegres para poder viver nosso destino. Portanto, se ajudamos a alma a resolver seu único problema, ela resolverá todos os nossos.

> Um problema é sua chance de dar o melhor de si.
> **Duke Ellington**

É possível transformar o modo de ver os problemas

Penetramos gradualmente no destino, enfrentando um rosário de problemas triviais e transformando-os, um por um: em vez de bloqueios, eles se tornam oportunidades e orientação. A partir de agora, ao examinar cada problema, fiquemos de olho nas motivações da alma. A alma cria situações para que possamos aprender pela experiência direta; ela não se importa em ter dinheiro, por exemplo, mas sim com as experiências que criamos e nas lições que aprendemos por ter ou não ter dinheiro. Quando percebemos um problema e olhamos para dentro de nós, veremos que interrompemos um fluxo de energia. Por quê? A alma está indicando algo que não vivenciamos plenamente ou um ponto em que há uma percepção errônea acerca da maneira como a vida funciona. Na maioria das vezes, o problema chama a atenção para uma experiência que precisamos ter. Portanto, em vez de procurar uma estratégia ou medida que mude a situação problemática, devemos relaxar e sentir a situação para ver o que a alma quer que percebamos.

A grande ansiedade que Nancy sente quando pensa em pedir ao chefe um cargo de maior responsabilidade e melhor salário, por exemplo, na verdade tem que ver com sua vontade de deixar a empresa e trabalhar como consultora independente. A irritação de Harry com os vizinhos do complexo de apartamentos em que vive — cuja fumaça de cigarro entra em seu quarto de dormir — na verdade tem que ver com sua necessidade de sentir que tem direito a uma casa própria. A persistente infecção nos brônquios é um meio subliminar que Joan encontrou para dar vazão ao profundo pesar que lhe causou a morte do marido. Usando seus problemas como um meio de chegar a novos *insights*, eles poderão eliminar as interferências a seu destino e à expressão de sua alma.

Quando a mente se detiver em um problema, preste atenção aos seguintes aspectos enquanto busca uma solução:

1. **Reenquadre o problema de modo a vê-lo como útil.** Com isso, eliminamos a pressão causada pela resistência e abrimos espaço para que apareçam soluções. Além disso, primeiro vejamos o problema como uma função da alma, e não apenas dos mundos físico, emocional e mental. Não devemos nos esquecer de centrar-nos em nossa frequência original quando começarmos a pensar na dinâmica interior do problema. Isso nos ajudará a chegar à sua compreensão muito mais depressa.
2. **O problema na verdade é uma pergunta.** A pergunta nos ajuda a descobrir a experiência que a alma quer que tenhamos. Em vez de transformar o problema numa afirmação estática que encerra uma realidade que não nos agrada — "Preciso de um carro novo, mas não tenho dinheiro" —, devemos transformá-lo em uma ou mais perguntas que nos tragam revelações sobre a experiência que a alma está tentando nos apresentar. As perguntas geram movimento. Que experiências um carro novo me traria? Que lição interior eu vou aprender tendo a renovada sensação de segurança, liberdade e potência que um carro novo me daria? O que posso vivenciar *agora mesmo* para ganhar mais confiança para me mexer mais no mundo e ir mais a novos lugares?
3. **Primeiro resolva o problema interiormente, em sua imaginação.** Não é preciso esperar para ter um carro de verdade. Imaginando-se ao volante de um carro novo, sentindo a força da aceleração, a segurança do motor novo ou a injeção de orgulho e autoestima, teremos a experiência que a alma deseja para nós. Principalmente se usarmos todos os sentidos enquanto estivermos imaginando a cena, o corpo reconhecerá a experiência como real. Agora nos emancipamos para entrar na realidade da alma, na qual os traços positivos de caráter são normais

e realmente *somos* livres e temos direito a nos sentir bem e ricos. A experiência de dirigir um carro novo na imaginação nos ajuda a voltar à sensação do que é viver nosso destino.

4. **Depois que você tiver a experiência interior daquilo para que o problema estava apontando, o problema físico exterior pode se resolver rapidamente.** No exemplo do carro novo, depois que sentirmos a energia confiante e o desejo de explorar as possibilidades que ele nos ofereceria, podemos ser contratados como *freelancer* num projeto caro que nos dê o dinheiro de que precisamos para comprar um. Ou então uma amiga resolve comprar um carro esportivo e vender-nos o sedã que tem a um preço fantástico. Então é possível basear a experiência imaginária na realidade física e concluir uma lição de vida. Às vezes, os problemas são sinais de um rumo errado e, assim que temos a experiência que a alma deseja para nós, o "sintoma" desaparece. Talvez o corpo comece a doer e percebamos que algo está profundamente errado. O médico não descobre nada. Caso relaxemos e analisemos o problema, veremos que o corpo simplesmente quer mais movimento. Começamos a caminhar depois do jantar e a dor some. A alma precisava que o corpo pudesse transmitir mais energia de modo que atingíssemos o nível seguinte de crescimento, e esse foi o meio que encontrou de chamar a atenção.

5. **Os problemas sempre indicam uma "virada" da onda e uma nova vibração que diz respeito ao destino.** Devemos nos certificar de estar vendo o que a alma está tentando revelar. Depois que nos dermos a experiência daquilo para que o problema aponta, que novo rumo enxergamos? O que quer acontecer em seguida? Qual a maior intenção da alma? De que modo a resolução desse problema nos ajudou a abrir-nos para possibilidades novas e mais amplas?

6. **Quando muitos problemas ocorrem ao mesmo tempo, geralmente há apenas um tema subjacente.** Há momentos em que os obstáculos se acumulam e os problemas parecem criar mais problemas. Chegamos a nos sentir azarados. Mas o provável é que um problema muito grande, a cuja abordagem vimos resistindo, esteja aflorando do subconsciente porque a alma está dizendo claramente que é hora de cuidar dele. Toda rota de fuga está bloqueada. Mesmo coisas pequenas estão dando errado. É sinal de que o problema que está vindo à tona está muito fora de sintonia com nossa frequência original. É melhor não tentarmos

resolver tudo, e sim parar e intuir as tensões e questões mais profundas. Com que experiência temos medo de conviver o resto da vida? Que experiência queremos desesperadamente ter e saber que é normal? A liberação da questão principal geralmente cria uma situação em que muitos problemas são resolvidos de uma só vez, com uma só ação.

7. **Mesmo os problemas mais triviais contêm a orientação da sua alma.** O rolo da minha impressora está com algum problema que provoca pontos brancos nas impressões. As plantas estão secas demais. Meu computador começou a desligar sozinho enquanto estou escrevendo e descobri que preciso trocar a fonte de alimentação. Cada uma dessas coisas simboliza algo em mim que minha alma quer que eu perceba. Há algum velho modo de perceber que esteja bloqueando a minha capacidade de escrever com mais brilhantismo? Preciso de mais alimento emocional? Preciso parar, descansar e refazer-me para poder continuar fazendo um bom trabalho? Minha alma quer que eu trate desses "problemas" de uma maneira não problemática; devo prestar atenção cuidadosa a cada coisa para fazê-la voltar ao estado ideal. Enquanto o faço, procuro lembrar-me de meu próprio estado ideal e reafirmar que estou vivendo de acordo com meu destino.

> Sim, vemos que existem problemas no mundo. Mas acreditamos numa força universal que, quando ativada pelo coração humano, tem o poder de consertar todas as coisas. Assim é a divina autoridade do amor: para renovar o coração, renove as ideias e, por fim, renove o mundo.
> **Marianne Williamson**

Como são as soluções na Era da Intuição

Na Era da Intuição, as soluções tornam-se revelações de um modo de ser mais pleno. Elas podem revelar um curso de ação tão perfeito que sua mente jamais poderia conceber, no qual os fatores e capacidades latentes ou secundários transformam-se nos principais, tudo o que você fez tem uma finalidade e todos os aspectos se entrelaçam, cumprindo seu feliz papel. Carmen cresceu sendo a primogênita responsável que protegia as irmãs do pai violento. Ela aprendeu a ser forte e bem-sucedida e conseguiu juntar dinheiro suficiente para recompensar-se com uma vida em grande estilo. Rindo, ela se diz uma "hedonista". No entanto, nos diversos setores de seu trabalho, ela ainda se concentra em curar e salvar. O problema é que ela se sente presa e se acha séria demais; quer um tipo de vida diferente. Sua mente lógica atinou com a resposta: "Minha função é emancipar as pessoas, para que elas sejam fortes e se expressem plenamente". Aquilo era uma extensão lógica do seu processo até aquele momento, mas deixava de lado muitas das qualidades de sua alma que jamais foram celebradas na infância.

Senti que o verdadeiro rumo de sua nova vida se relacionaria à sua capacidade de apreciar a beleza e a qualidade. E, como conseguia materializar com tanta facilidade o que quer que precisasse, ela poderia transmitir aos outros de maneira contagiante um padrão do quanto aquilo poderia ser fácil. Só por estar perto das pessoas, amando-as e apreciando-as, ela poderia ajudá-las a lembrar-se do que vieram fazer aqui e como consegui-lo. Não haveria necessidade de esforço nenhum nem de salvar ou proteger ninguém. Livrando-se da sensação de "obrigação", Carmen veria que se deliciar com os prazeres do mundo material era uma coisa espiritual, que amava o mundo e as pessoas e que queria brincar com todos. Ela resolveu tornar-se um novo tipo de "consultora financeira", mostrando às pessoas quanto é divertido ganhar dinheiro. A solução do problema de Carmen não estava em ampliar o papel "pesado" que tivera na infância, mas sim em puxar um fio perdido, baseado em sua alegria, que ela minimizava chamando de hedonismo.

Com as soluções da Era da Intuição, a resposta melhor e mais natural simplesmente surge no espaço, suprindo perfeitamente a necessidade enfocada pela alma — e geralmente constitui uma grata surpresa. Os problemas simplesmente são orientação vinda da alma e instrumentos de navegação que indicam a necessidade de mudanças de rumo. As soluções muitas vezes utilizam partes surpreendentes de sua personalidade e combinações inusitadas de variáveis, ocorrem como se fossem milagres, quando menos esperamos, resolvem vários problemas de uma só vez e nos deixam maravilhados, rindo para as paredes.

UM PROBLEMA PERSISTE QUANDO:	UM PROBLEMA SE TRANSFORMA QUANDO:
• Você julga a situação como má e interrompe o fluxo. • Você o torna uma afirmação da verdade e se fixa numa situação à qual resiste. • Você evita a experiência subjacente para a qual o problema quer voltá-lo.	• Você procura as razões da alma: o que está aprendendo e tentando vivenciar? • Você o vê como um momento natural de virada, um momento de opção ou uma indicação de que há orientação e revelações a caminho.

• Você se precipita e salta longe demais na busca de uma resposta definitiva. • Suas motivações e prioridades não estão alinhadas com a intenção de sua alma.	• Você o transforma em uma pergunta ou uma série de perguntas para promover uma melhor percepção. • Você deixa o fluxo seguir, procurando viver primeiro as experiências indicadas e tendo fé em que o realinhamento com a alma logo lhe apresentará uma solução benéfica.

Experimente isto!
Entregue-se à solução

Pense num problema que o esteja afetando. Ao trazê-lo à mente, veja se consegue sentir como ele surge de algum lugar em seu interior, em seu âmago, e se projeta diante de você. O pressuposto inconsciente é que a solução esteja em algum lugar "lá fora" e que você precise caçá-la ou ela tenha de chegar até você. Em vez disso, relaxe e deixe que o problema projetado volte a enrolar-se até chegar ao ponto em que se originou; deixe que sua percepção retorne ao lugar interior em que você inicialmente percebeu que havia qualquer coisa como um "problema". Fique aí por algum tempo; a solução está nesse mesmo lugar. Deixe-se conscientizar dela. Ela lhe virá à mente e provavelmente parecerá simples e óbvia. Problema e solução existem juntas como uma experiência que sua alma quer que você tenha.

Como você decide?

Muitas vezes, as decisões são vistas assim: fazer A, B, C ou nada. À medida que ponderamos as opções, a tomada de decisões desenrola-se desta maneira: se eu fizer A, acontecerá isso de ruim e isso de bom. Se eu fizer B, acontecerá isso de ruim e isso de bom. Qual das opções traz mais bem e menos mal? Ninguém quer tomar uma decisão intempestiva, baseada em vieses pessoais, de modo que reunimos dados e os analisamos, pesamos os prós e os contras de cada uma das opções e as projetamos num momento do futuro intuído. Se ficarmos limitados apenas ao reino mental, isso pode tornar-se confuso e paralisante. "Para onde irei depois que me aposentar?" Em um lugar falta água, mas sobram artistas. Outro tem natureza, mas poucas opções culturais. Outro tem ótimas cidades universitárias, mas a altitude é muito alta e afetaria negativamente a saúde. Socorro! Quando se trata de política e organizações, é claro que as decisões são muito mais complexas. No entanto, os problemas ainda são apenas constelações de problemas menores que envolvem as necessidades coletivas da alma de muita gente. Recusando-nos a nos sentir pressionados — a despeito da suposta dificuldade de um problema — e centrando-nos primeiro no sereno mundo interior de nossa frequência original — onde a vida é simples — poderemos usar da sensibilidade para chegar a *insights* que coloquem até mesmo as situações complexas na perspectiva certa.

> Que maravilha termos encontrado um paradoxo. Agora temos alguma esperança de progredir.
> **Niels Bohr**

A empresa de Sophia, movida a contratos do governo, começou a perder negócios devido a cortes orçamentários. Pela primeira vez, ela não conseguiria fechar seu orçamento de fim de ano. O que fazer? Algumas demissões, zero de aumento salarial e carga de trabalho maior para os poucos funcionários remanescentes? Cortes salariais para todos? Eliminar todo um programa e os funcionários alocados nele? Ou será que ela conseguiria reunir rapidamente os recursos necessários para desenvolver novos fluxos de renda se já estava com um horário extenuante sem tempo nenhum para a família? Como haveria impacto sobre a vida de outras pessoas, Sophia achava que não tinha total liberdade de opção. Precisava ser responsável. Sentia-se presa num impasse: tinha um padrão de dez anos de sucesso a zelar e, no entanto, sem que ela percebesse inteiramente, seu *roteiro interior* — o padrão de seus pensamentos, necessidades emocionais, sonhos e motivações da alma — estava mudando. Sua alma a estava dirigindo para um novo tipo de trabalho e um novo padrão para sua empresa. Seu problema e suas decisões angustiantes estavam lá para ajudá-la a saber que era hora de reavaliar como estava se expressando, só que ela não conseguia ver muito bem que sua alma estava criando aquela situação porque o drama concreto era muito grande e a resolução de problemas diários urgentes consumia a maior parte de sua atenção.

Eu a incentivei a mergulhar em sua frequência original, colocar em suspenso todos os medos decorrentes de não querer falhar nem deixar as pessoas na mão e verificar quem ela realmente era. Espontaneamente, Sophia teve a ideia de listar todas as coisas de que gostava e que inicialmente a atraíram para aquela ocupação. A meta que a animara dez anos antes tinha sido criar a maior empresa do gênero do estado em que vivia. Agora que havia atingido essa meta, ela viu que na verdade queria liberdade para usar mais a criatividade, projetar programas educacionais e dar consultoria a outros profissionais, em vez de ficar controlando funcionários e lidando com auditorias do governo.

Não tenha pressa para ajustar seu roteiro interior

Alguns *insights* interessantes vieram à tona enquanto conversávamos. Primeiro, cavando um pouco de espaço para ver o que o processo representava para ela pessoalmente — em vez de agir como um caminhão de bombeiros correndo para apagar um incêndio —, Sophia pôde considerar a ideia de que, quando mudamos a própria vibração, tudo no mundo ao redor muda de maneira paralela. Ela via a finalidade que se ocultava por trás da recusa da empresa em crescer mais naquele rumo e, além disso, entendia que, se deixasse o medo e passasse a sentir o que sua alma queria, teria uma maior chance de chegar a grandes soluções, a soluções mágicas. Enquanto pensava no que mais poderia animá-la, teve o vislumbre maravilhoso de um novo rumo que infundiria vida nova à sua empresa. Ela pressentiu que as oportunidades continuariam surgindo, como sempre. E intuiu que o maior contrato que tinha na verdade estaria morto dentro de um ano, pois os serviços que ele promovia estavam sendo superados por novas tendências. Sua empresa sofreria uma queda, mas se levantaria e retomaria o rumo rapidamente. Ela sentia qual seria o momento sem saber exatamente quais seriam os fatos.

> Embora acreditemos que a parte lógica do cérebro nos guie nas decisões sobre o futuro, estudos mostram que, como os animais, os seres humanos usam as emoções e a intuição para tomar decisões sobre o futuro.
> **Lynne McTaggart**

O pouco tempo que Sophia levou para analisar como seu roteiro interior estava mudando restabeleceu um fluxo de energia saudável em sua vida. A inspiração estava chegando, e ela aguardava novos avanços. Sophia não precisava saber como seria a nova empresa naquele exato momento; porém, por estar mais relaxada diante da questão, tinha mais espaço e liberdade para dar asas à imaginação. Ela marcou uma reunião com o contador e conseguiu elaborar um plano que preparasse a empresa gradualmente para o término do grande contrato, de tal modo que os funcionários que estavam dedicados a ele pudessem ser treinados para trabalhar em outras áreas, sabendo que haveria um período em que seria preciso apertar os cintos. Ela tinha noção de que a solução suprema viria por meio de uma série de decisões, e não de uma única grande decisão imediata. Cada uma dessas decisões teria a vibração nuclear daquilo que, para ela, fosse mais real e estivesse em maior sintonia com sua frequência original. Desse modo, a empresa e seus funcionários evoluiriam para ficar em ressonância com ela. Por sua vez, ela recriaria sua empresa a partir de uma visão mais precisa.

Experimente isto!
Atualize seu roteiro interior

Sua vida pode ser cômoda ou não; de qualquer modo, talvez você não esteja conscientemente a par da versão mais recente de seu roteiro interior, já que ele está em constante evolução. Para sentir o que sua alma quer que você faça em seguida, escreva sobre as primeiras impressões que você recebe em resposta às seguintes questões:

- Existe algum sonho anterior em sua vida do qual você se desinteressou? Há agora alguma versão mais atual dele que ainda lhe pareça intrigante?
- Você tem algum sonho de vida que sempre achou que realizaria, mas que, na verdade, agora já não lhe interessa tanto? Se renunciar a ele e abrir espaço novo, o que você se vê fazendo em seu lugar?
- Em que parte de sua vida há monotonia? Que ideias e curiosidades estão fazendo-lhe cócegas nas margens da consciência, impelindo-o a envolver-se mais?
- Existe algum plano de ação ou meta que já tenha sido efetivamente executado ou atingido? Se renunciar a ele e abrir espaço novo, o que você se vê fazendo em seguida?
- Se a idade ou os recursos financeiros não fossem fatores limitantes, e se alguém o ajudasse a criar para si uma nova realidade, que outra vida você gostaria de ter?

Essas perguntas podem abrir-lhe a mente o bastante para deixar que surjam novas oportunidades. A parte mais importante do alinhamento com seu roteiro interior mais atualizado é receber bem a mudança e as novas ideias e, em seguida, fazer opções autênticas em cada momento diante daquilo que o fascina, o deixa entusiasmado e orgulhoso de si mesmo.

Avalie suas opções usando sua sensibilidade consciente

À medida que vamos removendo barreiras para chegar a uma vibração pessoal mais alta, nos tornamos mais conscientes da ampla gama de vibrações que há no mundo. Vemos também quantas opções temos — como disse outro dia o filho de 3 anos de uma amiga minha quando ela o mandou fazer alguma coisa: "Mas eu tenho *opções*!". Agora que temos uma visão de tudo, como decidimos o que fazer? O modo que Sophia escolheu para progredir estava certíssimo; ela assumiu o compromisso de verificar a verdade profunda de todas as decisões que tomasse. É importante lembrar que a maravilhosa força do momento presente deve agir como um filtro: é preciso apenas considerar uma ideia a cada momento e, nesse espaço, intuí-la profundamente. Na verdade, podemos pedir ao Observador Interior que nos traga as opções e ideias de que precisamos pela ordem de necessidade. Assim, será fácil traçar um caminho, passo a passo, em meio ao labirinto de dados confusos.

Parte da avaliação de nossas opções consiste em usar os sinais de verdade e ansiedade e a sensibilidade consciente para perceber camadas de *insight* e sentido naquilo que se apresenta. Por exemplo, alguém sugere que adotemos um determinado plano de ação, mas a sensibilidade sutil nos diz que a resposta não é completa o bastante. Mais informações são necessárias? De uma perspectiva mais profunda? Falta à solução uma etapa-chave? Ela é um pedaço de uma solução mais ampla que se encaixará na perspectiva de mais algumas pessoas? Na verdade, num nível visceral, sabemos muito mais do que percebemos conscientemente! Se desenvolvemos a prática de tornar conscientes essas informações sutis, abreviaremos o processo de tomada de decisões.

Experimente isto!
Como a sensibilidade consciente pode ajudá-lo a tomar decisões?

Preste atenção ao modo como você percebe as camadas sutis de sentido. Intua cada uma das seguintes coisas a partir de um estado tranquilo e centrado e veja como a sua sensibilidade consciente pode ajudá-lo a chegar ao ponto de virada, em que tem condições de decidir com uma sensação correspondente de "conforto profundo". Por exemplo, é possível que sinta um nó na boca do estômago quando não for certo para você aceitar uma nova oferta de emprego. É possível que às vezes você sinta que seu corpo aparentemente age à revelia de sua mente, quando necessita urgentemente dizer ou fazer alguma coisa. Como sua sensibilidade o ajuda a decidir:

- Se uma solução é "elegante" e resolverá vários problemas ao mesmo tempo?
- Se uma resposta não vai fundo o bastante ou não leva em conta informações importantes?
- Se um curso de ação é errado ou tem alta possibilidade de risco ou fracasso?
- Se uma situação está sendo forçada ou uma ocasião não é oportuna?
- Quando agir? Quando esperar? O que fazer em primeiro lugar? Em segundo? Em terceiro?
- Quando fazer questão de alguma coisa ou deixar para lá?
- Quando levar alguma coisa a cabo e quando deixá-la de lado e seguir em frente?

Quanto mais trabalhar com sua sensibilidade consciente — e isso significa identificar os refinadíssimos sinais que seu corpo lhe dá —, mais fácil será encontrar as melhores soluções e tomar boas decisões.

É possível planejar e definir metas usando o movimento natural das ondas

A energia do corpo está se acelerando tanto que a mudança e a evolução agora estão se tornando mais estáveis que a forma física. As ideias já não se fixam muito bem, e as soluções, uma vez determinadas, podem durar apenas um pouco — às vezes, dias, em vez de meses e anos. Pensemos nisso da seguinte maneira: A cada segundo, fazemos uma opção. Agora nos levantamos, agora comemos, vamos para a esquerda, vamos para a direita. Enquanto isso, os outros também estão fazendo opções. As nossas opções os afetam; as deles, nos afetam. É uma imensa constelação de opções evoluindo simultaneamente como um *videogame* holográfico incrivelmente complexo que todos jogam ao mesmo tempo. É possível que um ano atrás meu plano de vida incluísse muitas viagens ao exterior para dar seminários, mas agora há outra pessoa escalada para essa função, e o mundo não precisa que eu continue fazendo isso. Em vez disso, "nós" precisamos que eu escreva mais livros. Se eu tivesse usado a primeira visão para embasar boa parte de meu plano de trabalho e nunca verificasse se havia alguma atualização, poderia estar muito decepcionada e talvez até achar que havia algo de errado comigo quando os trabalhos no exterior não se materializaram.

> Quando muda sua forma de ver as coisas, as coisas que você vê mudam.
> **Max Planck**

Hoje em dia, o segredo do planejamento está em permanecermos concentrados no momento presente. Não precisamos deixar o momento porque ele se expande. Devemos imaginá-lo como uma bola elástica que respira conosco. À medida que "inspiramos", ou expandimos a mente, o momento se expande para abarcar mais — mais tempo, mais espaço, mais sabedoria coletiva, mais energia. É numa fase como essa que acessamos a visão, ou *roteiro interior*, do destino e vemos como tudo se coordena e como nós todos nos ajudamos uns aos outros. Quando "expiramos", ou concentramos a mente num único foco, o momento se contrai e abarca menos tempo, menos espaço e menos visão e visionarismo. Sentimos o corpo e a personalidade e estamos motivados a empreender uma ação para atingir uma determinada meta. Cada vez que expandimos o momento presente, é como se uma lente grande-angular se abrisse; quando voltamos a nos retrair na realidade pessoal, é como se fizéssemos um *zoom* numa vista mais estreita e detalhada. Respiramos constantemente, entrando e saindo, abarcando mais ou menos do corpo de conhecimento universal no momento presente.

> Uma grande revolução em apenas um único indivíduo contribuirá para que se atinja uma mudança no destino de uma sociedade e, além disso, permitirá uma mudança no destino da humanidade.
> **Daisaku Ikeda**

É difícil ter em mente a realidade individual e a realidade do consciente coletivo ao mesmo tempo, portanto oscilar intencionalmente entre as duas ajuda. Nós nos expandimos para o exterior e verificamos nossa visão, recebendo uma impressão daquilo que nossa realidade potencial pode ser. Então voltamos a nos retrair em nosso corpo e personalidade e recebemos uma determinada meta ou um desejo premente de agir de uma determinada maneira. Depois de empreender uma ação e atingir a meta, voltamos a entrar no espaço em branco no fim da onda e tornamos a nos expandir para fora, para a visão. Cada vez que verificamos nossa visão, ela é nova. *Nossa* visão é parte do Plano de *todos* e vem evoluindo desde que a visitamos pela última vez, alguns anos, dias ou horas atrás. Verificando-a com frequência, é possível perceber que meus desejos mudaram misteriosamente; na verdade não quero mais viajar para o exterior — para mim seria melhor ficar em casa, aconchegada, e escrever outro livro. O campo das necessidades e decisões de todos está me ajudando a fazer aquilo que nós todos precisamos que eu faça, e então essa decisão chega a mim como a minha decisão melhor e mais feliz. Não acho que deixar de viajar para o exterior seja um sacrifício; fico feliz em ver que outra pessoa fará isso. Quando recebemos um roteiro interior atualizado, a sensação sempre é a de um próximo passo natural, interessante.

Antes era possível descobrir essa visão e mantê-la como plano de trabalho por, digamos, cinco anos sem questionar sua relevância. Sophia é um bom exemplo. Ela concebeu um plano viável para o crescimento de sua empresa, um plano que se conservou objetivo e bem-sucedido durante dez anos. Mas então a maneira como estruturou o crescimento de sua empresa foi eclipsada por um novo modo de pensar e de agir. Seus desafios são: (1) perceber isso, (2) realinhar-se com uma visão atualizada e (3) reprojetar seus métodos e sistemas para refletir essa visão. Ela inicialmente expandiu-se para receber sua visão, depois concentrou-se e a materializou. Só que depois não voltou a expandir-se para verificar regularmente essa visão, já que ela estava funcionando bem. Portanto, foi surpreendida quando a estrutura começou a mostrar-se obsoleta. Se verificamos nossa visão com frequência, ficamos em dia com a mudança e não nos desorientamos nem paralisamos por causa dela.

A experiência do tempo e da sequência dos fatos está mudando

À medida que penetramos na fluidez da Era da Intuição, perceberemos que a percepção do tempo muda. A princípio, sentimos que o mundo está girando muito rápido e que precisamos espremer mais em menos horas e correr para acompanhar o ritmo. Terminamos uma coisa e aparecem mais dez exigindo a atenção; nunca temos tempo para desfrutar de nossos sucessos e apreciar a criatividade, nem a própria nem a dos outros. A lista de "coisas a fazer" está cheia de tarefas a cumprir no futuro próximo. Nunca deixamos de pensar em como tudo era tranquilo, bonito, bem compassado e elegante "antigamente". A mente pula no passado para descansar e no futuro, para planejar. Mal estamos no presente. Sem estar no momento, nos sentimos pressionados, não conseguimos a frequência original e não vivenciamos as reservas ilimitadas de energia; é fácil ficar exausto e esgotado. Conforme a percepção antiga, a experiência do tempo é uma função da relatividade — é comparar o passado e o futuro com o agora.

O que está acontecendo na Era da Intuição é justamente o contrário: o passado e o futuro estão sendo engolidos por um momento presente em expansão, de modo que não há mais relatividade nem comparação; só há mais presença e saturação de percepção em *um* eterno momento-agora que contém tudo de que precisamos. E quando tudo está no agora e acontece *Agora!*, a energia adquire a velocidade da luz. A defasagem de tempo que havia quando queríamos percorrer a distância imaginada entre o presente e o futuro, entre a ação e o resultado, já não existe. Portanto, ao resolver um problema, tomar uma decisão ou definir uma meta, será preciso levar em conta algo essencial: os resultados podem ocorrer bem mais depressa, sem tantos processos lineares, lógicos, como antes, principalmente se todas as pessoas envolvidas entenderem isso. Curiosamente, depois que passamos pela experiência do rápido "salto para o hiperespaço" e entramos no Agora expandido, nos acomodamos em nossa frequência original e a vida se torna calma e quase atemporal. Ela não é rápida *ou* lenta; ela se modula conforme o nível de energia e a experiência emocional. Todas as tarefas se cumprem milagrosamente. A materialização se torna sumamente eficaz porque a vida coopera consigo mesma, as pessoas nos ajudam e a sincronicidade e a coincidência se tornam normais. Quanto mais mantivermos o antigo hábito de separar de nós o futuro e o passado, mais stress criaremos e mais "problemas" teremos.

Oscilando conscientemente entre a realidade e a visão mais sublime, cultivaremos um senso natural das sequências de fatos e tendências. Seremos mais inclusivos, alertas aos possíveis revezes antes que ocorram e conscientes de inter-relações mais variáveis. Pressentiremos a probabilidade de que um caminho ganhe prioridade sobre os demais. Começaremos com uma foto do que é mais ou menos provável que aconteça e adaptaremos delicadamente os planos conforme o fluxo variante de energia, deixando que o desfecho final seja o que precisa ser. Desfrutaremos do processo de ganhar perícia em percorrer as curvas e depressões do caminho, as acelerações e desacelerações, os locais em que um novo fio se entrelaça ou um antigo é descartado do novelo. A sequência dos fatos é algo vivo, que reflete as necessidades de todos os envolvidos de um modo que muda organicamente.

Experimente isto!
Sinta o curso de uma sequência de fatos, do passado ao futuro

1. Pense num projeto ou processo que está prestes a empreender. Pode ser uma viagem, o desenvolvimento de um novo produto ou o modo como decidirá em que universidade cursar. Entre no espaço tranquilo e centrado de sua frequência original levando consigo todo o processo, do primeiro vislumbre à realidade final. Tudo existe em seu eu expandido, uma parte de você já o viveu. Relaxe.
2. Intua a energia do processo e deixe que os sinais de verdade e ansiedade de seu corpo mostrem onde as coisas fluem ou se fixam. Você está deslizando pelo processo, como se estivesse flutuando na correnteza de um rio, sentindo cada ponto ao longo do caminho. Receba impressões acerca do modo como o fluxo se modula à medida que avança. Aqui a correnteza se torna mais lenta; aqui ela se torna mais rápida. Aqui é onde algo fica difícil e aqui novas pessoas e novas experiências se entremeiam. Aqui o fluxo estanca por algum tempo. Aqui há um fato — e aqui outro, ainda maior.
3. Desenhe essa sequência de fatos, como se fosse um rio, no papel. Deixe-a tornar-se mais larga, mais estreita, concentrar-se e consertar-se. Indique os diferentes tipos de energia ou ação de onda nos pontos ao longo de seu curso. Indique os fatos como pontos grandes ou pequenos. Intua o que poderia ser a causa dessas mudanças de fluxo e ponha etiquetas no desenho: "discussão", "perda", "energia positiva", "sincronicidade/sorte" ou "atraso/revés".
4. Atualize, reviva e redesenhe essa cronologia a intervalos regulares para permanecer em sintonia com o modo como ela quer evoluir.

É possível perceber os problemas antes que ocorram

Como a mente gosta de definição e estabilidade, é fácil ignorar os primeiros sinais de mudança de rumo em nosso fluxo de energia, algo que, conforme o velho modo de pensar, chamávamos de "problemas à vista". Usando a sensibilidade consciente, é possível ficar mais alertas ao limiar de visibilidade de uma mudança e evitar os problemas antes que eles ocorram. Se prestarmos atenção ao que estamos sentindo, ao modo como os empregados estão se comportando ou aos sinais que vemos no ambiente, conseguiremos perceber os efeitos de diversas ações de onda que predizem com precisão situações que estão por vir.

É possível sentir a vida começando a borbulhar. É possível perceber obstáculos e obstruções.

> A sombra dos fatos que estão por vir os antecede.
> **Antigo provérbio**

Voltemos à situação de Sophia: com o tempo, ela percebeu que houve alguns sinais de advertência. Ela estava trabalhando horas extras para dar conta de tudo o que os outros precisavam que ela fizesse. Sentira-se dez vezes mais estressada do que nunca e muitas vezes quase ficou doente. Pela primeira vez, contratou alguém para gerenciar o escritório. Acontece que, no fim, essa pessoa não tinha condições de fazer isso, e a empresa precisou atrasar-se meses para corrigir os erros que tinham sido cometidos. Ela procurou um lugar maior para transferir o escritório e enfrentou inúmeros problemas para encontrá-lo e para conseguir deixar os computadores funcionando normalmente. Sempre que sentimos que estamos empurrando ou puxando as coisas, que há uma contração ou nó de energia no corpo ou no ambiente, que estamos cansados e sem energia, que a alegria sumiu ou que a saúde está sofrendo e o mesmo esforço não promove os resultados que promovia, uma mudança está em preparação!

Experimente isto!
Como você sente que há mudanças à vista?

1. Lembre-se de um período em que enfrentou problemas e conturbações. Houve algum sinal de advertência? Se você tivesse sido mais sensível, como poderia ter percebido que uma mudança estava se processando? Qual a sensação em seu corpo e no ambiente logo antes de o(s) problema(s) vir(em) à tona? O que você poderia ter feito se tivesse percebido o que estava tentando acontecer? Intua o seguinte para ver:
    - Que sentidos você usa quando percebe um problema. Onde ele se registra em seu corpo.
    - Como você sabe se alguma coisa será um problema grave.
    - Como você sabe se uma coisa é um problema agora ou poderá ser um problema e quanto tempo o processo de mudança levará.
    - Qual a sensação de uma solução "certa".
2. De hoje em diante, você pode praticar como sentir os altos e baixos da energia. Sinta quando sua mente mascara um obstáculo. Sinta como você reconhece que é hora de verificar sua visão, como decide que me-

dida tomar, quando e como determina se é necessário obter mais informações para chegar a uma perspectiva mais completa.

Como reconhecer as melhores soluções?

As melhores soluções são aquelas que promovem em todos os afetados o mais alto nível de expressão da alma. Elas se baseiam nas inter-relações da vida e, portanto, não recorrem a atalhos para aliviar a tensão imediata que causarão danos a longo prazo. É sabido que existimos num sistema vivo e que o dano a uma parte atinge e fere de alguma maneira todas as demais — e isso abrange a própria terra e todas as formas da criação. Numa solução que ressoa conforme frequências mais altas, não há lugar para emoções negativas nem comportamentos baseados no medo, como a mesquinhez, a vingança, a dissimulação, a trapaça, a mentira ou o roubo.

Uma solução assim sempre promove a cura e a verdade. Ela ressalta os locais nos quais há percepções equivocadas subjacentes — locais em que os princípios universais foram mal interpretados — e as corrige. Ela contribui para fazer aflorarem informações importantes e para fazer a mente deixar o modo de pensar dualista, do tipo certo ou errado e preto ou branco, para adotar um modo de pensar inclusivo, pluralista, no qual a consideração do paradoxo e da complexidade precipita novos fluxos criativos. Uma solução que ressoa conforme frequências mais altas geralmente salta um nível e eclipsa o velho modelo do problema com um modelo mais abrangente — por meio da inclusão do impacto espiritual da solução, por exemplo. Para encontrar as melhores soluções, faça a si mesmo as seguintes perguntas:

1. Este problema é o início de uma nova aprendizagem ou uma nova oportunidade de crescimento? Qual a contribuição que ele está tentando dar a sua vida ou a sua experiência do grupo em que vive?
2. Se o problema persistir e o processo continuar no rumo em que está, o que provavelmente acontecerá? Se você deixar que o sistema naturalmente se ajuste e se reoriente, o que acontecerá?
3. Se o pior desfecho possível acontecer, o que você aprenderá? Você precisa fazer as coisas desse jeito ou pode aprender a lição no mundo interior, por meio da imaginação? Mesmo quando há um "fracasso", como as coisas voltam a atingir um fluxo positivo?

4. De que modo o fluxo da energia quer levar as coisas a um padrão melhor? Que supersolução está tentando acontecer, independentemente de sua vontade e suas boas ideias?
5. Que solução traz mais "conforto profundo", regozijo e materialização sem esforço dos melhores resultados nos níveis físico, emocional, mental e espiritual para as pessoas individualmente, os grupos, a empresa, os clientes, a comunidade, o ambiente e as futuras gerações? Qual a melhor das situações em que todos saem ganhando neste momento?
6. O meio (processo de resolução do problema) vale tanto quanto o fim (resultado)?
7. Você está tomando uma parte pequena demais do processo pelo problema todo? Você consegue entender uma causa que tenha diversos níveis (físico, emocional, mental e espiritual)?
8. Quando não consegue encontrar uma solução, você sabe entregar o problema a seu corpo e ao campo unificado, pedir ajuda aos reinos invisíveis e reconhecer os *insights* quando eles surgem?

Experimente isto!
Encontre a melhor solução

1. Selecione um problema com que esteja preocupado no momento. Faça uma lista com as possíveis soluções que lhe ocorrem.
2. Exponha o problema e as possíveis soluções às oito considerações relacionadas na lista anterior. Tome notas em seu diário.
3. Além das oito considerações, examine suas soluções no intuito de detectar se implicam demasiada força de vontade ou impulsividade, abnegação, prejuízo para terceiros ou para a terra, velocidade em detrimento da capacidade do corpo experimentar a realidade e a segurança e motivação decorrente de medo ou razões obsoletas. Se tudo isso fosse eliminado, como ficariam as soluções?
4. Falta alguma percepção ou informação essencial? Peça permissão para receber uma impressão intuitiva do que poderia ser e como afetaria a solução e seu *timing*.

Quando terminar de fazer todas as perguntas e responder a elas, sua melhor solução lhe dará uma sensação de alívio e regozijo, trazendo energia renovada.

> Não é que eu seja muito inteligente;
> só fico mais tempo com os problemas.
> **Albert Einstein**

Só para recapitular...

Em questões de planejamento e solução de problemas vibracionais, você vê os problemas como perguntas que apontam para um acontecimento de que você precisa para vivenciar mais sua alma e seu destino. Resolver problemas significa ver o que quer acontecer para restabelecer um fluxo de energia saudável e passar pela virada de sua onda para encontrar um novo rumo. Os problemas ocorrem quando você percebe separação. Encontrar seu destino é a solução suprema da vida, pois quando vive como a alma, você vivencia a unidade e o planejamento para o futuro e os problemas subsequentes desaparecem. Na Era da Intuição, as soluções são como o "encaixe perfeito" e sempre liberam o entusiasmo e a expressão da alma. Nas melhores soluções todos saem ganhando: elas servem a todas as formas de vida e abrangem os diversos níveis — físico, emocional, mental e espiritual — da experiência humana.

Tomar decisões, mesmo em situações complexas, requer um breve período de recentramento em sua frequência original para verificar sua visão ou roteiro interior. O rumo de sua vida pode estar evoluindo. Quando tem opções demais, você pode recorrer aos sinais sutis de verdade e ansiedade de seu corpo para avaliá-las. Ao fazer planos e definir metas, é importante oscilar intencionalmente e com frequência entre sua realidade pessoal cotidiana e sua visão mais sublime. Seu destino evolui juntamente com o de todo mundo, de modo que você não pode fixar seus planos por muito tempo; eles precisam ser fluidos e estar no momento. Na Era da Intuição, o planejamento e a solução de problemas mudam sua experiência do tempo e do trabalho com a sequência dos fatos, à medida que você percebe que passado e futuro estão sendo absorvidos num momento presente expandido, o que acelera o processo de materialização. As sequências de fatos são afetadas pelas opções e planos de todos, devendo ser verificadas com frequência.

Mensagem da frequência original

Como explico na seção *Ao leitor,* incluí estes trechos inspiradores ao fim de cada capítulo para que você troque sua forma normal, rápida, de leitura por uma experiência direta de um tipo mais profundo. Por meio dessas mensagens, é possível mudar intencionalmente sua vibração pessoal.

A mensagem abaixo destina-se a transportá-lo a uma forma de conhecer o mundo que se aproxima daquela com que você experimentará a vida na Era da Intuição. Para entrar na *mensagem da frequência original*, basta adotar um ritmo mais lento, menos apressado. Inspire e expire lentamente uma vez e fique o mais calmo e imóvel que puder. Deixe que sua mente fique suave e receptiva. Abra sua intuição e prepare-se para *intuir* a linguagem. Veja se consegue experimentar as sensações e realidades mais profundas que ganham vida *à medida que você ler*.

Sua experiência pode ganhar uma maior dimensão, a depender da atenção que você investir nas frases. Concentre-se em poucas palavras de cada vez, faça uma pausa nos sinais de pontuação e "fique com" a inteligência que está dando a mensagem — ao vivo, agora mesmo — a você. Você pode dizer as palavras em voz alta ou fechar os olhos e escutá-las na leitura de outra pessoa para ver que efeito têm sobre você.

FLUA PARA QUE SEUS PROBLEMAS SE DISSIPEM

Viver é estar em movimento. A montanha-russa o leva da onda à partícula, do movimento à pausa. A onda traz o fluir e o regozijo da liberação. A pausa o torna consciente do eu — de sua individualidade, pluralidade e unidade. Onda e pausa. Expandir e recentrar. Separar e reunir. Dar e receber. Comunicar-se e sentir sua união. Aprender e vivenciar a sabedoria. Você é a onda e é a partícula — e é a onda novamente e a partícula novamente. A cada vez, novo.

Você aprendeu o hábito emocional prejudicial de usar a mente incorretamente. Você está numa onda, e a mente declara: "A vida é energia, e eu sou movimento". Então, quando você faz uma pausa e se torna uma partícula, a mente acha que precisa redescrever: "A vida é sólida, e eu sou um indivíduo finito". Quando você segue em frente para ser de novo uma onda, a mente se sente pressionada a mudar a definição mais uma vez para "fluxo". Ela é teimosa nesse hábito de fazer isso, de querer que você e a vida sejam só de um jeito, de não se alargar o bastante para experimentar toda a natureza partícula-onda da vida e do eu. Com sua visão estreita, cada vez que chega à transformação da onda-fluxo em partícula-pausa e novamente em onda-fluxo, a mente diz: "Estou errada. Algo está errado. Tenho um problema. Não gosto disso. Preciso controlar essa mudança". Gera-se o medo, e seguem-se perturbações desnecessárias.

Concentrar-se num problema, quando poderia estar desfrutando da mais nova fase de sua experiência do eu, é a grande loucura da humanidade. Sob a sensação de ter um problema está uma sensação sutil que indica que você está passando à sua experiência seguinte do eu, a qual — seja ela fluxo ou pausa — é ainda mais agradável. Adentre essa experiência sem rótulos e entre em comunhão com ela. Mova, expresse e crie ou pause, recentre e avalie. E então veja o mundo exterior — seu sonho, seu filme — ajustar-se naturalmente para corresponder ao ciclo de energia. Sem a hesitação da mente, o mundo não tem hesitação. Problemas e soluções dissipam-se; em vez deles, ocorrem aparecimento, desaparecimento e reaparecimento. As formas da vida veem e vão e evoluem.

Você pode ensinar a mente a parar de definir e, em vez disso, "ficar com" a experiência desse momento. Mostre-lhe como reconhecer a sensação das viradas de seu ciclo e entrar em sintonia com os prazeres de ambas as fases, para que ela as adote com alegria e renuncie ao conceito de "errado". Sempre que perceber que a mente se sente separada ou resiste, ajude-a a ceder, reunir-se à presente fase e buscar o prazer. Logo, um profundo prazer será o princípio unificador que lhe permitirá levar o amor a cada precioso momento de percepção. Com o prazer da alma como seu princípio de organização, nada pode estar errado, nenhum problema, nenhuma solução. A vida evolui sabiamente. As respostas são pontos momentâneos de parada em que a mente encontra a alma. E, nessas reuniões, está a alegria de escolher criar a próxima coisa apropriada. Você pode desistir de ter problemas. Você não tem necessidades quando se entrega ao Agora.

9

CRIANDO UMA VIDA DE ALTA FREQUÊNCIA

> Por medo de saber quem realmente somos, nós deixamos de lado nosso próprio destino, o que nos deixa famintos de uma fome criada por nós mesmos [...], acabamos vivendo vidas anestesiadas, sem paixão, desligadas da verdadeira finalidade de nossa alma. Mas quando tem coragem de moldar sua vida a partir da essência daquilo que você é, você se acende, tornando-se realmente vivo.
>
> **Dawna Markova**

A tendência cada vez mais popular de pensar que podemos intencionalmente criar ou materializar nossa vida, ou coisas em nossa vida, na verdade é bastante radical quando se considera a longa ênfase da história da condição humana como vítima indefesa dos deuses e da própria sina. Ela significa que evoluímos para um nível de conhecimento que nos permite ver como nossos estados interiores de espírito, pensamento e emoção afetam nossa realidade física — como o não físico na verdade engendra o físico. A *materialização* — que muita gente chama de manifestação — é a ideia segundo a qual se pode, pela força da vontade, pelo desejo e pela energia direcionada, fazer uma coisa se tornar realidade no nível físico. Esse é um conhecimento que por séculos foi prerrogativa apenas de avatares, mágicos e alquimistas. Porém, há pouco, a *lei da atração* veio à tona, trazendo ao público em geral ideias que antes eram esotéricas e metafísicas. Isso mostrou que estamos mais que prontos para entender como a força da vibração pessoal contribui para formar a realidade. Basicamente, a lei da atração afirma que "igual atrai igual", "você cria o que você vibra" e "ser feliz o ajuda a materializar a vida que deseja".

Segundo minha experiência, embora no geral seja verdade, isso é um primeiro nível de compreensão. Exploremos melhor as nuances do funcionamento da materialização e do processo inverso, a *desmaterialização*.

A criação é mais que a Lei da Atração

No momento em que o processo de transformação da sociedade paira em torno do estágio 3 (esvaziamento da caixa de Pandora, ou subconsciente), do estágio 4 (reforço das trincheiras, resistência e ressupressão de medos subliminares) e do estágio 5 (colapso e dissolução de antigas estruturas), muitos de nós tentam exaustivamente evitar o caos causado pela perda e pela renúncia. Queremos ter controle sobre nossa vida e achamos que o dinheiro e as posses materiais são a resposta. Até o momento, a lei da atração, que na verdade aborda um princípio de crescimento espiritual, tem sido distorcida demais para a superação da insegurança pela atração do sucesso material e relacionamentos — e isso quer dizer que os princípios estão sendo predominantemente aplicados por medo. Para chegar aos estágios mais avançados da transformação, você terá de ir mais fundo nos princípios de frequência que subjazem à lei da atração.

Uma das marcas que caracterizam a passagem do estágio 6 do processo de transformação — quando paramos, voltamos a centrar-nos no amor da alma e deixamos a frequência original reprogramar a vibração pessoal — é a descoberta de um novo mundo baseado na unidade. Nós nos sentimos como energia e como parte de um campo unificado de vibração. Temos experiência direta de que tudo existe no momento presente como *superposição*, ou realidade potencial, e que todos os seres cooperam para materializar o mundo segundo a visão mais atualizada e sublime, momento a momento. Essa nova perspectiva significa que as metas não precisam ter desespero e que uma vida ou destino de alta frequência, em que a expressão da alma seja fácil, é um direito inalienável. Por isso, a compreensão do sucesso e do processo de criação muda drasticamente.

Não sei se com todo mundo é assim, mas quanto mais aprendo a manter a nova perspectiva da Era da Intuição, mais fácil se torna escutar as notas falsas. Em certos dias, sinto-me bombardeada pelos pregões um tanto forçados dos "marqueteiros" que vendem estratégias de vendas pela Internet, serviços de treinamento para o sucesso, esquemas de enriquecimento fácil e rápido e seminários únicos que vão mudar minha vida. Muitos deles advogam princípios da lei da atração sem ter avançado muito em seu próprio processo de transformação. Se não estiver alerta, é fácil ficar exausta ao lidar com a necessidade social de celebridade, dinheiro rápido e posses materiais. Pego-me ricocheteando as vozes tensas e gravitando para as pacíficas, que irradiam o regozijo de criar uma *com* a outra pelo prazer de se expressar harmoniosamente de sua frequência original com resultados em que todos saem ganhando. Um modo é estridente, o outro cria uma música bela. Há um desafio aqui: ver além do sucesso superficial; encontrar no caminho para nosso destino um novo tipo de sucesso e entender que a materialização e a desmaterialização são uma parte normal do repertório de nossa percepção.

> A situação em que o mundo está nos desafia a ir além do *status quo* para buscar soluções para o sofrimento de nossa época. Voltamo-nos para forças tanto interiores quanto exteriores. Um novo ativismo social, de base espiritual, começa a se impor. Ele não decorre do ódio ao que está errado nem da tentativa de combatê-lo, mas sim do amor ao que poderia ser e do compromisso de suscitá-lo.
> **Marianne Williamson**

Hoje é importante que, além de questionar e redefinir o sucesso, nós também prestemos atenção à maneira como descrevemos o que acontece durante o processo de criação, que deixemos de usar modelos lineares para descrever processos que são holográficos e, em seu lugar, desenvolvamos modelos que expressem com precisão a dinâmica do campo unificado. Os modelos lineares baseiam-se na ideia de que somos separados, ao passo que os modelos holográficos baseiam-se na unidade do momento e do campo de que todos compartilhamos. Manter os modelos mentais atualizados simplificará nossa capacidade de materializar e desmaterializar nosso mundo. Por quê? Porque *como* acreditamos que as coisas acontecem é o roteiro interior que subjaz ao roteiro *do que* queremos que aconteça. Se algum desses roteiros não estiver alinhado com uma verdade superior, temos obstáculos e resultados distorcidos. Achar que precisamos "atrair" abundância material, por exemplo, é um modelo ligeiramente obsoleto que contém algumas percepções equivocadas intrínsecas.

Primeiro, a abundância material pode ou não ser a verdadeira meta de nossa alma. Segundo, no modo holográfico de perceber, nós e o que queremos existem no mesmo momento e no mesmo espaço, de maneira que na verdade não é possível atraí-lo porque já o temos. A atração é uma ideia que vem do modo de pensar linear da separação: o que queremos está "ali", e é preciso fazê-lo chegar a nós com determinação e esperteza. Num mundo unificado, em vez de atrair algo, nós o percebemos *já existindo em sua realidade* e continuamos prestando-lhe atenção. Não é preciso nenhum esforço. Terceiro, por usar de determinação quando atraímos alguma coisa, por mais que a vibração pessoal se sinta feliz, imediatamente nos desligamos das experiências da unidade, do amor, de ser amparado e de como o universo sempre faz com que todos saiam ganhando. Quando a força de vontade aflora, o ego volta, achando que está dando as ordens e reforçando a ideia de isolamento e dificuldade. É um revés para a alma porque essa sutil obstinação significa que paramos de confiar em que ela esteja nos propiciando exatamente aquilo de que precisamos. Portanto, desperdiçamos energia protestando, menosprezando e tentando mudar aquilo que temos antes de compreender plenamente como é perfeita a razão de algo estar ali.

> O espírito é o mestre, a imaginação,
> o instrumento e o corpo, o material plástico.
> **Paracelso**

Eis aqui como a materialização começa

O primeiro nível de materialização vem da alma, independentemente do consciente; a alma materializa as situações importantes que precisamos para o plano de crescimento da vida, sempre em conjunto com outras almas. Podemos concordar com o plano ou resistir a ele, cometer erros e atrasar-nos no percurso, mas o plano da alma se corrige automaticamente, como um riacho encontra novos canais quando há uma obstrução. O que for necessário continuará reaparecendo até que nos comprometamos plenamente com ele. O plano de uma vida está mais ou menos mapeado e se ajusta continuamente à medida que todos evoluem. Alguém precisa de um certo relacionamento num determinado momento da vida? As almas darão um jeito de encontrar-se. Alguém precisa de uma nova oportunidade? Talvez precise de uma perda. As almas arrumarão as circunstâncias. Quando chega o momento de um avanço, praticamente nada — nenhuma densidade mental ou emocional — pode deter uma alma cuja hora chegou! As circunstâncias são o meio que a alma tem de criar experiências que nos ajudem a aprender as lições de vida — e elas podem mudar depressa, como uma miragem numa onda de calor, em resposta à intenção da alma.

Nosso mundo se materializa a partir daquilo que somos. Ele é uma extensão — está uma oitava abaixo — da vibração pessoal. Isso significa que ele é um misto de amor e medo. Parte da luz e da verdade de nossa alma — ou seja, a alta frequência original — consegue passar pela peneira das ideias fixas e emoções baseadas no medo e se irradia para criar nosso mundo. Porém, parte da vibração pessoal — e, assim, de nossa realidade materializada — vem das sombras de baixa frequência projetadas pelos bloqueios, já que eles também se irradiam por nosso campo. São as sombras materializadas que interpretamos como problemas, e é quando as eliminamos que aprendemos suas lições de vida. Para começar a criar uma vida de alta frequência, primeiro devemos parar de materializar situações negativas desnecessárias.

A mente e os sentimentos têm um papel secundário na materialização. Porém, na maioria das vezes, eles servem para bloquear e atrasar ou facilitar e acelerar as intenções da alma; tudo depende do que escolhemos para prestar atenção e tornar real: uma alma amorosa ou um ego temeroso. Por fim, quando o medo finalmente se desvanece, a mente e os sentimentos se fundem para formar uma sensibilidade sublime e tornar-se uma lente de transmissão perfeitamente límpida. Então os desejos da personalidade e a intenção da alma tornam-se idênticos. Não é necessária nenhuma força de vontade para "obter" o que queremos porque a próxima coisa certa sempre aparecerá. Nesse estado de ânimo, o processo de criação e dissolução se caracteriza por um alto grau de inocência e disposição para brincar. E, graças à leveza, somos livres para materializar uma ampla gama de experiências que fluem em harmonia com o destino em evolução da humanidade. Portanto, a vida de alta frequência naturalmente se caracteriza por uma grande fluidez e pelo prazer das coisas simples.

A atenção faz a energia se materializar

É atenção — interesse — o que faz a energia se materializar. Ela se inicia quando percebemos que uma ideia que deseja experimentar já existe em sua realidade. Pelo fato de a percebermos e invocarmos do campo, ela começa a surgir como uma imagem em nossa "imagem-ação" e adquire uma espécie de peso psíquico. Quanto mais tempo prestarmos atenção na ideia e investir energia nela, mais densa e lenta se torna a vibração dessa ideia à medida que ela descer pelas oitavas do pensamento e do sentimento até chegar à forma. A ideia materializada não chega até nós através de quadrantes remotos de tempo e espaço;

ela simplesmente ressoa em nossa vibração pessoal, passando pelos três níveis do cérebro, ganhando gradualmente forma e dados sensoriais e tornando-se mais real para o corpo até ser percebida pelo filtro do cérebro reptiliano como algo real. Quando se materializa, a ideia catalisa-se em nosso campo pessoal como um campo novo, menor, que vibra de acordo com a frequência da matéria e está ao nosso alcance no momento em que precisamos. Materializar a vida na verdade é uma função da comunhão, é questão de intuir uma ideia e fundir-se com ela com todas as oitavas de nossa percepção — espiritual, mental, emocional e física — até que nós e a ideia coexistam numa realidade tridimensional, "sólida". A ideia materializada aparece como uma função do amor, surgindo porque a queremos e voltando a desaparecer no campo unificado para dar-nos espaço quando precisamos.

> Tudo o que acontece em todos os processos materiais, vivos, mentais ou mesmo espirituais envolve a transformação da energia. [...] Todo pensamento, toda sensação, toda emoção produzem-se pelas trocas de energia.
> **J. G. Bennett**

Tudo o que materializamos personifica de algum modo *nossa* vibração pessoal. Se acalentarmos a ideia da abnegação, nosso mundo materializado terá a abnegação em grau equivalente. Nesse caso, poderemos encontrar pessoas que são vítimas ou sofrer perdas e traições e ter relacionamentos com egocêntricos que não o valorizam. Se formos alegres, a vida que vier será divertida. Se acalentarmos a ideia de que precisamos trabalhar com afinco para sobreviver, poderemos materializar oportunidades profissionais que impliquem baixos salários ou horas extras. Caso nos sintamos privilegiados e cuidados, poderemos materializar uma herança. Do mesmo modo, as doenças e lesões correspondem a roteiros interiores baseados em emoções negativas relacionadas à parte afligida do corpo. Por exemplo, os problemas nos pulmões geralmente se relacionam com um pesar, os problemas no pescoço com a teimosia e a falta de confiança, e os problemas nas pernas com a hesitação em assumir uma posição ou seguir em frente. Isso não significa que atraímos problemas de saúde ou circunstâncias negativas por sermos "maus" — mas que, em algum lugar da vibração pessoal, há um hábito emocional prejudicial bastante humano, como não se sentir respeitado ou ter medo de ser punido ou abandonado.

Para que algo se materialize inteiramente, é preciso que o corpo o reconheça como real. Isso significa que os sentidos precisam ser ativados e que o novo objeto, situação ou experiência precisa transmitir uma sensação normal. Posso tocar meu computador agora mesmo — ele está só a alguns centímetros de mim —, mas lembro-me de quando resolvi comprar meu novo Macintosh. A coisa começou como um pensamento e progrediu até tornar-se uma imagem. Imaginei-me usando-o, senti a realidade de como iria pagar por ele e fui ao *showroom*. Lá, depois de assistir a uma demonstração, brinquei com um, toquei-o de verdade e fiquei animada. Sentia quanto ele melhoraria a minha vida. Já podia vê-lo em minha mesa. Sabia que ele iria para minha mesa. E deflagrei o processo de sua compra. Agora meu corpo está convencido de que esse nível de sofisticação, essa velocidade e esse tamanho de monitor são normais. Quando chegar a hora de outro salto de crescimento, eu ficarei inquieta, entediada com ele, me distrairei com os anúncios do próximo modelo e passarei pelo processo novamente.

Você não cria só

Minha amiga Anne fez um experimento de meditação junto comigo: sentamo-nos de frente uma para a outra e fechamos os olhos. Imaginamos que algo que queríamos materializar apareceria no espaço entre nós. Ela escolheu uma quantia em dinheiro que tinha no fim um zero a mais do que a quantia que eu estaria à vontade para sugerir. Pedimos que ele aparecesse, como um holograma. Eu lhe pedi que descrevesse o dinheiro em detalhes e em voz alta. Enquanto ela o fazia, eu o visualizei. Ele aparecia em maços de notas, de modo que lhe pedi que os abrisse e, tocando o dinheiro, descrevesse as sensações. Imaginei que estava fazendo a mesma coisa e, quando tinha alguma sensação extra, eu a descrevia e ela a imaginava também. Continuamos assim, sentindo o cheiro do dinheiro, espalhando-o e reempilhando-o, as duas lançando luz sobre o dinheiro que tínhamos na mente. Então agradecemos e o deixamos dissipar-se.

Durante semanas, não pensei mais no assunto, já que a quantia estava além de meu nível normal de renda a curto prazo e dificilmente apareceria. No entanto, ocorreu um fato inesperado: numa visita a meu editor para conversar sobre a proposta para este livro, fui surpreendida com a notícia de que eles já haviam aceitado publicar o livro e poderiam me dar um adiantamento. E era exatamente a quantia da meditação! O processo de Anne demorou um pouco mais. Porém, alguns meses depois, a despeito da economia em recessão, sua clientela cresceu misteriosamente, e ela ganhou o dinheiro. O sucesso do exercício, para nós duas, funcionou como um sinal de nossas almas de que estávamos entrando numa fase de expressão pessoal expandida. Não tínhamos nenhum medo que nos impelisse àquela meditação e não nos apressamos em repeti-la. Mas observamos que o efeito de ambas testemunharmos simultaneamente a realidade do dinheiro de uma maneira palpável e de nossos corpos reforçarem um para o outro a realidade por meio de uma ressonância comum pode ter contribuído para que acontecesse o que a aconteceu.

Ninguém cria nada só. Tudo o que materializamos é criado com outras almas e até com a cooperação de ondas e partículas. E somos todos criadores junto com o Divino misterioso e benéfico. Às vezes, gosto de visualizar um grupo de partículas reagindo à minha necessidade dizendo: "Sim! Vamos pairar juntas durante algum tempo na realidade de Penney e transformar-nos em um novo computador para ela!". Na verdade, somos todos tão concordes que tudo o que desejamos afeta o que todos os demais querem. Quando alguém resolve fazer uma viagem à Grécia, por exemplo, as outras almas que podem contribuir para que isso aconteça vão ajustar seus desejos naturalmente, de modo que estarão prontas a compartilhar essa experiência e ajudar a materializá-la. Isso é benefício para elas também.

Há muito espaço para materializar o que queremos. Ao ter um desejo, não estamos privando ninguém; nossos desejos coletivos mudam — é só isso, de modo que todos queremos o que todos queremos. Seus desejos bem podem estar semeados em sua percepção pelas necessidades alheias. Então, tendo isso em vista, tem sentido que a falta de lucidez e a tomada de decisões inócuas possa não ser o que mais nos ajude a contribuir com outras almas. E quando um de nós empaca, se recusa a crescer, acha que estamos fazendo tudo sozinhos ou acumula recursos como se os que há não fossem suficientes, pode até certo ponto retardar o crescimento de todos. Na Era da Intuição, há modos sutis de usar a percepção com compaixão que facilitam ou dificultam a tarefa da alma de materializar um mundo baseado na lucidez e no amor.

> Somos o milagre da força e da matéria que se faz imaginação e vontade. Incrível. A Força Vital experimentando formas. Você é exemplo de uma. Eu, de outra. O Universo gritou até nascer. Nós somos um de seus gritos.
> **Ray Bradbury**

Como trabalhar intencionalmente com a materialização e a desmaterialização

Quando brincamos com a criação de uma vida de alta frequência e a materialização e desmaterialização de formas e situações, há alguns passos que ajudam o processo a fluir com mais facilidade.

1. **Avalie o que tem, aprecie-o e use-o: isso é o que você já criou.** Não surgirão coisas novas realmente boas enquanto você não usar o que recebeu. Quando faz uma bela refeição, você não faz outra enquanto a primeira não tiver sido digerida. O que materializou é como a solução para um problema anterior; você precisa encontrar a experiência de que as formas existem para possibilitar sua manutenção e integrá-la. Se quiser se mudar, você amou e valorizou seu atual lar o suficiente? Que tipo de experiência existe para lhe propiciar isso? O que você está lhe dando em troca?
2. **Elimine o pensamento negativo e os hábitos emocionais prejudiciais e dissipe todas as formas que impedirem sua nova expansão.** Você quer uma casa nova? Talvez precise primeiro eliminar os bloqueios sobre o que você acha que merece e renunciar à casa antiga. A desmaterialização de uma realidade pode ser tão divertida quanto materializar uma. Quando precisar que uma coisa desapareça, retire a atenção que investiu nela. O tédio é seu amigo. Quando um relacionamento precisa terminar para que você possa seguir em frente, o perdão e a gratidão podem ajudar a concluir a experiência. Se for preciso deixar um emprego, a falta de motivação pode funcionar a seu favor. Dissipar uma realidade significa digerir o valor recebido, colocar a atenção no modo do esquecimento e depois só ser por algum tempo. Retirar a energia investida numa ideia a torna mais leve e a deixa mais transparente e fantasmagórica até finalmente desaparecer.
3. **Recolha sua energia, recentre-se no amor de sua alma, entre em sintonia com sua frequência original e verifique como é sua visão mais sublime e qual a sensação que ela lhe dá.** Sentindo do modo que ama sentir, você conseguirá perceber uma visão cuja frequência combine com essa sensação. Em que ideia você consegue se concentrar que parece a próxima coisa mais interessante e pode ajudar o seu processo de crescimento? Que passos você pode dar em direção a ela? Se considerar benéfico o que deseja, será mais fácil achar que tem direito a tê-lo. Uma casa nova, por exemplo, poderia promover a experiência de uma noção muito mais concentrada e expandida do eu, o que o ajudaria a contribuir mais com as pessoas.
4. **Perceba a ideia, preste atenção a ela, imagine-a e intua-a.** Dê-lhe vida, ame-a. Continue prestando-lhe atenção e imaginando-a ganhar mais realidade sensorial. Deixe que a ideia lhe encha o cérebro: veja-a,

ouça-a, toque-a, prove-a e cheire-a. Convide-a a ser parte de sua vida. Sinta a experiência que ela provavelmente propiciará.

5. **Otimize sua vibração pessoal e conecte seu campo pessoal ao campo unificado.** Quando sua frequência original se tornar sua vibração pessoal, enchendo seu corpo, emoções e pensamentos, sinta-se como um diapasão e "entre em consonância com seu próprio tom", imaginando sua vibração clara soando por seu campo pessoal até atingir o campo unificado maior que se situa além de você. *Seu campo pessoal funciona como um conjunto de instruções, ou um filtro, para o campo unificado.* A maneira como você se trata, por exemplo, é como o mundo o trata.

6. **Inclua todos os seres em seu processo de materialização.** Imagine todas as almas e partículas se realinhando e entrando em sintonia com sua vibração pessoal, para que elas possam ajudar a materializar a próxima etapa de seu crescimento — e do delas. Dê-lhes calorosas boas-vindas e manifeste sua alegria e gratidão, sabendo que está fazendo a mesma coisa por outras pessoas. Relaxe e dê ao campo tempo para padronizar-se de acordo com sua visão.

7. **Continue prestando atenção à ideia em processo de materialização.** Sinta-a encher-se até que seu corpo a reconheça, se anime e se alegre por estar cinestesicamente envolvido na nova realidade. Continue investindo atenção até que a nova realidade ocorra e pareça uma parte normal de sua vida.

Experimente isto!
Materialize e desmaterialize três coisas

1. Liste três coisas — objetos, recursos, oportunidades ou pessoas — que você está pronto a ter como parte de seu mundo. Depois liste três coisas a que está pronto a renunciar, que não lhe interessam mais e que você gostaria de desmaterializar: pode ser uma dependência, excesso de peso ou entulho, por exemplo.

2. Pegue um por um os três itens de sua lista de desejos a materializar: perceba a ideia, imagine o item e acrescente detalhes sensoriais à sua descrição. Deixe que ele se torne uma experiência, que seu corpo se anime com a perspectiva de ter uma experiência com esse item e continue investindo atenção e preenchendo a realidade dele até que seu

corpo possa senti-la como normal. Então deixe-o e passe ao item seguinte.
3. Quando acabar, imagine como é sua vida agora que todas essas três coisas são parte normal de sua realidade. De que modo você cresceu?
4. Em seguida, pegue um por um os itens de sua lista de desmaterialização. Concentre a atenção no primeiro item. Ele é parte normal de sua realidade. Retire a atenção que investiu nele. Pare de resistir-lhe e sinta-se entediado e desinteressado. Esse item tem um significado simbólico ou algum vínculo afetivo? Deixe que ele se desvaneça. Permita-se não ter nenhuma motivação em relação a ele. Sinta-se grato pelo que ele lhe deu, abençoe-o e mande-o seguir seu caminho. Você não precisa agir agora; basta abrir mão dele e dissipá-lo mentalmente. Então abandone-o.
5. Imagine como é seu mundo sem esses três itens que saíram de sua realidade, deixando em seu lugar um novo espaço. De que modo sua alma poderia expandir-se para preencher esse espaço?

Quais os ingredientes da sorte?

Beth entrou num concurso promovido por um programa sobre decoração e acabou entre os doze finalistas que teriam uma chance de ganhar uma reforma de jardim no valor de 10 mil dólares. E me telefonou, animada com a oportunidade de realizar um experimento com sua percepção. "Então, como posso ter sorte?", perguntou ela. Eu a aconselhei a sentir a própria atitude e energia como tranquilas e fluentes, a achar que o processo de ganhar a reforma era natural, fácil e "normal para alguém como eu" — "uma pessoa que tem sorte e sempre ganha as coisas; que é naturalmente aberta e receptiva, que dá com generosidade e recebe com a mesma facilidade". Disse que ela poderia fundir-se com a casa e o jardim, falar com eles sobre o que "nós" gostaríamos de fazer para vivenciar a melhoria e a expansão e pedir-lhes que ajudassem a atrair a reforma. E que ela poderia imaginar-se agradecendo às pessoas que implementariam a reforma e senti-la concluída e vingando, com as novas plantas crescendo alegremente. Então Beth lançou-se ao ajuste de seu nível de energia e percepção.

E não ganhou. Perguntei-lhe se sabia por que não tinha sido a vencedora. Beth disse que tinha ido ao site do paisagista e visto que a firma era especializada em coisas que não lhe interessavam particularmente. Ela disse que, dos oito projetos de jardins que vira lá, só um era "melhorzinho", talvez "nota 4,5 em 10". Disse também que o paisagista cobrava quase 10 mil dólares por só uma das coisas que ela queria e que achara que "nós — o jardim, as árvores, a casa, os devas da natureza e eu — não ficaríamos satisfeitos com a visão limitada desse arquiteto".

Algum tempo depois, recebi de Beth um e-mail intitulado *O que eu fiz se manifestou!* Nele, ela dizia: "Há tanta elegância e humor no modo como o universo reage a mim quando eu me entrego e confio em que algo ainda melhor está a caminho! A tia de meu marido, uma mulher que eu adorava, morreu há pouco, aos 91 anos de idade. Nós tínhamos cuidado de seu jardim nos três últimos anos porque era uma coisa que lhe dava muito prazer e ela já não conseguia se abaixar. Eu adorava fazer isso por ela toda semana e tinha o cuidado de só fazer o que ela queria. Agora ela está fazendo o mesmo por mim. Duas semanas depois do sorteio do programa, recebi uma carta do advogado dela dizendo que éramos beneficiários em seu testamento. O dinheiro agora está lá para fazer a reforma que eu *realmente* queria — e, o que é ainda melhor, o jardim me fará lembrar dela e do carinho que tínhamos uma pela outra. Agora me sinto especialmente contemplada pela sorte, como se meu corpo estivesse cheio de bolhas de champanhe. Estou tão feliz por não ter ganho aquele concurso!"

A sorte bem pode ser aquele estado de consciência no qual confiamos na alma, no momento, na perfeição com que as necessidades são atendidas e no *timing* das coisas. A alma pode nos facilitar uma experiência de sorte para que vivenciemos em detalhes como é quando as coisas funcionam da melhor maneira e possamos recentrar-nos nela quando quisermos. No caso de Beth, a experiência não deixou que sua mente parasse enquanto não chegasse a um resultado verdadeiramente inspirado. Podemos nos ver como uma pessoa de sorte todos os dias — basta atentar para como as oportunidades se apresentam, como a sincronicidade ocorre e chama a atenção para certas ideias ou como o fluir de cada dia pode se tornar uma coisa bela. Preferindo a sorte, escolhemos nossa frequência original e reafirmamos os princípios da Era da Intuição. E já que não estamos determinando quanto alguma coisa precisa ser grandiosa ou drástica para ser chamada de "sorte", veremos que a qualidade daquilo que nos aparecer vai aumentar exponencialmente.

Henry, que vive em Nashville, começou a fazer experimentos com a "corrente do bem" alguns anos atrás: ele dá a algumas pessoas uma nota de 20 dólares e as desafia a usar metade para si e passar a outra metade adiante, para outra pessoa. Segundo seu depoimento, em todos os casos os resultados mostraram que quando liberamos alguma forma de energia, ela passa a fazer parte daquilo de que podemos tirar. Na primeira vez em que ele deu 20 dólares a um de seus alunos, este foi à Missão de Nashville e pagou uma noite de alojamento para uma pessoa sem teto. Na semana seguinte, esse aluno recebeu inesperadamente um cheque de 50 dólares. Henry instalou um jogo de pneus no carro de um amigo e, em duas semanas, recebeu um telefonema para fazer um projeto *freelance* que pagava três vezes aquilo que ele gastara com os pneus. Ele passou a saber então que a materialização é de fato uma questão de dar e receber livremente.

> Vivemos em escala ascendente quando vivemos felizes,
> uma coisa levando a outra numa série infinita.
> **Robert Louis Stevenson**

É possível materializar um novo rumo de vida

Há momentos em que nossa forma habitual de viver ou trabalhar, ou o fato de estarmos cercados de pessoas cuja vibração é inferior à nossa, anestesia nossa percepção e parcialmente nos hipnotiza. Sabemos que precisamos fazer as coisas acontecerem, talvez adotando alguma atitude corajosa, mas não conseguimos ver exatamente o que é, e o *timing* parece errado. Como materializar um novo rumo na vida? Como rejuvenescer aquele nosso espírito alegre, jovial, otimista e aventureiro? Será que devemos nos jogar num rio de correntezas rápidas? Desistir de tudo e vaguear com uma cuia na mão? Partir para um ataque ostensivo?

Jim teve uma vida fascinante: criou-se numa fazenda na Austrália, trabalhou como treinador do Corpo da Paz em diversos países, foi instrutor de dança e *videomaker* e hoje é um treinador muito requisitado por agências governamentais em Washington. Leitor voraz de tudo o que diz respeito aos novos avanços no terreno da consciência e do crescimento pessoal, Jim tem fascínio pela fusão entre as ideias da nova física e da ciência cognitiva com a arte da liderança. Ele deseja integrar esse material nos treinamentos que promove, mas suas plateias estão presas às estreitas perspectivas do governo no que se refere a ter sucesso. Isso o obriga a modular sua vibração pessoal para acompanhar uma frequência mais baixa — o que, a longo prazo, não é lá uma grande diversão. Já falamos várias vezes sobre a necessidade de entrelaçar os muitos fios coloridos e como ele poderia criar um material, um site e uma clientela próprios, que se coadunassem com sua vibração alta. Mas ele tem dificuldade de imaginar como poderia jogar tudo para o alto e trocar uma carreira lucrativa por outra que talvez não lhe propiciasse a mesma segurança.

Há pouco tempo, ele sentiu vontade de recapitular sua carreira e escrever tudo o que já fez, colocando os números em tudo. Ele já morou e trabalhou em 22 países, criou dezenas de programas de treinamento em diversos formatos, treinou dez mil pessoas etc. Fazendo essa lista, sem querer ele renovou a confiança que tinha em si mesmo. Depois, foi para o computador pesquisar o autor de um livro de que gostava. Enquanto passeava por vários links, descobriu uma chamada para trabalhos de um congresso que parecia interessante, voltado para as ideias que ele adora — na Austrália. Hum. Boa sincronicidade aqui, pensou ele, já se animando. Eles querem gente para falar das coisas que já faço e de minhas ideias preferidas! Não preciso nem pensar — tenho de ir! Foi então que viu que o prazo acabaria dentro de algumas *horas*. Não vai dar, pensou consigo. Mas aí se perguntou: "Por que não falar com eles, de qualquer modo?"

Ele ligou para uma das organizadoras e lhe disse quanto estava animado em saber do congresso, que estava trabalhando com as mesmas ideias, que adoraria fazer uma apresentação, mas que sabia que havia perdido o prazo. E entrou com a bola toda: como havia acabado de quantificar sua vida profissional, estava com as estatísticas na ponta da língua e podia dizer claramente quem era e o que já tinha feito. Disse-lhe ainda que estava muito feliz em ter gente com quem conversar sobre aquelas ideias avançadas e que, caso a organização resolvesse prorrogar o prazo, esperava ser avisado. Ela respondeu-lhe gentilmente: "Pode considerá-lo prorrogado".

Então Jim sentou-se e esboçou uma apresentação, visualizando até a disposição da sala. Ele descobriu que já tinha um imenso *corpus* de material cristalizado na mente e, pela primeira vez na vida, percebeu que estava desfrutando do processo da escrita. A proposta ficou pronta sem nenhum esforço e, logo em seguida, ele começou a criar seu site, escreveu um artigo e criou um videoclipe. Quando conversamos, ele me disse que a viagem para a Austrália já tinha se pagado e que se por algum remoto acaso, não fosse selecionado para apresentar, iria de qualquer jeito. Disse também que tinha percebido que não sabia como queria que seu "novo eu" fosse e que havia momentos em que "Você sabe que pode. Você pode não saber como ou o quê, mas sabe que vai". Ele brincou que havia se ajeitado para direcionar a própria atenção — por meio das sincronicidades que considerava tão fascinantes — de tal modo que sua energia fluísse de uma determinada maneira e o projetasse num novo contexto. Ele havia deixado um lugar onde se sentia um tanto preso e embotado e ido para uma realidade nova e extremamente energizada em que via exatamente como diversos novos avanços eram prováveis.

Analisando o processo de Jim, podemos aprender algumas lições fundamentais. Ele instintivamente deu um pequeno passo para fora de sua realidade habitual para ter uma visão geral de sua vida. Resumindo suas realizações, ele concluiu uma fase energética e foi além do mergulho cego nela. Depois ele se abriu para perceber o que lhe interessava e prestou atenção às sincronicidades e às informações de alto grau de energia que correspondiam à sua própria vibração pessoal. Não quis aceitar um "não" como resposta; ligando para os organizadores do congresso na Austrália, ele continuou em sua frequência original e deu o passo seguinte no desconhecido. Ele falou de si abertamente, sem expectativas, e disse à mulher do que gostava, dando-lhe a chance de ajudá-lo a tê-lo. Permanecendo em seu entusiasmo, ele superou o pavor que sempre tivera de escrever. E, à medida que o conteúdo de alto nível de seu treinamento surgia, surgia também uma compreensão de como seu novo processo provavelmente aconteceria. Sua alma preparou-lhe uma série de experiências, e sua mente cumpriu a tarefa de perceber e agir na hora certa.

> O homem cresce conforme a largura de suas intenções e míngua conforme a estreiteza de suas intenções. Deus inicia o homem, mas este tem de concluir a si mesmo.
> **Rev. Charles H. Parkhurst**

Quando o que você quer não acontece...

Querer uma coisa e pensar nela intencionalmente com emoções positivas durante algum tempo não significa que a obteremos; talvez ela não seja necessária do plano da alma. Ou pode ser que haja outras razões, ligadas a princípios de frequência subjacentes, que impeçam o resultado imaginado. Mark é um consultor administrativo jovem e muito motivado que há anos vem trabalhando para atingir a meta de tornar-se um novo tipo de especialista empresarial. Há pouco, trabalhando com uma equipe de consultores, ele passou um bom tempo fazendo a avaliação de uma grande empresa e uma proposta para um plano de reorganização. Ele tinha certeza de que conseguiria o contrato, mas no último minuto a empresa desistiu, apesar de saber que não fazer nada lhe custaria mais caro que contratar a equipe de Mark. Ele não conseguia imaginar por que o contrato não tinha se materializado, já que parecia tão óbvio que estava "escrito".

Enquanto conversávamos, ele percebeu que seu alto nível de entusiasmo e sua compreensão instintiva do que a empresa precisava vinham de sua própria vibração pessoal, que era bastante sofisticada. Ele estava habituado a viver no momento presente e, por isso, presumia que o progresso poderia ocorrer depressa. Mas se esqueceu de levar em conta o estilo administrativo da empresa — que era bem "velha escola" — e com vários diretores extremamente avessos a riscos. A vibração pessoal da empresa era mais lenta que a sua, e isso fez a administração se fechar, com medo de ser subjugada pelo que via como excesso de coisas a fazer em pouco tempo. A diferença de frequência em suas realidades fazia a empresa ver "o que é possível" de uma maneira inteiramente diferente da de Mark. Era quase como se eles ocupassem dois mundos inteiramente diferentes, e Mark estivesse à frente — vivendo no futuro. Pressenti que Mark conseguiria o contrato em cerca de quatro meses, depois que o processo de raciocínio — de frequência mais lenta — dos diretores da empresa tivesse tido tempo de seguir seu curso. Se eles tivessem conseguido se abrir, confiar em Mark e aprender com ele, a transição poderia facilmente ter acontecido num período mais breve, que correspondesse à realidade perceptual de Mark, e a solução poderia ter sido elegante, em vez de atrasada.

E há muitas outras razões para que algo que desejamos não se materialize. Pode não ser a melhor solução ou pode ser que a alma saiba algo sobre o futuro de um caminho que nos atrai agora que terá impacto negativo sobre nosso crescimento. Eu tinha amigos que gostavam de Nova Orleans e queriam ir morar lá quando se aposentassem. Eles se informaram, estudaram os preços dos imóveis, fizeram várias viagens para lá e, justamente quando iam colocar o plano em ação, seu filho, um bem-sucedido empresário, anunciou que havia construído uma casa de hóspedes para eles em um imenso sítio que tem perto de Boulder, no Colorado, com uma bela vista para os picos Flatirons. No último minuto, eles deram meia-volta e decidiram passar alguns anos com a família antes de ir para a Louisiana. Logo depois que se mudaram para o Colorado, o furacão Katrina assolou o sul do país e eles foram poupados da devastação.

Talvez estejamos usando demasiada força de vontade para "tentar" materializar algo ou até a energia da própria força vital para alimentar e controlar o processo de materialização. Forçar alguma coisa é indicação de falta de harmonia com o fluxo e de alguma informação essencial. É comum ver empreendedores "emprestarem" a um projeto um pouco da própria energia, como se esta fosse um capital de risco, na esperança de recuperá-la depois. A mulher mencionada no capítulo 6 — a que estava desenvolvendo um projeto imobiliário ecológico — até certo ponto também fez isso, em parte por ser muito capaz e generosa e em parte por estar tão aferrada à visão que é como se o projeto *fosse uma parte de seu próprio ser* e ela quisesse que ele progredisse apenas de uma certa e sacrossanta maneira. Ela se entregava, dava tudo de si, e obteve algumas repercussões interessantes por não ter deixado os resultados se materializarem por meio da energia universal.

Subliminar e energeticamente, os sócios a viam como tendo "propriedade demais" sobre o projeto e, assim, inconscientemente competiam por poder e posição, tentando forçá-la a sair. O processo na verdade estava tentando se corrigir para que o projeto fosse uma criação conjunta, decorrente da visão viva, em evolução, de parceiros em pé de igualdade. Já vi isso acontecer muitas vezes com relacionamentos, mas o mesmo é verdade com a materialização: se dermos três passos na direção de alguém e essa pessoa só der um na nossa, teremos que ser rejeitados no equivalente a dois passos para que a quantidade de energia investida no relacionamento permaneça equilibrada. Em matéria de materialização, ao "forçarmos a barra" — seja com a força de vontade ou algum tipo de energia de controle — para obter um resultado, o campo nos atrasará pelo tanto em que nos excedemos até conseguir padronizar-se para fluir sem força. Então a etapa seguinte ocorrerá naturalmente.

> Você é exatamente tão grande quanto aquilo que ama e exatamente tão pequeno quanto aquilo que permite que o aborreça.
> **Robert Anton Wilson**

Você pode interferir na materialização de várias maneiras

Outra razão pela qual algo pode não se materializar é estarmos motivados por uma emoção negativa, como o medo ou a ganância. Talvez rezemos por algo por pavor ao que se coloca como alternativa. "Preciso arrumar mais clientes para poder evitar a liquidação da minha casa." "Quero um relacionamento para não ter de ficar sozinho e com medo." A atenção mais intensa está sendo dada à ideia temida, e não àquilo que é desejado; portanto, a opção detestada será aquela que se materializará. Podemos temporariamente acumular força suficiente para dar um impulso e encontrar clientes ou um relacionamento, mas a realidade que receamos continua lá e ressurgirá. Há uma sabotagem por trás disso: "tentando" evitar ou ter uma realidade, permanecemos presos à separação, ao ego e à força de vontade. Acrescente-se a isso o fato de ficarmos propensos a dúvidas e preocupações quando estamos nesse estado vulnerável: essas duas coisas funcionam como curtos-circuitos no fluxo da atenção para a ideia a materializar, conseguindo bloquear de fato o resultado final.

Às vezes, o que achamos que queremos não aparece porque o corpo não consegue senti-lo como real ou o resultado na verdade não nos permitiria a experiência do conforto profundo. Materializar dinheiro às vezes é difícil porque ele é um pouco abstrato para o corpo: muitas vezes, são apenas números em papel e não representam uma experiência física particularmente divertida ou estimulante — além do que, costuma ser fisicamente sujo e fedorento. Os corpos tendem a materializar depressa as coisas em que *eles* têm interesse. A reforma do jardim de Beth é um bom exemplo de bloqueio de um resultado por um corpo desmotivado. O corpo dela não gostava do modo como pressentia o resultado; o estilo do paisagista tinha uma frequência diferente da de Beth e seu corpo tremia só de pensar em ter de viver com algo que não fosse aconchegante. Esse princípio vale também para o processo de aprendizagem. Se as informações forem apresentadas num contexto puramente mental, com jargão, podem passar "batidas". Mas se recebermos um exemplo sensorial, uma analogia, algo que o corpo possa imaginar e sentir, as ideias ganham sentido de uma maneira fundamentada e, em geral, instantaneamente surgem associações e conexões. Se o corpo não experimentar a "realidade" de um padrão de ideias, o circuito para o sentido e a materialização não se concluirá de fato.

Por fim, podemos não obter algo por não achar que temos direito a tê-lo ou por na verdade não querermos as mudanças que isso traria. Isso pode decorrer de uma antiga ferida emocional, de um voto kármico de pobreza ou do simples fato de não nos empenharmos o bastante. Se estivermos acostumados a um certo nível de renda e ao que ele pode nos propiciar em termos de conforto ou se estivermos à vontade com o modo como a empresa funciona, talvez simplesmente não queiramos mais — mais poderia complicar a vida. Ou, se a imaginação tiver se calcificado um pouco ao longo dos anos e não tiver sido exercitada o bastante, talvez não sejamos mais capazes de sonhar coisas maiores e mais complexas se não nos esforçarmos para fazê-la "pegar" novamente. Parte da expansão do sonho consiste em sonhar os recursos necessários para poder dar conta da expansão de energia, nível de atividade, conhecimento e espaço físico, além de uma nova noção de eu. Se consideramos que a vida expandida nos subjugará e nos deixará esgotados, certamente a bloqueamos.

Acelerando ou atrasando o processo de materialização

VOCÊ ACELERA A MATERIALIZAÇÃO QUANDO:	VOCÊ ATRASA A MATERIALIZAÇÃO QUANDO:
• Percebe uma ideia e investe sua atenção nela.	• Vê o que quer como algo separado de você.
• Seu corpo experimenta a ideia como real e normal.	• Quer alguma coisa por medo, se preocupa e duvida.
• Irradia uma alta frequência original do seu campo pessoal para o campo unificado.	• Tenta forçar o resultado ou usar sua energia demais para fazer as coisas acontecerem.
• Respeita todos os outros seres e partículas que estão criando junto com você.	• Não acha que tem direito ou lhe falta imaginação.
• A frequência de sua vibração pessoal combina com a das coisas, pessoas, situações, lugares ou experiências que você está buscando.	• O que quer não está em consonância com sua alma ou esta sabe de algum futuro impacto do resultado que seria prejudicial para você.
• Confia em um resultado perfeito.	• Sua mente tenta fazer mais do que a parte que lhe cabe.

Como é o sucesso numa vida de alta frequência?

Na Era da Intuição, o sucesso começa da seguinte maneira: se enxergamos o mundo como um mundo de alta frequência, isso nos fará ter uma frequência alta. Se nos enxergamos como uma pessoa de alta frequência, nosso mundo também será assim. Antes da transformação, quando uma coisa que nós desejamos não se materializa, não perdemos tempo em perguntar: "O que há de errado comigo?". Depois da transformação, nós perguntamos: "Qual a parte do processo que estou me esquecendo de respeitar?". Na Era da Intuição, ficamos motivados a viver nosso destino, e isso nos ajuda a optar por materializar o que estiver alinhado com a expressão mais grata e natural de nossa alma. Sabemos claramente como afetamos as pessoas e como estas nos afetam, de modo que trabalhamos compassivamente com esse princípio para que todos se beneficiem.

Entendemos que não há limites para o que pode ser propiciado, que tudo pode se materializar e, no entanto, também sabemos que fomos criados para fazer certas coisas, que temos lições de vida particulares e que receberemos exatamente o que precisamos na hora e na forma certa. Talvez haja interesse em atingir metas, mas será pelo prazer, e não para fortalecer a autoestima. Talvez alguém descubra que é divertido dançar pelo caminho vida afora, reagindo às ondas da materialização e desmaterialização, aos impulsos misteriosos que surgem em sua percepção, às súbitas mudanças de rumo, à experiência em eterna evolução da diversidade e das profundezas contidas em seu Eu. Quando não temos ideias limitadas acerca do que somos e do que a vida pode ser, é possível metamorfosear-nos muito mais — e reagir instantaneamente a tudo aquilo que a vida precisa que sejamos.

> Todos os seres físicos se comunicam com seu próprio íntimo por meio da emoção e, por isso, sempre que sua emoção for positiva, você pode ter certeza de estar em harmonia com sua intenção interior.
> **Abraham/Esther Hicks**

Comprometemo-nos com o que vier. Um pensamento sobre a criação de um acontecimento pode apresentar-se ou alguém pode telefonar com um convite para um trabalho. Não importa se a fonte é interior ou exterior; todas as ideias vêm da alma, de Nós. Entendemos a *lei da correlação*, segundo a qual, como o interior e o exterior não são separados, se um pensamento nos ocorre, deve também estar ocorrendo — ou logo ocorrerá — como um acontecimento em nosso mundo. E sabemos, por sua vez, que quando algo drástico nos acontece, tem em si uma ideia correspondente que trouxe o acontecimento à nossa percepção. Ligando o interior ao exterior, ficamos hábeis na "leitura de nossa realidade" em busca de pistas sobre o que está acontecendo dentro de nós e prestamos atenção a como o que pensamos padroniza nossa realidade. Tudo se torna uma aprendizagem.

Quanto mais personificarmos nossa alma, mais instantânea se tornará a materialização. Quando precisamos de ajuda, surge um expert. Aprendemos a adorar o modo perfeitamente fluido como a vida funciona quando não há pensamentos imobilizadores. É fascinante o aperfeiçoamento da aptidão de viver no momento e dividir a responsabilidade pelo direcionamento da própria vida com o consciente coletivo — que surge de cada partícula de luz, a cada momento.

A sobrevivência dos mais aptos?
Os fins justificam os meios?

Então comparemos isso com as nossas ideias atuais sobre o sucesso: a sobrevivência dos mais aptos. Os que tiverem mais brinquedos são os vencedores. Os fins justificam os meios. Essas velhas ideias sobre controlar a vida, não ser um com a vida. Para levar "vantagem", achamos que precisamos ser melhores que os outros — e parece que virou moda ser expert em sarcasmo e críticas destrutivas, atacar as pessoas de modo esperto, mesquinho. A expressão arrogante do ego é projetada como uma arma, e a audácia vence a sabedoria. As pessoas estão impacientes e acham que precisam *tomar o que é seu por direito*, em vez de deixar que o universo lhes dê livremente por intermédio de sua frequência original. Elas não percebem que, na verdade, trabalhando com a alma se gasta menos energia que contra ela. E que ninguém precisa de vantagem porque todos nascemos privilegiados, com igual acesso aos princípios de frequência.

Mark, o jovem consultor administrativo que mencionei anteriormente, falou-me de dois brilhantes colegas mais velhos que haviam desenvolvido uma arte: a de interrogar os clientes com perguntas sarcásticas que à primeira vista pareciam inteligentes, mas na verdade destinavam-se a demonstrar sua superioridade e reduzir a autoestima dos clientes. Mark percebeu que os clientes estavam ficando intratáveis, e ele mesmo ficava pouco à vontade na sala quando isso estava acontecendo. Como a energia desses dois homens era rápida e agressiva, ele havia pensando que eles tinham frequências altas. Na verdade, a frequência deles era baixa porque eles não sentiam o quanto estavam interligados aos demais. Estavam emocionalmente feridos e, sendo muito espertos e agressivos, perpetuavam esse sofrimento ferindo outras pessoas. Isso simplesmente dificulta o funcionamento elegante do campo e a materialização de resultados perfeitos.

Hoje somos tentados, com tantos desafios na área financeira, a escolher sócios e colegas que chegaram à abundância material por meio do egoísmo, da força de vontade e do domínio. Não importa como eles a obtiveram, certo? Porém, quem quer que use os métodos que vêm do velho modelo linear de percepção baseado na separação — pessoas que não sentem que seus atos afetam os outros ou não se importam com isso — tem hábitos emocionais prejudiciais. Isso significa que sua vibração pessoal é baixa e que, por mais dinâmica que essa pessoa possa parecer ou por mais dinheiro que possa pôr na mesa, num futuro não muito distante suas bombas-relógio interiores vão sabotar esses resultados. Se nos envolvemos com gente assim, acabamos afundando com o navio deles. A razão é que a força de vontade e o charme não podem alavancar as coisas indefinidamente. Aí, chega a hora em que as percepções equivocadas subjacentes afloram para ser sanadas, e a realidade se realinha para corresponder aos hábitos emocionais prejudiciais. E nesse momento essa pessoa vive a perda — até que aprenda sua lição e a transformação se processe. Hoje, com as frequências aceleradas da terra e o rápido esvaziamento do subconsciente coletivo, esses colapsos estão acontecendo mais depressa e mais vezes.

Entretanto, precisamos lembrar que enquanto algumas pessoas estão passando pelo estágio 5 do processo de transformação (dissolução de velhas formas), muitas outras estão se libertando, já no estágio 6 e em estágios posteriores. O mundo não está indo por água abaixo; há equilíbrio. Tudo o que precisamos fazer é optar por vibrar em harmonia com a paz e o amor que estão dentro de nossa alma e, se ficarmos confusos, optar por fazer isso novamente. Não há necessidade de medo. Procuremos ver além das aparências superficiais: como esta pessoa ou oportunidade realmente é por dentro? Há muita diferença entre o livro e a capa? Com que tipo de gente pretendemos passar nosso precioso tempo? Reforcemos tanto o que as pessoas têm — os fins — quanto o modo como elas criam — os meios. Na Era da Intuição, o processo e a experiência são mais importantes que os resultados.

> O importante é isto: poder, a cada momento,
> sacrificar o que somos pelo que poderíamos nos tornar.
> **Charles DuBois**

Na Era da Intuição, a materialização de recursos financeiros será sempre uma questão de ver primeiro o que é mais interessante e alegre para a alma. Depois a motivação ocorre naturalmente, do ponto de vista do corpo, encarando a *experiência* como algo que beneficia a nós e aos outros. Deixamos que o dinheiro entre e saia como um símbolo que mede quanto queremos ou precisamos criar e vemos as finanças como um óleo que ajuda a azeitar as engrenagens do fluxo de energia. Há muito fluxo em toda parte, e muitas experiências que podemos viver gratuitamente. Devemos ficar de olho na experiência de diversão desejada que, se for preciso, o dinheiro virá para respaldar esse movimento. Na Era da Intuição, não ter o suficiente e ter demais são vistos como desserviços às almas de nossos semelhantes, como coisas que funcionam como interferências sutis a um fluir fácil.

Imagine como a vida poderia mudar

Então, como essa vida de alta frequência — esse destino — poderia ser? Perscrutemos as circunstâncias de nossa vida atual: os relacionamentos, o trabalho, o lazer, a saúde, os níveis de satisfação e de crescimento espiritual. Imaginemos a vida como ondas e frequências de energia: há lugares que tentamos controlar, lugares onde o movimento flui ou para espontaneamente e lugares onde a frequência é naturalmente alta ou baixa e retraída. Encontraremos hábitos emocionais prejudiciais sob os lugares que apresentam dissonância ou que tentamos controlar.

Assim que avaliarmos as diferentes áreas e como estão funcionando, devemos injetar energia extra em cada uma, inundando cada área com uma quantidade ilimitada de amor, de modo a sentir-nos incondicionalmente amados, dignos de amor e amantes. Há um sentimento de segurança e relaxamento, depois felicidade e curiosidade e, por fim, criatividade e vida. A força do amor e da inocência se enche, se expande e rejuvenesce as áreas descritas acima e transforma-as como sugerimos a seguir. Devemos observar especificamente:

- **Lugares onde achamos que há problemas ou retrações,** em que estamos nos apegando a alguma coisa, evitando alguma coisa ou as pessoas estão afetando as decisões de uma maneira restritiva. À medida que a energia for absorvida e essas áreas se tornarem mais soltas e fluidas, receberemos *insights* e nos conheceremos melhor.
- **Lugares onde nos sentimos entediados, onde as coisas parecem velhas e sem graça,** em que fazemos as coisas por fazer ou nos sentimos inquietos. O que ainda nos obrigamos a fazer? Em que áreas nos sentimos exaustos e esgotados? À medida que essas áreas absorverem a energia, encontraremos e receberemos o benefício do que foi dado e deixaremos as situações se desmaterializarem. No espaço que se abrir, será possível repousar e realinhar-se com a alma.
- **Lugares onde o fluxo é fácil,** onde esperamos o envolvimento, onde há uma concentração da energia de nossa frequência original. À medida que a energia for absorvida por essas áreas, elas se amplificarão e geralmente darão uma "virada", saltando uma oitava para atingir expressões ainda melhores da alma.
- **Lugares onde queremos dar um** passo no desconhecido, ir além do nível de conforto ou adotar uma próxima atitude corajosa. À medida

que essas áreas receberem mais energia, as hesitações desaparecerão e será fácil e emocionante expandir-nos para ser uma pessoa mais competente e talentosa. Receberemos um novo rumo que tem uma "sensação de realidade".

Se nos dedicarmos a cada área, vendo como o amor ilimitado a afeta e depois juntarmos todos os *insights*, vislumbraremos um destino e uma vida de alta frequência.

Experimente isto!
Concentre-se em sua vida de alta frequência

Relaxe e deixe que sua alma, por meio da imaginação, lhe dê algumas impressões sobre o que é possível em resposta às seguintes questões:

- Quais os três rumos surpreendentes que sua vida poderia tomar?
- Quais os três golpes de sorte surpreendentes que poderiam ocorrer para você?
- Quais os três locais surpreendentes com que você poderia ter relação?
- Quais os três benfeitores surpreendentes que poderiam auxiliá-lo generosamente?
- Quais os três atos de coragem de que você seria capaz agora que o deixariam orgulhoso de si mesmo?

Só para recapitular...

Ao usar a energia e a sua vibração pessoal para ajudar a materializar e desmaterializar coisas em sua vida, use modelos holográficos baseados na unidade e não modelos lineares baseados na separação, pois isso torna o processo mais rápido e mais preciso. As ideias não se materializam porque você as atrai, mas sim porque as percebe já dentro de seu campo e investe nelas a atenção até que elas se tornam normais e reais para seu corpo. A alma é responsável pelo primeiro nível de materialização de suas circunstâncias e lições importantes de crescimento. Seus sentimentos e sua mente são secundários, servindo para bloquear ou ajudar a alma. Você pode intencionalmente concentrar-se nas coisas que deseja criar, que elas se materializarão se servirem aos desígnios da alma. Há muitas razões baseadas na frequência para que as coisas não se materializem quando você quer, como o uso de força de vontade excessiva, o não reconhecimento do resultado como real em seu corpo ou o fato de a alma já saber de algum futuro impacto negativo do resultado para você.

Você não cria nada só, mas sim em cooperação com partículas, ondas e outras almas. A sorte é um estado de percepção no qual você confia na alma, no momento, na perfeição do modo como suas necessidades são atendidas e no *timing* dos acontecimentos. Na Era da Intuição, precisamos ver no sucesso mais que a riqueza material e a superioridade em relação aos outros. Além disso, precisamos ter cuidado em nossas associações com outras pessoas, pois é provável que as bombas-relógio ocultas naquelas que atingiram o sucesso por meio de métodos baseados na crença na separação logo explodam e causem fracassos. Seu destino é sua vida de frequência mais alta, e você pode contribuir para materializá-la livrando-se de hábitos emocionais prejudiciais, escolhendo o que está escolhendo você e comprometendo-se inteiramente com aquilo que já tem.

Mensagem da frequência original

Como explico na seção *Ao leitor,* incluí estes trechos inspiradores ao fim de cada capítulo para que você troque sua forma normal, rápida, de leitura por uma experiência direta de um tipo mais profundo. Por meio dessas mensagens, você pode mudar intencionalmente sua vibração pessoal.

A mensagem abaixo destina-se a transportá-lo a uma forma de conhecer o mundo que se aproxima daquela com que você experimentará a vida na Era da Intuição. Para entrar na *mensagem da frequência original,* basta adotar um ritmo mais lento, menos apressado. Inspire e expire lentamente uma vez e fique o mais calmo e imóvel que puder. Deixe que sua mente fique suave e receptiva. Abra sua intuição e prepare-se para *intuir* a linguagem. Veja se consegue experimentar as sensações e realidades mais profundas que ganham vida *à medida que você ler.*

Sua experiência pode ganhar uma maior dimensão, a depender da atenção que você investir nas frases. Concentre-se em poucas palavras de cada vez, faça uma pausa nos sinais de pontuação e "fique com" a inteligência que está dando a mensagem — ao vivo, agora mesmo — a você. Você pode dizer as palavras em voz alta ou fechar os olhos e escutá-las na leitura de outra pessoa para ver que efeito têm sobre você.

CRESÇA EM INOCÊNCIA

A inocência é uma das qualidades e forças menos compreendidas da alma. Longe de indicar vazio, desamparo ou passividade, ela é uma poderosa força de unificação e ativação. Como o toque de Midas, a inocência catalisa a sabedoria e a experiência da confiança, abundância e provisão perfeita onde quer que penetre. Portanto, para criar sua melhor vida, cresça em inocência.

Olhe nos olhos do bebê: ali está a luz da alma inteiramente livre das sombras, a abertura sem nenhuma tensão de vigilância. No brilho: disponibilidade, disposição para entregar-se e brincar. No olhar do bebê: inocência que, quando penetrada como espaço compartilhado, o leva de volta a uma sabedoria antiga. Viaje pelo espaço em que o olhar do bebê se origina, sinta o que motiva aquela luz que ama o contato, sinta-se inocente de novo. Quando você o faz, sua frequência sobe.

Na inocência, você está pronto para qualquer coisa, dar as boas-vindas a todos, confiar incondicionalmente. Você não se controla, mas reage espontânea e repetidamente, pois a vida sempre é nova. Tudo o que você percebe é um presente, é seu. Quando para de percebê-lo, você está percebendo outra coisa. Uma realidade se apaga enquanto outra surge. A perda não existe. As coisas vêm como se num passe de mágica. Imagine como é a sensação de dobrar ou quadruplicar sua inocência. Nessa intensidade, você sorri ainda mais porque agora sabe esperar o que é melhor, o que cuida de você. A surpresa dos presentes e prazeres que vêm livremente atender suas necessidades e estar a seu lado o enche de emoção.

Imagine que sua inocência se intensifica ainda mais e sinta quantos conceitos — como escala, necessidade e até amor-próprio — se dissipam. Agora só há interesse, só deleite. Aqui você e a terra se tornam companheiros de folguedos, dividindo energias e se amando como irmãos. A vida prossegue em ambos, ilimitada e plena. Você é caleidoscópio na velocidade da luz; milhões de ideias, formas e experiências se materializam e desmaterializam por seu intermédio, e você se conscientiza e se entretém mais com cada ciclo criativo.

Você quer materializar alguma coisa? Primeiro, seja como o bebê e suavize seus olhos, sua mente, seu coração e seu corpo. Brilhe! Sorria e adoce sua percepção com inocência pronta para divertir-se e ser distraída. Pense no desejo de uma nova experiência e, em sua inocência atemporal, espere que uma forma perfeita o surpreenda e lhe agrade. Você e a Terra, juntos em inocência magnificada, esperando que a qualquer momento a onda da criação chegue e os encante... Aqui está ela! E agora, começar tudo de novo?

10

RUMO À TRANSPARÊNCIA

> As Elegias [de Duíno] mostram-nos [...]
> a contínua conversão do precioso visível e tangível
> na invisível vibração [...], nas esferas de vibração do universo.
> Pois já que os vários materiais do cosmos são apenas diferentes velocidades
> de vibração, desse modo preparamos não só intensidades de uma espécie
> espiritual, mas também — quem sabe? —
> novos corpos, metais, nebulosas e constelações.
> **Rainer Maria Rilke, em carta a Witold Hulewicz, 1925, traduzida do
> alemão para o inglês por Rod McDaniel**

À medida que nos aproximamos das últimas fases do processo de transformação, passamos pelo buraco da agulha e percebemos até onde chegamos. É incrível mesmo. Deixamos de nos ver como apenas um corpo físico sólido que tem pensamentos e emoções e passamos a nos ver como uma série de campos de percepção que se interpenetram e vibram em oitavas da frequência original que é o tom da alma. Aprendemos a parar de nos identificar como uma pessoa ferida e sacrificada e a eliminar os bloqueios dos reinos mental e emocional. Quando nos livramos das sombras e não prendemos as ondas de energia que vêm e vão através do ser, começamos a descobrir aquele eu que sempre tivemos, o eu que é feito de luz límpida e amor.

Quanto mais transparente, mais a alma se expressará livremente sem distorções para criar nosso destino. Os problemas dissipam-se e tornam-se simples mudanças de pensamento e de rumo. Acostumamo-nos ao modo como os pensamentos e sentimentos afetam imediatamente a forma de nosso mundo e sabemos a que dar atenção e o que ignorar para ajudar a alma a moldar a realidade. O que antes era difícil agora é interessante e divertido. À medida que nos permitimos dar e receber sem restrições, reagindo às surpresas da vida com o coração aberto, nossa identidade se torna menos fixa e mais fluida. Ficamos diante de uma gama mais ampla de opções e nos sentimos mais expansivos e livres para sonhar novos sonhos.

Parece uma verdade factual que vivamos em um momento presente expansível e contrátil, que todos os seres, formas e campos sejam conscientes, compassivos e cooperativos. A Regra de Ouro — tratar os outros como gostaríamos de ser tratados, ou como o Divino nos trata a todos — parece *obviamente lógica!* Estamos sensíveis o bastante para entender como até pensamentos negativos sutis podem interferir com o fluxo inspirado da vida e não conseguimos nos imaginar fazendo nem o mais ínfimo mal. Talvez nunca tenhamos pensado que isto fosse possível, mas estamos perto do ponto da realização pessoal ou iluminação. Na verdade, se soubermos quanto êxtase se pode sentir só repousando em nossa frequência original, desfrutando do simples prazer de *ser,* estaremos mesmo muito perto.

> O caminho para cima é o caminho para baixo. O caminho para a frente é o caminho para trás. O universo interior está fora, mas o universo exterior está dentro.
> **Robert Anton Wilson**

O crescimento espiritual vem em ondas falhas

Mesmo assim, o processo é demorado. Avançamos, temos momentos de lucidez cristalina e profundas experiências de amor. Mas logo podemos nos perder novamente na confusão coletiva. Então nos lembramos do que de fato é real e de como preferimos nos sentir e voltamos a centrar-nos em nossa verdade. Enquanto vivermos num corpo, vamos oscilar assim, mas ficará mais fácil voltar à nossa frequência original — e segunda natureza — para viver como nossa alma.

Há uma grande compaixão no processo de evolução: no momento em que dermos um passo rumo à transformação, e depois outro e mais outro, até as tarefas mais difíceis ficarão mais fáceis. O que Paulo Coelho diz em *O alquimista* — que, quando se tenta realmente viver o próprio destino, quando se pede alguma coisa com essa intenção, "todo o universo conspira para que você realize o seu desejo" — é verdade. Enquanto tudo o que sabemos pode parecer estar cedendo à velocidade vertiginosa da vida, por dentro, nossas partículas, mais soltas, estão silenciosamente emitindo uma luz límpida que flutua suavemente e vai para o espaço, estabilizando-o e saturando-o com a sabedoria de nossa alma. Por dentro, somos mais suaves e menos retraídos. Algo em nós está se aquecendo, se abrindo e se tornando amplo.

O processo de transformação não acontece para todos ao mesmo tempo. Ele se desenrola em ondas ou ondulações sucessivas. Algumas pessoas conseguem depurar-se primeiro. Elas não são melhores que ninguém — simplesmente concordaram em ir na frente. E influenciam outras pessoas, promovendo mais lucidez com seu exemplo. Quando o segundo grupo passa pelo processo, atrai outro círculo de pessoas que, por sua vez, atrai mais outro. Como diz o ditado, é verdade que "Os primeiros serão os últimos, e os últimos serão os primeiros" porque, ao nos depurarmos, descobrimos que todos nós nos reunimos *juntos* ao Divino, já que somos *um* consciente coletivo. Isso significa que, quando encontramos a liberdade, naturalmente preferimos ajudar outros que ainda estão presos e confusos. A alma não acalenta outro desejo senão ter infindáveis companheiros de folguedos, destemidos e alegres em sua jornada para o lar.

> Não é nossa tarefa consertar o mundo inteiro de uma vez, mas sim esforçar-nos para consertar a parte do mundo que está ao nosso alcance. Qualquer pequena coisa que uma alma puder fazer para ajudar outra alma, para auxiliar alguma parte deste pobre mundo sofredor, ajudará imensamente. Não nos é dado saber quais os atos — e quais os seus autores — que farão a massa crítica pender para um bem duradouro.
> **Clarissa Pinkola Estes**

Acredito que veremos um momento em que várias antigas estruturas cairão por terra — *bam! bam! bam!* —, umas logo atrás das outras, e milhões de pessoas entrarão juntas na fase do desprendimento e de "só ser". Ao mesmo tempo, haverá um aumento do número de pessoas iluminadas cuja vida é estável e cuja criatividade é aberta e ativa. A massa crítica dessas pessoas conscientemente cheias de alma terá o poder de catalisar a realização pessoal de um vasto número de outras pessoas. Em meio à dissolução do obsoleto surgirão inovações e avanços miraculosos, crescendo como plantas novas pelas brechas do cascalho. Isso promete ser drástico e emocionante. Mas, enquanto isso, *neste* momento-agora, depurar-nos não é tão sublime nem glamoroso; nós só precisamos estar presentes, continuar caminhando e continuar escolhendo a sensação da frequência original da realidade da alma, criando o hábito inquebrantável de estar em sintonia com o processo amoroso da evolução.

Não há problema em relaxar e rir de tudo isso

Recentemente, conversei com Liv, uma assistente social, sobre o medo e a negatividade que muita gente está sentindo. Ela me disse que as pessoas com que trabalha estavam usando a última nevasca terrível como desculpa para pôr para fora sua sensação de pânico e vitimização. Por ser alguém que lida todo dia com dor e sofrimento reais, achava que algo deveria estar errado com ela porque a única coisa que queria fazer era rir. Todos os dramas a divertiam, e ela estava se sentindo constrangida com essa reação "perversa". Tinha de correr para sua sala para evitar ofender alguém. Já passei por uma coisa parecida: quanto mais pioravam as notícias, mais alegre eu ficava. Minha vida parecia leve enquanto as pessoas ficavam semanas de cama por causa de gripe, eram obrigadas a se mudar ou trocar de emprego, ou atravessavam um divórcio difícil. Como isso é possível? Como podemos nos sentir mais limpos e felizes enquanto o mundo parece entrar na parte mais densa e desesperadora do processo de transformação? Somos insensíveis ou simplesmente malucos?

Essas sensações não são raras ultimamente entre as pessoas que estão num caminho espiritual e trabalham com a transformação há algum tempo. Relaxar não quer dizer que a compaixão desapareça; na verdade, ela aumenta drasticamente. Mas quer dizer, sim, que conhecemos a importância de diluir o pensamento negativo e que, à medida que personificamos a alma, fica bem mais fácil ver quando os outros estão presos na consciência de vítima e nos dramas presunçosos do ego. As duas realidades — lucidez e confusão — se tornam bem mais distinguíveis à medida que a distância entre elas aumenta. Conseguimos ver e sentir o sofrimento das pessoas, e também conseguimos ver como a mente delas toma o sofrimento como algo importante ou específico, em vez de identificar-se com sua bela alma. Às vezes, quando enxergamos da perspectiva certa, todo o drama humano em relação ao verdadeiro escopo da alma parece inteiramente hilariante, como uma piada cósmica. Talvez essa seja nossa forma de liberar a tensão de ter definido a jornada humana por muito tempo como terrível e de retornar à simplicidade de ser.

Se encontramos momentos para boas risadas (não da vida, mas com a vida), sem dúvida é bom aproveitá-los e brilhar diante dos que estão por perto. Sem dúvida é bom ficar com a verdade e convidar os outros a reunir-se a ela. Não é preciso sentir culpa por nos sentirmos limpos e bons. Não é preciso nos distanciar dos que sofrem — por mais arrasador e cruel que isso pareça. Os maiores presentes que podemos dar a eles são um coração aberto e uma atenção interessada, além do real conhecimento acerca de como mudar realidades.

Afinal, o que é mesmo a iluminação?

Vendo o mundo tão cheio de emoções negativas e vibrações baixas, é difícil imaginar que possamos estar perto de um estado de percepção iluminada. Caso tenhamos recaído em frustração, irritação, exaustão ou depressão — ou se o principal foco estiver na família, na saúde ou na carreira —, todo o conceito de realização pessoal ou iluminação pode parecer ridículo ou "remoto", seja em distância ou tempo. Talvez isso seja a última coisa que nos passe pela mente, mas garanto que é a primeira preocupação de nosso coração e alma. Quando as defesas baixam por excesso de exaustão e a mente não está no controle, talvez simplesmente passemos para o nível seguinte do eu: um estado de percepção transparente em que nada interfere com a expressão de nossa alma.

O grande mestre budista Dogen disse: "Não pense que você necessariamente se aperceberá de sua própria iluminação". Talvez isso se deva ao fato de o estado de iluminação não ser considerado um destino final, mas sim um caminho contínuo em que a meta recua e se expande à medida que nos aproximamos dela. Iluminação é uma palavra que, ao longo da história e principalmente no Ocidente, teve de ser usada com parcimônia por medo de perseguição por charlatanismo ou heresia. No Ocidente, há o conceito de *salvação*, no Oriente há o *nirvana, satori* ou *mukti/moksha*, e no Islã o Alcorão fala de um alto estado chamado *alma em paz*. Desconfio que poucos de nós tenhamos uma ideia clara do que esses termos significam ou de como o estado de iluminação espiritual — e não só mental — na verdade *é*. Como poderíamos mudar quando nos acostumamos a viver no corpo nas frequências mais altas? Os místicos de todos os credos provavelmente chegam mais perto dessa experiência por meio da fusão direta com o Divino.

A iluminação ou realização pessoal é muitas vezes definida como "despertar" para uma divindade interior e ter uma percepção de um eu autêntico e "verdadeira natureza". O eu da personalidade cotidiana e a experiência da dualidade se desvanecem, de modo que nos reconhecemos diretamente como consciência pura. Sentimos uma paz de espírito que não tem anseios, raiva nem outros estados "aflitivos" que causam sofrimento e conhecemos a união com tudo o que é, ou seja, uma Divindade amorosa e eterna. No estado de iluminação, a Mente, com todas as suas interrupções abruptas e sua tendência ao conflito, continua lá, só que não nos identificamos com ela: em vez disso, a vemos "representar". William Blake incutiu muitos sentidos em sua descrição simples da iluminação quando disse que ela era "assumir total responsabilidade por sua vida".

Alguns de nós podemos confundir a iluminação com a *ascensão*, que é quando a frequência do corpo se eleva tão rápido que ele desaparece da realidade física. No Ocidente, diz-se de Enoque, bisavô de Noé, que "andou com Deus, e não apareceu mais, porquanto Deus o tomou". Hércules, por sua vez, foi levado ao céu e transformado em deus por Zeus. A doutrina cristã prega que Jesus ascendeu corporalmente aos céus quarenta dias após sua ressurreição. No Oriente, há "mestres ascensionados" — a teosofia os chama de "mahatmas" — que aparecem e desaparecem quando querem ao longo do tempo de muitas formas distintas. Talvez, à medida que muitos de nós nos tornarmos iluminados ou realizados — o que estou chamando de *transparentes* ou inteiramente feitos de luz límpida —, descubramos que temos a capacidade de ascender e descender pelos reinos, levando conosco nosso corpo físico, se assim quisermos. À medida que apreendermos plenamente os princípios da materialização e desmaterialização da realidade física, talvez "ascender" não seja tão difícil assim.

> Quando olho para dentro de mim e vejo que não sou nada, isso é sabedoria.
> Quando olho para fora e vejo que sou tudo, isso é amor.
> Minha vida gira entre uma e outro.
> **Sri Nisargadatta**

Como poderia ser a iluminação para nós, "gente comum"?

Perguntei a um amigo que entende do tema se queria ser iluminado e, para minha surpresa, ele ficou em cima do muro e não me disse o que realmente acha da ideia. Ele parece considerar o conceito presunçoso e definitivo demais, como se a iluminação acarretasse tanta responsabilidade que ele talvez não estivesse à altura dela. Então eu lhe perguntei o que a iluminação significava para ele e como achava que seria viver *após* tornar-se iluminado. Ele riu e disse que provavelmente não seria muito como a vida *dele*. Disse também que não temos muitos modelos do que é a iluminação porque os iluminados devem viver em cavernas, meditando para manter o mundo de pé, ou passar direto por nós nas ruas, de modo que nunca os vemos em ação. Além disso, a seu ver as pessoas acham que a iluminação é uma experiência de pico na qual somos envolvidos por uma luz branca, ouvimos anjos cantarem, recebemos toda a sabedoria coletiva do universo de um só golpe e nos tornamos santos para todo o sempre. "E, aí, quem seria seu amigo?", perguntou brincando.

"Mas o que acontece no dia seguinte à iluminação?", insisti. Meu amigo pensou e respondeu o seguinte: "Eu provavelmente faria muitas das mesmas opções que faço agora, só que não me preocuparia. Não duvidaria de minhas capacidades nem de minha orientação ou de meus impulsos criadores. Eu tenderia naturalmente à visão amorosa e à solução que beneficia a todos, em vez de escolher a punição ou o sacrifício. Eu não acharia que o mundo é injusto; compreenderia o benefício e o sentido oculto dos fatos e viveria uma vida simples. Tudo seria apenas mais simples". Como isso é verdade! Não tão diferente, mas muito diferente. Imaginar a iluminação é um pouco como nos imaginar como a pessoa mais rica da terra ou um ser imortal. Parece algo muito distante de nosso modo de pensar habitual. No entanto, por ironia, talvez não seja tão diferente assim — simplesmente saberemos quanto é ilimitado.

Estou convencida de que, a despeito da horrível negatividade do mundo, a experiência da transparência ou lucidez espiritual se tornará comum; quando mais gente estiver passando pelo processo de transformação, será cada vez mais fácil para todo mundo. Viver e repousar em nossa frequência original pode soar como se fosse uma coisa banal, mas a experiência de efetivamente mudar essa frequência para esse tom unificador é poderosíssima e pode nos transportar ao estado do céu na terra.

Há caminhos yang e yin para a iluminação

Há muito tempo tenho uma certa compreensão da obtenção do crescimento espiritual que difere da adotada pelas principais religiões do mundo. Talvez eu esteja consciente disso porque a Era da Intuição está promovendo um novo equilíbrio entre a percepção e a energia yang-masculina e yin-feminina. Historicamente, acho que o mundo não tem questionado a visão do crescimento espiritual que se baseia em grande parte na experiência dos homens quanto a como este funciona com sua compleição fisiológica e química cerebral. Acho que as mulheres têm uma experiência diferente do processo. Não digo isso por nenhum tipo de feminismo ou anseio de dissensão, mas sim porque sinto que uma visão mais abrangente está se abrindo para nós e que, se reconhecermos como o corpo e o cérebro das mulheres entendem o universo e a iluminação, contribuiremos para elaborar uma realidade mais ampla. Combinando as visões yang e yin, poderemos encontrar um meio unificado pelo qual todas as pessoas, independentemente de sexo, possam atingir os mais altos níveis de percepção.

Para resumir, pelo fato de seu cérebro ter menos fibras que conectem os hemisférios esquerdo e direito, os homens tendem a perceber o mundo de uma forma não inclusiva, unilateral (um lado do cérebro de cada vez). Isso lhes confere aptidão natural para a análise e a compartimentalização. A intuição do hemisfério direito é um modo que eles muitas vezes precisam ativar intencionalmente. Portanto, tem sentido que os homens naturalmente entendam o Divino por meio da separação; seu caminho é estar no mundo, e não ser do mundo. A realização pessoal masculina baseia-se geralmente na abstinência das "tentações" físicas, na contemplação e no estudo, na cerimônia física estruturada, na cessão da vontade pessoal a um mestre e no isolamento monástico. No Zen, por exemplo, todas as coisas do mundo são tratadas com neutralidade, como "nada especial/tudo especial". O céu — a Terra Pura — é a meta que está "acima e fora", além deste mundo.

As mulheres, por outro lado, têm muitas fibras conectando os dois hemisférios cerebrais, o que lhes confere a capacidade de perceber de uma forma inclusiva, na qual a separação das pessoas e do mundo — e até entre pensamento, emoção e espírito — é intrinsecamente difícil. As mulheres desabrocham com relacionamentos, conversa, ternura, fusão, sentimento e intuição. Tem sentido que seu caminho para a iluminação seja "penetrando e infiltrando-se" no mundo, pela matéria, por meio de tudo o que diz respeito ao humano. As mulheres tendem a conhecer os mundos, sejam físicos ou não físicos, como partes do próprio corpo. Elas *são* o mundo. A vida consiste em assistir e cuidar, já que é muito fácil sentir a dor alheia. Para as mulheres, a iluminação não é uma meta à parte; é o lugar de onde, no fundo, elas vêm.

Na Era da Intuição, parece-me que por fim a humanidade como um todo está conseguindo levar sua forma singular de percepção a desabrochar plenamente. Como seres humanos, temos um potencial especial porque somos dotados de sensibilidade consciente e livre-arbítrio: podemos desenvolver ao enésimo grau nossa capacidade de sentir até que sentir se transforme nas emoções iluminadas da empatia e da compaixão e nós intuamos nosso caminho para a fusão com nossa Fonte. Como o sentimento e a sensibilidade estão relacionados ao corpo, nossa percepção dos reinos invisíveis pode ser mais real e pessoal. Isso significa que podemos concluir nosso "experimento evolucionário" de ser indivíduos realizados vendo-nos conscientemente como mini-hologramas — ou microcosmos — do Divino.

Quando somos sensíveis, nos relacionamos com tudo o que há no mundo, incluímos e integramos, mais ou menos como quando comemos. À medida que digerimos nossas experiências, recebemos o valor alimentício divino que há em tudo. À medida que incluímos tanto o luminoso quanto o sombrio, cada nova parte nos ensina e expande, tornando-se parte da luz límpida de nosso campo pessoal. O conhecimento passa a ser pessoal, a complexidade se simplifica, a dissonância se harmoniza e sentimos afinidade com todas as formas de vida. Diferentes visões de mundo se fundem para formar uma verdade maior. Por fim, nos tornamos tão inclusivos que desistimos de nos definir. O Divino se torna nós, e nós nos tornamos ele. Conhecemos nossa identidade superior recebendo tudo; tudo é sagrado na condição humana.

> O humano e o divino serão idênticos quando reconhecermos
> a divindade na humanidade.
> **Ernest Holmes**

Tanto o caminho yang para a iluminação quanto o caminho yin funcionam, mas há um caminho que funciona igualmente bem para todas as pessoas, que é o do Coração. Embora os cérebros e os hormônios possam diferir, todos os corações funcionam do mesmo modo. Ser afetivo e centrado no coração significa que estamos em uma frequência original, o que nos permite conhecer o mundo por meio do sentimento e também nos propicia *insights* lúcidos e sábios. O coração é como uma porta para a unidade.

Experimente isto!
O que mais você pode incluir em seu mundo?

1. Durante apenas um minuto, pense em coisas desagradáveis, coisas em que não gosta de pensar. Relacione uma dezena delas. Observe a carga negativa que você tem em relação a cada uma e retire a resistência das ideias e imagens. Deixe cada uma ser uma parte natural do mundo e de seu mundo. Deixe que cada coisa esteja disponível como realidade opcional para quem quer que precise vivenciá-la. Depois a ame e seja gentil com ela.

2. Agora, durante um minuto, pense em coisas que parecem bem além de sua compreensão, realidades muito pouco convencionais ou quase incompreensíveis. Relacione uma dezena delas. Observe a carga de "indisponibilidade" que você tem em relação a cada uma e retire a resistência das ideias e imagens. Deixe cada uma fazer parte do mundo e de seu mundo. Deixe que cada coisa esteja disponível como realidade opcional para quem quer que precise vivenciá-la. Depois a ame e seja gentil com ela.
3. Sinta as novas realidades que incluiu em seu mundo, como poderiam ser úteis e como são simplesmente experiências que almas eternas poderiam ter curiosidade de viver. Deixe que essas coisas sejam parte de você, sinta quanto está mais relaxado e expansivo e a quanto mais de si tem acesso agora porque não está preso à resistência.

Você descobre uma compreensão expandida da empatia e do coração

Quando se chega às fases finais da transformação, uma decorrência natural é a preferência por um nível refinado de empatia — uma *ressonância empática* — como modo de percepção. Quando estamos em nossa frequência original, intuindo o mundo com sensibilidade consciente e sem motivações secretas, nos tornamos extremamente empáticos. A empatia é muito mais do que se diz na definição típica: sentir a dor alheia. Ela transmite informações acerca de como é *ser* a pessoa que acaba de perder o marido ou de ganhar na loteria, ou ser aquele jardim de grama crescida ou aquele belo pêssego maduro, pronto para ser colhido. Empatia é conhecimento direto por meio de vibração; é sensibilidade filtrada pelo coração.

À medida que evoluímos, o coração se torna literalmente um novo centro cerebral. O Institute of HeartMath descobriu que o campo eletromagnético do coração pode desempenhar um papel importante na transmissão de informações fisiológicas, psicológicas e sociais entre as pessoas. Seus experimentos revelaram que as ondas cerebrais de uma pessoa sincronizam-se com a pulsação cardíaca de outra. Os pesquisadores inferiram que nosso sistema nervoso funciona como uma antena que reage aos campos eletromagnéticos produzidos pelos corações dos outros. Curiosamente, eles também descobriram dados que indicam que o campo eletromagnético do coração está envolvido na percepção intuitiva, que tanto o coração quanto o cérebro recebem informações sobre acontecimentos futuros antes que estes de fato ocorram e que ambos reagem a essas informações. O coração parece receber as informações intuitivas antes do cérebro. Essas são informações científicas emocionantes que começam a corresponder ao que já sabemos por experiência.

A empatia nos ajuda a evitar as opções nocivas à vida que fazem o coração se contrair. Por exemplo, uma pessoa faz mal a si e a terceiros quando exclui alguém de sua vida porque está furiosa com essa pessoa, quando justifica um mau hábito por ter medo de enfrentar uma lembrança ou quando se recusa a experimentar coisas novas por insegurança. A empatia nos alerta para essas obstruções e reabre o fluxo da energia. Ela é também uma grande força terapêutica porque nos ajuda a ver além da definição de indivíduo isolado e frágil. Ela penetra diretamente na dor e, por meio do amor, a volatiliza, dissolvendo a separação.

> Quando você ama alguém, seus cílios sobem
> e descem e saem estrelinhas de você.
> **Karen, 7 anos**

A empatia bem pode ser nossa maior capacidade humana, uma aptidão nata para sentir a alma que existe em todas as coisas. Ela nos ensina sobre as pessoas e o mundo aumentando a inter-relação pessoal. Quando usada regularmente, ela nos leva a uma compaixão profunda e duradoura. Na próxima vez que falarmos ao telefone com um representante sem rosto do serviço de atendimento ao cliente, procuremos sentir como foi o dia dele. Depois, falemos com ele como se de fato o entendêssemos. Ambos se sentirão bem melhor. Ou, na próxima vez em que estivermos com um amigo ou uma pessoa querida, podemos ver o que acontece quando os dois se concentrarem intencionalmente em ser empáticos um com o outro ao mesmo tempo. É uma experiência incrível que promove uma profunda sensação de gratidão e carinho um pelo outro.

Experimente isto!
Concentre-se em seu coração

1. Este exercício o ajudará a alterar seu campo pessoal por intermédio da força da concentração. Quando você concentra a atenção em uma coisa, há um fluxo imediato de energia sutil. Concentre-se em seu coração físico e perceba o fluxo de energia em sua direção. Associe a

essa atenção a sensação de gratidão; sinta-se grato enquanto se concentra em seu coração. Você pode sentir gratidão por seu coração estar cumprindo sua tarefa, por seu corpo e por muitas coisas e pessoas de sua vida. À medida que for perscrutando e agradecendo, mantenha-se concentrado no coração.

2. Deixe que a sensação de gratidão se intensifique. Que dádivas impressionantes você recebeu! Deixe que a sensação de gratidão se intensifique ainda mais até quase chegar ao êxtase, até você achar que não consegue contê-la. Deixe que ela transborde e se derrame por seu campo pessoal. Fique com ela e entre nela. Continue concentrado no coração. Deixe-o intensificar-se e reavivar-se cada vez mais. Você está estabelecendo um padrão harmônico que ressoa de acordo com a frequência da evolução acelerada. Se fizer isso muitas vezes, você vai aumentar tremendamente sua vibração pessoal.

A empatia do universo, quando perpassa a alma, permite que as mais profundas necessidades sejam atendidas, perfeitamente, em todas as situações. Isso me foi demonstrado há pouco quando falei com uma cliente que queria uma consulta e insistiu agressivamente para que fosse atendida de imediato, pressionando-me a mexer em minha agenda para recebê-la naquela mesma tarde — o que, aliás, eu fiz. Uma hora depois, ela me telefonou novamente para desmarcar o horário, dizendo simplesmente: "Não tenho nenhuma pergunta agora, de modo que provavelmente este não é o melhor momento para ter uma sessão". Eu disse: "Tudo bem", balancei a cabeça e, em vez de ficar irritada, pensei com meus botões que ela deveria estar muito aflita para ser tão insensível, que as coisas sempre acontecem para o bem e que ela deveria saber — ou acabaria sabendo — do que precisava.

Menos de vinte minutos depois, outra cliente telefonou — uma cliente com quem eu já trabalho há anos. Ela havia acabado de meditar e intuitivamente sentiu que deveria perguntar-me pelos livros que estava lendo para indicá-los como possíveis recomendações para seu clube de leitura. Minhas sugestões não se prestavam a seu grupo e, brincando, eu lhe contei a história da mulher prepotente que cancelara a sessão abruptamente. Ela então disse: "Bom, por que não fazer uma leitura? Sim, é isso que vou fazer. *Na verdade, não tenho nenhuma pergunta agora, mas provavelmente este é o momento certo para ter uma sessão!*" Essas eram quase as mesmas palavras que, apenas minutos antes, tinham sido usadas para justificar uma realidade completamente oposta! A vida estava me mostrando o poder da empatia. Pelo fato de ter aberto o coração e sido gentil com a primeira mulher, o universo fora gentil e generoso comigo de um modo tão evidente que eu não poderia deixar de perceber.

A compaixão é a nova força evolucionária

A meu ver, a compaixão é ligeiramente diferente da empatia: a empatia está ligada à sensibilidade e à sensação de unidade, ao passo que a compaixão é uma compreensão mais ampla e abstrata que sabe que o amor está no âmago de todo ser e toda situação. Acho que veremos a empatia e a compaixão mudarem de fato a constituição de nosso corpo, fortalecerem nosso sistema imunológico contra toxinas cada vez mais agressivas do ambiente e talvez até mudarem nosso DNA para que não sejamos tão suscetíveis às doenças e ao envelhecimento. Prevejo que não tardaremos a ver a compaixão superar a competição como o principal método evolucionário da terra. A sobrevivência deixará de basear-se no arcaico princípio da destruição dos mais fracos pelos mais aptos para se basear em nossa compreensão dos corações de nossos vizinhos nesta nossa espaçonave chamada terra. Viver uma vida compassiva é *necessário* para que o mundo evolua. Esse tipo de percepção nos permite perceber nossas semelhanças — em especial, quanto nossas diferenças e sofrimentos são parecidos — e isso nos ajudará a acabar com as guerras, evitar a devastação do meio ambiente e descobrir nossa verdadeira natureza.

O microbiologista Bruce Lipton afirma que o coração de uma célula não é seu núcleo, mas sim suas paredes externas. Os receptores presentes nessas paredes permitem que ela interaja com o ambiente e, de acordo com Lipton, quando a célula percebe que o ambiente é favorável, esses receptores se abrem para alimentá-la. Quando percebe perigo, ela fecha os receptores. As células só podem funcionar de um modo ou de outro: crescimento ou proteção. A extensão lógica disso é que, vivendo com medo, promovemos um estado geral de fechamento e ausência de crescimento, ou evolução bloqueada, em nosso próprio sistema. Cultivando o amor, a empatia e a compaixão, nos aproximamos da transformação e da transparência.

Também há estudos que sugerem que a molécula do DNA é cercada por um campo de energia que alguns cientistas chamam de "energia fantasma ou energia sombra" do DNA. Curiosamente, ele continua agindo até mais de um mês após a remoção do DNA do corpo. Os cientistas especulam que essa energia *preexiste à formação do DNA* e na verdade o cria. O que ela poderia ser?

Será que faria parte de um roteiro interior, de uma vibração pessoal ou da frequência original da alma? As pesquisas do HeartMath mostram que o DNA reage à projeção de fortes emoções mudando de forma. A gratidão e o amor fazem as fitas de DNA relaxarem, se distenderem e se alongarem. A raiva e o medo fazem o DNA se contrair, se encurtar e desligar muitos de seus códigos. Portanto, se reage à compaixão, será que o DNA não poderia evoluir além das doenças e do envelhecimento à medida que os conhecemos?

Experimente isto!
Faça a compaixão e o amor fluírem em você

Em circunstâncias diversas ao longo dos próximos dias, pense em si como alguém que dá e recebe amor. Olhe ao seu redor e seja uma testemunha neutra da energia básica do amor que dá forma a você e ao mundo que o/a cerca. Veja-a e sinta-a em toda parte. Aceite, perdoe e seja incondicional em sua misericórdia durante alguns minutos. Inspire o amor por todas as células e deixe-o permeá-lo, tocando cada parte de você e iluminando-o. Depois deixe que o amor siga seu curso, dando-o generosamente aos outros. Nos momentos difíceis, pergunte: "Onde está o amor agora?"

Conhecendo a alma das pessoas e encontrando seu grupo anímico

Ser empático contribui para que conheçamos as pessoas de modo mais profundo. Pelo simples fato de voltarmos a atenção para uma pessoa e estar com ela, sentiremos os pontos vulneráveis dela, o que ela evita, como, o que precisa e como poderia curar-se. Entenderemos as mais profundas motivações, lições de vida, talentos e bondade essencial. Ontem mesmo olhei nos olhos de uma mulher muito velha que saía lentamente de um restaurante com seu andador e imediatamente vi um filme em câmera reversa em que a via com a aparência que tinha em cada idade até antes de aprender a caminhar. Naqueles poucos segundos, senti amor por ela. É fácil ficar frustrado e irritado porque as pessoas tantas vezes optam por ter medo, continuar na ignorância e não se ver — e quando o fazem, elas não lhe oferecem o que têm de melhor. Quando isso acontece, é preciso efetuar uma pequena mudança de perspectiva: vê-las da forma mais sublime que podemos e "agir como se" elas fossem assim. Na maioria das vezes, descobriremos que elas se colocarão à altura da visão que temos delas.

Quanto mais respeitar as pessoas como almas, mais conseguiremos considerar as diferenças interessantes e valiosas. Nós nos sentiremos ligados a gente de quem nunca pensamos gostar. À medida que descobrirmos semelhanças com mais pessoas, compreenderemos a natureza profundamente cooperativa de almas que trabalham juntas em grupos visíveis e invisíveis. Todos nós pertencemos a um grupo de almas que são paralelas a nós em desenvolvimento — a um *grupo anímico* — que, nos termos da física, na verdade é um campo ressonante de percepção baseado em uma determinada frequência de energia. O grupo anímico, então, é um aglomerado de seres que evoluíram para uma frequência comum, o que significa que eles geralmente têm filosofias, níveis de conhecimento e motivações que correspondem. Essas pessoas afins podem parecer irmãs ou ter criações, interesses, transições de vida, metas ou até nomes parecidos. Elas podem ser amigas, familiares, colegas ou seres não físicos de dimensões superiores. Quando as encontramos, sentimos um profundo alívio ou emoção; sentimos que já as conhecemos e naturalmente *queremos gostar delas*, não importa o que aconteça.

> Do ponto de vista global e cultural, estamos vivendo uma iniciação. Estamos saindo da jornada do herói e da heroína [...],
> esse processo de individuação. Está ocorrendo uma iniciação ou mudança arquetípica na qual estamos começando a jornada da parceria
> ou a jornada da tribo. A jornada da parceria [...] requer o espírito da cooperação e da colaboração [e] requer também que aprendamos mais acerca da liderança coletiva e da sabedoria coletiva.
> **Angeles Arrien**

Muita gente acha que a família em que nasceu não é sua família "de verdade". Essas pessoas sentem intuitivamente que têm outra família — uma família espiritual — e estão sempre se perguntando baixinho: "Onde está minha gente?". Quem já não encontrou alguém que juraria já conhecer, alguém que compartilha das mesmas ideias e tem uma busca semelhante na vida? Nós e os que fazem parte de nosso grupo anímico estamos em tanta sintonia com a mesma frequência original que é fácil achar que somos almas gêmeas, irmãos de alma e membros de uma família espiritual. O simples fato de contemplar a ideia de pertencer a uma família espiritual ou grupo anímico nos propicia muito consolo. Ajuda saber que não estamos sós, que há pessoas sábias que nos conhecem e estão prontas a dar-nos apoio. Se pedirmos para saber quem está em nosso grupo anímico, começaremos a notar quais as pessoas que reúnem as qualidades para tal, não só aqui neste mundo, como também em sonhos.

Independentemente de o conhecermos ou não, independentemente de onde ele estiver, quando imaginamos um grupo anímico, ele imediatamente *nos* imagina. No campo unificado, não há dilemas como o do ovo ou da galinha; a atenção é simultânea e flui nos dois sentidos. Criamo-nos um ao outro ao mesmo tempo e criamos igualmente uma experiência mútua. Se algo for iniciado, é causado por todos os participantes. Imaginando um grupo anímico, podemos ter intercâmbios imaginários muito úteis. Depois que começarmos a transformá-los em realidade na mente, não será surpresa se logo, logo aqueles que estiverem na mesma sintonia de repente começarem a nos chamar, a aparecer à nossa porta ou a cruzar nosso caminho.

Quando comecei este livro, sabia que o processo da escrita me levaria a novos territórios e que precisaria de orientação para encontrar *insights* e entender novos conceitos. Fiz questão de imaginar meu grupo anímico e todos os escritores espirituais interessados nestes tópicos todos os dias, pedindo-lhes que se juntassem a mim num processo colaborador de escrita. Quando empacava, eu os invocava dizendo: "Oi, pessoal! O que estamos tentando dizer aqui? Quais são as palavras certas?". E todas as vezes o fluxo recomeçava de um lugar mais centrado.

Em breve, você adotará o companheirismo e seu papel na mente grupal

Trabalhando com o grupo anímico, começamos a praticar o companheirismo; *sentimos* a extasiante cooperação entre todas as almas. Realmente entender o companheirismo significa deixar de considerar-se separado do mundo e se abrir para influenciar e ser influenciado por todos, estejam eles perto ou longe e sejam amigos ou inimigos, físicos ou não físicos. Significa que *sabemos* que o crescimento dos outros torna as condições mais fáceis para nós e que a lucidez também os ajuda. O companheirismo se baseia na comunhão consciente, mútua. Somos o protetor de nossos irmãos e eles são nossos protetores. Aprendemos que, quando atendemos às necessidades alheias, as nossas também são magicamente atendidas. A ideia é tratar o outro como se ele *fosse* a gente e imaginar bem detalhadamente como seria viver no corpo dele e ver a vida por meio de seus olhos. Depois imaginemos que outras pessoas estão se colocando em nosso lugar para fazer o mesmo.

Podemos então sentir quanto nós todos aparecemos na imaginação uns dos outros. As experiências grupais criam-se para que as necessidades de todos sejam atendidas pelos atos de todos, de tal modo que a criação conjunta dos destinos constitui uma façanha impressionante de engenharia espiritual. Quando vemos a perfeição demonstrada na natureza pelas diversas formas de vida que existem num ecossistema, por exemplo, compreendemos que o que é preciso está sendo fornecido pela simples existência de todas as demais formas.

Experimente isto!
Abençoe alguém ou algo

Quando percebermos o verdadeiro efeito do direcionamento da energia e do pensamento positivo por meio da atenção concentrada, veremos que "a arte da bênção" é um método muito eficaz para ajudar a curar pessoas e coisas que estão desarmonizadas. Pensemos em alguém ou na comida que vamos comer na próxima refeição. Por meio da ressonância empática, intuamos a pessoa ou a comida e sintamos a falta de harmonia. Continuemos intuindo cada vez mais, sentindo a alma, o roteiro interior ideal. Concentremo-nos nisso e deixemos que a energia nele se derrame. Enchamo-lo até ver a pessoa ou a comida personificarem o próprio ideal. Saibamos que essa é a verdade. Continuemos em contato com a pessoa ou a comida até que a visão nos dê a impressão de instaurar-se e ganhar vida própria. Lembremos: o idealismo vem da lembrança da realidade e da pureza da alma.

Lembro-me de Tom Peters, o guru da administração, descrevendo o que na verdade era um experimento de companheirismo. Uma empresa entregou de fato os próprios segredos aos concorrentes, transformando a coisa num jogo para que todos "competissem" melhor. As equipes de sua fábrica também se ajudavam umas às outras, mas competiam ao mesmo tempo e, assim, todos evoluíram para um nível superior usando um espírito de diversão e criatividade. Companheirismo significa aceitar a ideia de que tudo o que fazemos serve para aperfeiçoar o outro de algum modo. Com o companheirismo, o mundo quer que ganhemos porque assim todos nós ganhamos. À medida que nosso nível de conforto com o companheirismo aumentar, devemos atentar para os novos avanços em nossos sistemas econômicos. Eles podem começar como metodologias diversas de escambo e evoluir para formas de filantropia e compartilhamento direto em nível global.

Trabalhar com o espírito do companheirismo ajuda-nos a aprender o que é possível por meio da concentração na *mente grupal* — a fusão da percepção de todos os membros de um grupo. Se um grupo sintoniza nossa vibração pessoal com uma só frequência alta e faz perguntas ou busca *insights* criativos para a solução de problemas e a inovação, os "filtros" exclusivos representados por seus membros podem precipitar um novo tipo de gênio que supera a soma das mentes de cada um desses membros. Usando a imaginação em grupos, a mente grupal poderia inventar um novo produto, imaginar um processo de *design* e teste, resolver as imperfeições e ver como ele venderia em distintos mercados e quanto tempo duraria. A mente grupal também poderia entrar em sintonia com o ciclo de vida do produto e ver onde poderiam surgir obstáculos e por quê. Então, quando de fato ocorresse, o processo físico se materializaria com rapidez e facilidade. Há anos tenho uma visão recorrente: grupos de crianças sentadas em círculo em torno de uma mesa, concentrando a mente numa frequência comum, extraindo ideias incríveis para tecnologias futuristas. Continuo esperando ouvir uma nota a respeito nos noticiários.

A vida é divina, é um fenômeno extraordinário, incrível, miraculoso, nosso mais precioso dom. Precisamos cultivar um cérebro global, um coração global e uma alma global. Essa é atualmente nossa tarefa evolucionária mais urgente.
Dr. Robert Muller

Experimente comunicar-se através de tempo, espaço e dimensões

Podemos aprender a mudar nossa frequência para uma oitava mais alta, a ir além deste mundo, para uma dimensão superior, e comunicar-nos com seres não físicos. Para tanto, é preciso saber que a imaginação é simplesmente um espaço mental no qual diferentes tipos de realidades podem ser enfocadas, como o palco de um teatro. Tudo em que nos concentrarmos, tudo em que pensarmos, pode ocorrer no espaço da imaginação. Tudo é experiencial — não só a realidade física, tridimensional, mas também todo o espectro das realidades de dimensões superiores (v. capítulo 2). A alma usa todas as dimensões para criar experiências de aprendizagem que aprimoram sua evolução. Os sonhos e a meditação são as janelas que a personalidade cotidiana usa para perscrutar essas experiências de frequência muito alta, não físicas.

Podemos começar centrando-nos em nossa frequência original, no momento presente, e simplesmente desfrutando do prazer tranquilo do próprio ser. Abramos o espaço da imaginação. Comecemos a pensar num conselho pessoal de mestres e conselheiros espirituais — que pode incluir um cientista intergaláctico e até um ou dois anjos — que nos assista em nossa evolução. Imaginemos todos sentados a uma mesa redonda, como os cavaleiros do rei Artur. Nessa mesa também há um lugar para nós. Imaginemos que nossa frequência aumente, tornando-a inicialmente 10% mais alta, depois 10% mais leve e, em seguida, 10% mais refinada, até atingir a mesma frequência dos seres espirituais e poder entrar na sala e ficar à mesa com eles. Depois imaginemos o desenrolar de uma cena em que fazemos perguntas, discutimos ideias, aprendemos algo que precisamos saber ou recebemos ajuda em nosso fluxo de energia.

Aqui vai outra possibilidade: imaginemos alguém que conhecíamos e já faleceu. Vejamos essa pessoa no espaço de encontro da imaginação. Enquanto a vemos, ela também nos vê em seu espaço de encontro. Em seguida, aumentemos novamente a frequência em incrementos, sentindo-nos cada vez mais leves, melhores e mais transparentes até poder entrar no espaço de encontro com essa pessoa. Olhemos nos olhos dela. Sintamos sua frequência original, seu coração. Provavelmente não será necessário falar, pois ocorrerá entre nós uma transferência telepática de pensamentos. Tudo que precisar ser comunicado será conhecido. Também podemos imaginar um contato com um vulto da história a quem admiremos e com quem gostaríamos de conversar, como Einstein, o Buda ou a princesa Diana.

> Oh, os que tornam esta bela terra um vale de lágrimas
> não fazem senão zombar de nós com uma mentira oca;
> pois se a alma tem imortalidade,
> esta é a infância de anos imortais.
> **Alice Cory**

Praticando esses encontros de outras dimensões com determinadas pessoas, é possível cultivar uma sensibilidade maravilhosamente sutil e instantânea à vibração pessoal de qualquer pessoa e ao que ela sabe. Depressa! Intuamos Madame Curie, Confúcio, Napoleão, Katharine Hepburn, Jesus! Essa capacidade de intuir qualquer pessoa, ideia ou grupo, seja físico ou não, contribui para que se possa sintonizar outras coisas extremamente específicas: por exemplo, como era viver em Londres em 1705, no oeste da China em

1254 ou na África do Sul quando os primeiros humanos migraram para outras partes do mundo. Podemos aprender a viajar no tempo e fazer uma pesquisa histórica por experiência própria. Podemos modular a frequência pessoal para que corresponda à de altos sacerdotes do antigo Egito, à dos aprendizes de Michelangelo ou à de um cardume de golfinhos. Podemos fazer a frequência corresponder à vibração de determinados minerais, plantas, animais extintos ou tipos de música. Quem sabe que segredos não poderiam ser revelados? Caso queiramos brincar com o que seria possível inventar, podemos aproveitar essas ideias para mudar de frequência e descobrir novas fontes de energia e formas de alimentação, medicina e cura, arte, transporte, rejuvenescimento ambiental e ciência.

O que é "normal" na Era da Intuição?

Na Era da Intuição, como aprendemos a expandir a identidade mais do que jamais imaginaríamos, o nível de conhecimento geral agora abrange novas dimensões, que na verdade são faixas de percepção de frequência mais alta. As pessoas têm informações tremendas, detalhadas, tanto sobre o "espaço exterior" quanto sobre o "espaço interior", que as afetam mutuamente por não serem separados. Adoro esta história do místico e poeta alemão Rainer Maria Rilke: certa feita, numa caminhada à noite, ele ouviu um pássaro cantar no silêncio e sentiu como se o canto viesse de algum lugar nas imediações e de dentro de seu corpo ao mesmo tempo. Agora também conhecemos essa simultaneidade e sabemos que o microcosmo e o macrocosmo criam-se um ao outro e evoluem juntos.

Disciplinas distintas, como a arte, a ciência, a agricultura, a religião, a indústria e a política, fundiram-se e tornaram-se infinitamente mais sãs e eficazes. Ficamos exímios em habilidades antes consideradas próprias de uma consciência paranormal ou sobrenatural, como telepatia (a transferência direta do pensamento entre as mentes), teletransporte (a transferência instantânea de objetos no tempo e no espaço), clarividência e precognição (o conhecimento direto através do tempo e do espaço), psicocinese (a capacidade de mover objetos por meio unicamente da intenção), cura espiritual instantânea e regeneração de estruturas físicas a partir de roteiros interiores.

Quando temos uma experiência de suprimento, possibilidade e permissão ilimitados, a criatividade voa a alturas inéditas e o avanço da cultura global prossegue à velocidade da luz. Vemos a sociedade transformar-se positivamente de maneira paralela ao nosso crescimento, já que muitas pessoas estão vivendo esses destinos simultaneamente. Como nos tornamos um *expert* em ajustar a frequência, fazendo-a subir e baixar na escala, não parece irrealista admitir seres de outras dimensões, épocas e realidades paralelas como a família nem trabalhar produtivamente com eles para criar um mundo melhor. É possível ensinar e entreter a nós mesmos com a capacidade de viajar na imaginação e de materializar e desmaterializar coisas no mundo. Aproxima-se o momento em que não teremos mais morte nem nascimento; como muitos outros, poderemos entrar e sair do mundo por meio de ascenso e descenso. Muitas coisas incríveis nos aguardam num mundo transformado.

Reconheça a visão da mente e a visão da alma

Uma amiga me telefonou outro dia, preocupada com as coisas que ouvira no noticiário acerca da política, da ganância corporativa, da escalada dos preços, da queda nos preços dos imóveis e das toxinas em nossa comida. Ela estava imersa num pânico de baixa intensidade, depois de ter chafurdado nos problemas mundiais, em seus piores desfechos possíveis e nos potenciais efeitos negativos sobre sua família. Sua energia — que geralmente é alegre — fazia lembrar a de um veado paralisado pela luz dos faróis de um carro à noite. Dava para sentir seu corpo tremer, numa reação de correspondência com as baixas vibrações que ela acabara de captar na CNN. "O que vai acontecer?", perguntou ela. "Será que as coisas vão ficar bem? O que podemos fazer?" Eu conseguia solidarizar-me com ela, já que estivera lutando com a mesma coisa e, por alguma razão, acabara de ver uma série de filmes "pesados" sobre países em guerra e as atrocidades que as pessoas estão sofrendo em diversas partes do mundo. Não posso deixar de pensar que o que estou escrevendo pode parecer incrivelmente ingênuo de um certo ponto de vista. Mas, ao mesmo tempo, de outro, é absolutamente real.

O que me peguei dizendo à minha amiga foi: "A única coisa que podemos fazer agora é estabilizar nossa vibração pessoal não nos entregando à sedução do medo, que está invadindo o mundo e tentando saturar o ar que respiramos. É como se houvesse dois tipos de ar — um sujo e tóxico e outro transparente e limpo — e eles coexistissem no mesmo espaço. Temos de optar por ver o ar como limpo e nutritivo e depois tragar essas qualidades a cada inspiração. O importante é manter nosso corpo, nossas emoções e nossa mente vibrando em harmonia com nossa alma e nossos valores espirituais. Aja como se não houvesse nada mais. Se as más notícias tentarem nos puxar para baixo, não deixaremos que o consigam. Não vamos ignorar as notícias, mas não vamos deixar que elas nos esmaguem.

"Ao mesmo tempo, se lhe ocorrer alguma ideia para viver com mais leveza no planeta, ajudar os que precisam ou ser criativo enquanto segue o fluxo do processo de transformação da sociedade, ponha-a em prática, mas com alegria e espírito de generosidade, e não com preocupação. Troque seu desperdiçador de gasolina por um carro mais econômico, compre frutas e verduras produzidos localmente, ofereça-se como voluntário algumas horas por semana em algum lugar que lhe desperte o interesse, vote em candidatos que tenham mais conscientização. Faça o que puder e o que o fizer sentir-se bem — cada um de nós tem uma forma de expressão que vem de nosso destino e se encaixa perfeitamente com o que outras pessoas estão fazendo. Não é preciso sacrificarmos nossa felicidade para fazer o bem no mundo. Se nós apenas 'formos em frente' e nos esforçarmos, o companheirismo desenvolverá o mundo. Nem todos nasceram para ser ativistas políticos — mas, ao mesmo tempo, temos de despertar nos pontos em que nos deixamos hipnotizar pelo consumismo, pela publicidade, pelo governo e pela mídia até a complacência."

> Quando nos libertamos de nosso próprio medo, nossa presença
> automaticamente liberta outras pessoas.
> **Nelson Mandela**

Depois dessa conversa, pensei um pouco mais sobre o assunto. Existe o ponto de vista da Mente e o ponto de vista da Alma. A Mente vê e busca complexidade, problemas e conforto na segurança física e na familiaridade. Essa é a visão curta que reduz a ideia da iluminação a uma coisa ridícula, desejada apenas pelos irrealistas. Essa visão fica na superfície e torna os problemas e o caos que proliferam no mundo numa situação *imensa*, avassaladora e desesperadora que muito provavelmente terminará destruindo o mundo. O caso está perdido, então para que se incomodar? Afinal, as soluções *são tão difíceis de atingir* e *demoram tanto*. Essa é a visão que vê todas as situações como dualistas e gera conflitos *realmente infindáveis* entre o pessoal do "certo ou errado". Ela nos engana apresentando-nos líderes polarizadores poderosos que se concentram em inimigos e crises e que nos absorvem a atenção. Quando nossa frequência corresponde a essa visão, ela parece tão real! Quem pode duvidar dela? Se o fizer, ela lhe dirá que você é ingênuo e burro.

O ponto de vista da Alma, por outro lado, é tranquilo e vê e busca simplicidade, unidade e compaixão. Ela não vê as "terríveis" situações da terra como problemas, mas sim como viradas de onda e movimentos de um ciclo para outro, como sintomas de transformação. A visão da Alma é longa e profunda: ela tem a vantagem da clareza da visão geral, sabendo que não há outra possibilidade para todos os seres senão retornar ao Divino. Ela sabe que resolver "problemas" *só* no mundo da forma é um desperdício de energia, que trabalhar com a vibração e a frequência pode abreviar a evolução e tornar a transformação mágica e quase instantânea. Nada é desesperador e a iluminação está próxima. A alma aceita confortavelmente o paradoxo de que nada precisa mudar *e* de que há coisas importantes por fazer. O movimento para a unidade-percepção é inexorável, e o processo não é linear nem demorado; pode acontecer sempre que você quiser se entregar a ele. A alma não o repreende quando você não escolhe sua visão; ela espera pacientemente, sorrindo e convidando-o a voltar ao lar, ao conforto profundo.

Seja um mestre do amor

Lembro-me de uma coisa dita por John Denver em sua autobiografia: "Se não eu, quem então liderará? [...] Se não eu, então quem?" Talvez alguém não esteja satisfeito com algum aspecto da vida, mas sempre há algo que pode fazer *agora mesmo* para melhorar um pouco as coisas. Pode fazer a própria realidade ser como deseja se escolher sentir a frequência original — o afeto, a misericórdia — em seu corpo, suas emoções e seus pensamentos. Pode terminar a guerra em si mesmo. Boa parte do trabalho da transformação e do tornar-se transparente consiste simplesmente em desobstruir o campo pessoal de energia e percepção. Não dando atenção ao que não vibrar de acordo com nossa frequência original — e, assim, diluindo-o —, poderemos reconhecer-nos como a luz límpida que restar. Encaremos isso como um redirecionamento da atenção, transferindo-a da visão complicada e derrotista da Mente para a visão simples e emancipada da Alma. Mesmo isso é ser um líder.

> Nossa maravilhosa responsabilidade perante nós mesmos, nossos filhos e o futuro é criar-nos à imagem da bondade, pois o futuro depende da nobreza de nossa imaginação.
> **Barbara Grizzuti Harrison**

Há anos interesso-me pelo conceito budista da *percepção hábil:* curar seu próprio sofrimento e não trazer mais sofrimento ao mundo. Acho que os líderes da Era da Intuição serão observadores hábeis e visionários práticos — aqueles cujos pés estão cravados no chão, mas têm o céu em cada célula. Você pode ser um líder, um inventor, um profissional da cura ou um comunicador da verdade. Você pode dar um exemplo para os outros com seu modo de viver e de compartilhar e com aquilo que diz. Você pode ser um porta-voz da alma. "Aqui está meu coração, aqui está minha boca. Aqui estão minhas mãos e meus pés. Leve-me para onde quiser. Que eu diga as coisas que precisam ser ditas."

Em vez de esperar que alguém melhore uma situação, se pensarmos em algo que ajude, somos nós quem devemos fazê-lo. O consciente coletivo nos fez perceber a ideia por uma boa razão. Não tenhamos vergonha de ser idealistas; é uma visão mais sublime vibrando em nós. O verdadeiro trabalho agora, independentemente das tarefas que de fato cumprimos todo dia, é ser um Mestre do Amor, um Demonstrador e um Difusor do Amor. Você está criando-se outra vez agora. Você Nos ajuda fazendo seu campo pessoal vibrar a uma frequência alta e Nos vendo como parte de você. E Nós o estamos ajudando exatamente do mesmo modo. Você e eu estamos crescendo de uma maneira tão incrível que um belo dia, não muito distante, poderemos nos tornar algo que agora mal podemos sequer imaginar. Poderemos tornar-nos a consciência da humanidade — ou até do universo — como um todo e, como o unicórnio místico e mítico do soneto de Rilke abaixo transcrito, nosso Eu ideal poderá vir a ser simplesmente por termos amado o potencial e criado espaço para ele.

O, this was the animal that never was.
They did not know, but loved him anyway:
his smooth neck, graceful movements,
and the quiet light in his eyes.

True, he never was. But since they loved him,
a pure creature came to be. They made space for him.
And in this space, so clear and free and unbounded,
he easily lifted up his head and barely needed
what we call existence.

They nourished him, not with grain,
but always with the possibility of Being.

> *And this endowed the creature with such power*
> *that a horn grew out of its forehead. One horn.*
> *He went to a virgin, glistening white — and there,*
> *inside a silver mirror and inside her, he was.*
>
> **Rainer Maria Rilke,** Sonnets to Orpheus, 2/4
> **traduzido do alemão para o inglês por Rod McDaniel"***

Só para recapitular...

Você já está perto de um estado de transparência, realização pessoal ou iluminação no qual reconhece facilmente a diferença entre a realidade da Mente e a realidade da Alma e sente-se como amor e percepção pura. A transformação vem em ondas falhas e é um caminho, e não um destino final. É possível que você passe a ver a condição humana com mais leveza e também que se torne mais compassivo. Na Era da Intuição, a realização pessoal é uma mistura dos modos yang-masculino e yin-feminino de ver o crescimento espiritual. O caminho do Coração é o caminho que funciona para todo mundo. A empatia e a compaixão, que são os modos preferenciais de percepção do novo coração-cérebro, ensinam-lhe a importar-se com a vida e a sentir o que existe em comum.

> Então qual foi o início de toda a matéria? Existência que se multiplicou pelo simples deleite de ser e mergulhou em inúmeros trilhões de formas de modo a poder encontrar-se inumeravelmente.
> **Sri Aurobindo**

A ressonância empática é uma força de cura que vence o isolamento e ajuda a desenvolver segurança, intimidade e fácil apreensão da verdade. A compaixão superará a competição como metodologia evolucionária. Você está aprendendo a encontrar seu grupo anímico, a mente grupal e os princípios do companheirismo e a trabalhar com eles para tornar-se realmente uma parte do

---

* Numa tradução livre: Oh, este é o animal que não existe./Amaram-no, porém (sem o saber),/na figura, no arrojo, no poder,/e até no brilho de seu olhar triste./Certo não existia: mas o amor/fê-lo puro nascer — sempre um espaço/abriam para ele, e em tal regaço/claro a cerviz ergueu, ansioso por/ser. Não lhe deram nunca outro alimento/senão a possibilidade de viver;/mas tanta força ao animal deu ela,/que brotou nele um chifre. E no momento/em que uma virgem pôde aparecer,/viveu no argênteo espelho e viveu nela. (N. da T.)

consciente coletivo. Na Era da Intuição, você vai poder comunicar-se com os mortos e com seres não físicos, além de viajar pelo tempo, pelo espaço e pelas dimensões. Agora você poderá tornar-se um observador hábil, um visionário prático e um Mestre do Amor.

Mensagem da frequência original

Como explico na seção *Ao leitor,* incluí estes trechos inspiradores ao fim de cada capítulo para que você troque sua forma normal, rápida, de leitura por uma experiência direta de um tipo mais profundo. Por meio dessas mensagens, é possível mudar intencionalmente sua vibração pessoal.

A mensagem abaixo destina-se a transportá-lo a uma forma de conhecer o mundo que se aproxima daquela com que você experimentará a vida na Era da Intuição. Para entrar na *mensagem da frequência original,* basta adotar um ritmo mais lento, menos apressado. Inspire e expire lentamente uma vez e fique o mais calmo e imóvel que puder. Deixe que sua mente fique suave e receptiva. Abra sua intuição e prepare-se para *intuir* a linguagem. Veja se consegue experimentar as sensações e realidades mais profundas que ganham vida *à medida que você ler.*

Sua experiência pode ganhar uma maior dimensão, a depender da atenção que você investir nas frases. Concentre-se em poucas palavras de cada vez, faça uma pausa nos sinais de pontuação e "fique com" a inteligência que está dando a mensagem — ao vivo, agora mesmo — a você. Você pode dizer as palavras em voz alta ou fechar os olhos e escutá-las na leitura de outra pessoa para ver que efeito têm sobre você.

ENTRE NA VIDA SIMPLES SEMPRE

Você está numa jornada longa e tortuosa, subindo a escada mais alta, navegando os mares mais vastos. E, no entanto, está imóvel. Planetas e estrelas nascem e morrem, orbitando em torno de você. Puxada por uma força misteriosa, a estrada corre embaixo de seus pés e desaparece atrás de você. Você está vendo um filme que não para de mudar, um espetáculo de luzes; algo tão estimulante e emocionante que você não consegue desviar o olhar. E você o está criando! Parte de sua engenhosidade finge que você não o está criando, que aquilo vem magicamente do nada. Como você é criativo! E como seu próprio brilhantismo o pasma.

Feche os olhos agora. Feche os sentidos. Saia da estimulação e da instabilidade imprevisível e não siga as ondas que viajam pelo tempo e pelo espaço. Elas não vão a nenhum lugar em que você já não esteja. Sinta sua vibração mudar à medida que a exterior se apaga — luz e cores dissolvem-se em som, o qual se dissolve na minúscula palpitação tátil. Agora isso também acaba, e há imobilidade. No silêncio há uma vibração tão tranquila que não pulsa; não há espaços distinguíveis entre as ondas. Isso é paz. Fique com ela que, voluntariamente, ela se torna mais doce. O estado, consigo mesmo, sorri. Esse sorriso quase imperceptível contém todo o amor e sabedoria do Divino. Ele é o primeiro sinal de radiância, de brilho da alma. Irradiando em silêncio, e sorrindo porque você não consegue deixar de fazê-lo. Isso é você. Sim, é você mesmo.

A vida simples é a única experiência mais real, comum a todos. Ela não é o caleidoscópio; não é o sonho maleável que sempre se dissolve e ressurge. A vida real está no fundo de qualquer momento, e qualquer momento do filme pode levá-lo até lá. Sinta-o: o sorriso quase imperceptível. Sinta-o: o brilho lento e silencioso. Nisso, o conhecimento flutua em você. O amor está em toda parte e é ilimitado. Você não precisa possuir nenhuma parte dele. Você adora deixá-lo derivar livre, todo ele.

Entre na vida simples sempre e pratique permanecer nela até que sua mente esqueça o que o tempo é. Quanto mais tempo você ficar, mais fácil será tê-la como seu lar permanente e eterno. Daqui, sorrindo, você assiste ao filme caleidoscópico, que o convida a aderir e investir plenamente nele. Você adora o filme, mas adora a vida simples inteiramente. Tudo aqui está claro. Conhecendo a simplicidade, você domina as frequências. Você adora as partículas e as ondas, viaja nelas e as abençoa à medida que se movimentam, assim como o conhecimento se movimenta, em você, sem o perturbar, como a borboleta passa num dia de verão, como as nuvens se desmancham e se formam no vento alto. Você está em toda parte e em toda parte: é simples.

Glossário

alma: A experiência do Divino expressa como individualidade; a essência ou força espiritual de vida, própria de um determinado ser vivo, que tem consciência de si mesma e de todos os atos. A consciência interior de uma pessoa, que existe antes do nascimento e continua a viver após a morte do corpo físico.

arrumação da frequência: Processo de descarte das pessoas, situações e oportunidades cujas vibrações não combinam com sua frequência original, liberando-as e substituindo-as por pessoas, situações e oportunidades propícias à expressão de sua alma.

ascenso: Capacidade de alçar a frequência do corpo, das emoções e da mente além da vibração do mundo físico, de modo que o corpo desapareça numa dimensão superior sem morte física. *Descenso* é o processo inverso: o corpo aparece em forma sem nascimento físico.

campo pessoal: A energia sutil que cerca e permeia o corpo físico, a qual abarca o padrão de energia e percepção etérica, emocional, mental e espiritual; a radiância da vibração pessoal de alguém.

campo unificado: Um mar universal de energia e percepção ou presença que subjaz e preexiste à matéria física; um estado, força ou "base de existência" que é a constante absoluta do universo e liga tudo numa só experiência unificada. Os campos gravitacionais e eletromagnéticos, as forças atômicas fortes e fracas e todas as demais forças da natureza, inclusive o tempo e o espaço, são condições desse estado.

capas: Crenças inconscientes e limitantes herdadas dos pais e de outras pessoas importantes na infância, que enfatizam a necessidade de certos comportamentos para a sobrevivência.

cérebro reptiliano: Também conhecido como complexo reptiliano, é a primeira e mais antiga parte do cérebro humano trino, ligada ao instinto, à emoção, à motivação e ao comportamento de lutar ou fugir.

chakra: Concentração de energia sutil que gira como um vórtice, situada principalmente ao longo da coluna; um dos sete principais centros de força espiritual do corpo etérico.

clariaudiência: O sentido interior da audição; ouvir vozes, música e sons sem o auxílio dos ouvidos físicos.

clarissenciência: Os sentidos interiores do tato, olfato e paladar; sentir ou pressentir campos não físicos de energia, entidades desencarnadas ou padrões de conhecimento sem usar o corpo físico; também obter informações tocando objetos.

clarividência: O sentido interior da visão; capacidade de ter visões e ver fatos, do passado ou do futuro, ou informações que não se podem discernir naturalmente por meio dos cinco sentidos materiais. A clarividência médica é a capacidade de ver o corpo humano e diagnosticar doenças, ao passo que a clarividência radiográfica é a capacidade de perscrutar áreas remotas ou fechadas.

combinação ou correspondência de frequências: Processo consciente ou inconsciente de sintonia da própria vibração pessoal com a vibração de outra pessoa visando à comunicação.

compaixão: Uma compreensão penetrante que sabe que o amor está no âmago de todo ser e toda situação. Virtude que dá origem ao desejo de minorar o sofrimento de outrem.

comunhão consciente: Ato de fusão intencional com algo ou alguém, compartilhando de uma experiência comum e sentindo companheirismo ou intimidade.

corpo de luz, corpo de energia: Corpo de dimensão superior que subjaz ou corresponde bastante à forma física, composto de energia etérica e frequentemente clarivisível como luz. Nele, as energias e funções dos chakras são coordenadas, e a saúde e a doença podem ser detectadas como transparência, cores ou sombras.

crista/depressão: A crista é o ponto de virada na fase alta de uma onda; a depressão é seu ponto de virada na fase baixa.

destino: A vida depois que a alma se integra plena e conscientemente no corpo, nas emoções e na mente; a vida de frequência mais alta de uma pessoa. Além de fazer-se acompanhar de talentos ilimitados, fluxo de energia harmonioso e senso de oportunidade perfeito, o destino é fazer aquilo para que "nascemos" e de que mais gostamos.

dimensões: Níveis ou frequências de percepção e energia que avançam do físico para o sutil ou etérico, emocional, mental, espiritual e daí para os níveis do Divino. À medida que a percepção e a energia avançam pelas dimensões, registra-se um aumento da frequência e uma maior unidade.

Divino, o: Um modo não religioso de referência à Divindade, Criador ou Suprema Presença; uma experiência de força, verdade e amor perfeitos e transcendentes — ou Unidade — com o universo.

$E = mc^2$: A fórmula que descreve a percepção de Einstein de que matéria e energia são formas diferentes da mesma coisa. Energia (E) é igual a matéria ou massa (m) vezes a velocidade da luz (c) ao quadrado. A fórmula de Einstein revela a quantidade de energia em que a massa se converteria.

ego: A noção de individualidade que se baseia na separação do todo. Quando a percepção se identifica com o ego, os motivadores são o medo e a autopreservação.

empatia: Capacidade de usar a sensibilidade para sentir-se "com" ou "como" outra pessoa, grupo ou objeto que promove uma compreensão mais compassiva.

energia etérica ou sutil: A frequência de vibração que está um nível acima da matéria; uma forma maleável de energia que funciona como uma espécie de "massinha de modelar" ou roteiro energético da dimensão física.

entrar em consonância com seu diapasão: O ato de imaginar que o próprio corpo e o próprio campo de energia compõem-se da frequência da alma e, em seguida, acionar essa ressonância e imaginar que, como um diapasão, o corpo irradiará a vibração em tudo o que tocar.

Era da Intuição: Período que sucede à Era da Informação, durante o qual a percepção se acelera e a intuição, o conhecimento direto e a sensibilidade têm precedência sobre a lógica e a força de vontade; tempo na terra em que a percepção da alma satura a mente, transformando a natureza da realidade.

evolução: Processo gradual de desenvolvimento, formação ou crescimento, especialmente o que leva a uma forma mais avançada; o crescimento da autoconsciência da identidade como um indivíduo finito à unificação com a infinita percepção divina.

experiência direta: Uma relação viva com o mundo, na qual as situações são vividas imediatamente, sem pausa para análise nem comparação; uma experiência de pleno compromisso com cada ato a cada momento.

fluxo, fluir: O movimento natural, contínuo, fluido, ondular, da vida e de qualquer processo; um estado em que se está inteiramente imerso em pensamento ou atividade e que se caracteriza por uma sensação de concentração energizada, pleno envolvimento e fruição do processo.

fractal: Estrutura geométrica bruta ou fragmentada que é similar à sua subestrutura a qualquer nível de refinamento; ela pode subdividir-se em partes, cada uma das quais é aproximadamente uma cópia reduzida do todo.

frequência: O número de ondas que passa por um determinado ponto num certo período de tempo; a taxa de ocorrência de alguma coisa.

frequência original: A vibração da alma quando expressa por meio do corpo, das emoções e da mente; uma frequência de percepção e energia que propicia a experiência mais precisa possível do céu na terra.

hábitos emocionais prejudiciais: Comportamentos reativos geralmente inconscientes causados pela contração e pelo encerramento da experiência da confiança, do amor e da alegria na infância ou em vidas passadas; comportamentos baseadas no medo que são de baixa frequência e bloqueiam a expressão da alma. À medida que os hábitos emocionais prejudiciais desaparecerem, deixa de haver necessidade de qualquer tipo de hábito emocional; passa-se a reagir espontaneamente aos estímulos que ocorrem a cada momento.

harmonia: A combinação agradável de elementos num padrão que enfatiza as semelhanças e a unidade de todas as partes.

holograma: Uma imagem tridimensional (originalmente gerada por um *laser*); uma explicação da realidade dada pela mecânica quântica que sugere que o universo físico é um gigantesco holograma do espaço-tempo cuja totalidade se encontra em cada uma de suas facetas, o que leva ao conceito de que todos os momentos — passado, presente e possível — existem simultaneamente. Do mesmo modo, todos os lugares existem em toda parte.

iluminação: O atingir de uma total lucidez acerca da verdadeira natureza das coisas e um estado superior e permanente de sabedoria, iluminação ou realização pessoal; o despertar da mente para sua identidade divina; a realização final do caminho espiritual quando a noção limitada do "eu" se funde à suprema consciência.

intuição: Conhecimento direto do que é real e apropriado, em qualquer situação, sem necessidade de provas; percepção verificada quando corpo, emoções, mente e espírito estão em ação simultânea e integrada e, ao mesmo tempo, inteiramente concentrados no momento presente; estado de vivacidade perceptual na qual há uma sensação de contato com todas as coisas vivas e uma experiência da natureza cooperativa e criativa da vida.

intuir: Capacidade de usar a atenção para penetrar numa pessoa, objeto ou campo de energia, fundindo-se com eles e transformando-se neles por um breve instante; deixar que informações sutis se registrem no corpo por meio da sensibilidade consciente, como se o objeto da observação fosse o próprio eu.

karma: Ideia de que o bem e o mal que uma pessoa faz retornam, seja nesta vida ou em vida posterior; teoria segundo a qual todas as energias negativas e positivas emitidas voltam para o emissor.

lei da atração: Ideia de que "igual atrai igual", de que os pensamentos e emoções positivos ou negativos atraem experiências positivas ou negativas em igual proporção; nossos pensamentos determinam nossa experiência.

lei da correlação: Ideia segundo a qual, como o mundo interior e o mundo exterior não são separados, se um pensamento nos ocorre, também está ocorrendo — ou logo ocorrerá — como um acontecimento no mundo. Do mesmo modo, quando algo drástico nos acontece, temos em nós a ideia correspondente que trouxe esse acontecimento à nossa percepção.

luz límpida: A luz límpida é um modo de imaginar a substância da alma que transmite a experiência da pureza, da suprema claridade e transparência, da incorruptibilidade e da iluminação.

materialização: Processo de levar uma ideia à manifestação física. *Desmaterialização* é o processo de dissolução de uma forma física no campo unificado.

mecânica quântica: Ramo da física teórica que explica o comportamento da matéria e da energia a níveis atômicos e subatômicos.

melhores soluções: Respostas e decisões que ressoam de acordo com a frequência da alma e promovem o crescimento de todo mundo e do planeta.

mesencéfalo: Das três divisões primárias do cérebro humano, a divisão intermediária que auxilia no processamento dos cinco sentidos, das percepções de semelhança e inter-relação e do afeto.

metamorfosear-se: Capacidade de promover em si mesmo mudanças físicas, como alterações de idade, sexo, raça ou aparência geral, ou mudanças da forma humana para a de um animal, planta ou objeto inanimado.

neocórtex: O último e mais evoluído nível do cérebro humano trino. Dividido em hemisférios esquerdo e direito, ele está envolvido em funções superiores, como raciocínio espacial, pensamento consciente, reconhecimento de padrões e linguagem.

Observador Interior: A força da alma, às vezes chamada de Espírito Santo ou Revelador, que direciona a atenção da pessoa para que perceba coisas que a ajudem a aprender suas lições de vida e expressar-se com autenticidade.

onda vital: O fluxo natural da vida de uma pessoa, que passa da contração à expansão e traz altos e baixos.

partícula-onda (*wavicle*): Termo criado para descrever a natureza dúplice do comportamento do nível mais elementar da matéria-energia na física quântica. No âmago, matéria e energia podem agir tanto como partícula quanto como onda. O termo também é conhecido como entidade quântica.

pensamento linear: Percepção caracterizada pela lógica de causa e efeito, análise das etapas necessárias à realização de uma meta, ideia de que se precisa repetir o que funcionava no passado para atingir os mesmos resultados no futuro.

percepção equivocada: Compreensão parcial ou errônea do modo como a energia, a consciência e a vida funcionam, que leva ao desenvolvimento de um hábito emocional prejudicial e a sofrimentos desnecessários.

percepção holográfica: Ao contrário do *pensamento linear,* a percepção holográfica é a compreensão de que tudo o que se percebe está no momento presente, dentro do campo pessoal do observador e interligado a tudo o mais, fazendo parte de tudo, sendo consciente de tudo e estando em cooperação com tudo. A percepção holográfica às vezes é chamada de percepção esférica porque se parece com uma bola radiante, expansível e contrátil, em cujo centro está o eu individual; ela também é a consciência de que cada partícula contém a plena percepção de todas as demais partículas, não importando a escala.

princípios de frequência: A dinâmica subjacente ao modo como a energia e a consciência funcionam, especialmente depois que se adquire sabedoria no processo de transformação, a qual pode ser aplicada à melhoria da qualidade da vida cotidiana e à obtenção da iluminação.

projeção: Direcionar o pensamento para o passado, o futuro, realidades fictícias, outros lugares ou as realidades de outras pessoas para evitar viver alguma coisa no momento presente; culpar outras pessoas pelo que não se deseja reconhecer em si mesmo ou ver nos outros traços que não se consegue ver em si.

ressonância: Vibração produzida num objeto devido à vibração de um objeto próximo; a vibração regular de um objeto quando ele reage a uma força externa de mesma frequência. As ondas que vibram com o mesmo comprimento criam ressonância. *Dissonância* é o encontro de vibrações de diferentes comprimentos de onda, criando instabilidade e caos e exigindo resolução.

roteiro interior: Sendo o padrão mais atualizado da finalidade ou visão de vida de alguém, o roteiro interior abrange uma mescla de amor e medo, sabedoria e ignorância, e depende do grau de transformação e crescimento dessa pessoa. Esse padrão energético é que dá origem aos acontecimentos e formas da vida física de cada pessoa.

sensação autêntica: Impressões ou experiência direta de uma pessoa, objeto ou campo de energia registradas no corpo e na mente por meio da sensibilidade consciente.

sensibilidade consciente: A sensibilidade aplica-se tanto ao físico quanto ao emocional e é a força da sensação sentida em relação à força de um estímulo. A sensibilidade consciente é a capacidade de perceber imediatamente estímulos sutis oriundos de fontes físicas ou não e de discernir o sentido enquanto ele se processa.

sinais de verdade e ansiedade: Reações sutis e instintivas de expansão ou contração das emoções e do corpo, às vezes experimentadas por meio dos cinco sentidos, que indicam segurança e verdade ou perigo e ação imprópria.

sincronicidade: Coincidência de acontecimentos que parecem relacionados e podem ser interpretados para encontrar-se um sentido mais profundo na vida.

sintonia: Ajuste da vibração do corpo, das emoções e da mente para que esta corresponda a uma determinada frequência, geralmente de vibração mais alta.

subconsciente: Atividade mental verificada logo abaixo do limiar da percepção, onde todas as experiências são armazenadas como dados sensoriais. Parte de nossa percepção na qual as recordações baseadas no medo são guardadas ou reprimidas.

telepatia: Transferência de pensamentos, sentimentos ou imagens diretamente de uma mente para a outra sem a utilização dos sentidos físicos.

teletransporte: Movimento de objetos ou partículas elementares de um lugar para outro, quase instantaneamente, sem que eles viajem pelo espaço.

teoria dos muitos mundos: Noção da física conforme a qual o mundo se divide, no plano quântico, em inúmeros mundos reais, desconhecidos um do outro, nos quais uma onda, em vez de colapsar ou condensar-se numa determinada forma, evolui, abraçando todas as possibilidades que tem em si; portanto, todas as realidades e desfechos existem simultaneamente, mas não interferem um com o outro.

timbre: Som especial que diferencia uma voz ou instrumento de outros; característica tonal de um som.

transformação: Mudança completa de substância ou forma física para algo inteiramente diferente; mudança total no modo como a realidade funciona.

transparência: Estado de lucidez e abertura que se caracteriza pela confiança, espontaneidade e pleno compromisso com o fluxo em qualquer momento dado; percepção iluminada.

vibração pessoal: Vibração geral que emana de uma pessoa em qualquer momento dado; frequência flutuante que é uma mescla dos diversos estados contraídos ou expandidos de seu corpo, suas emoções e seus pensamentos.

vibrações negativas: Pensamentos e emoções dissonantes ou de baixa frequência provenientes da própria pessoa ou de terceiros que fazem a vibração pessoal cair.

vidas passadas e vidas paralelas: Ideia segundo a qual as almas compõem-se de milhares de partes, muitas das quais encarnam na terra para ter vidas individuais. As vidas de uma alma podem separar-se uma das outras ao longo do tempo, dando a impressão de ocorrência sequencial, ou ao longo do espaço (quando diversas vidas existem ao mesmo tempo, mas separam-se pela localização).

yin e yang: As duas forças iguais e opostas do universo, ambas necessárias à harmonia. A percepção e energia yang são externas, impositivas, criativas, quentes, secas, luminosas e masculinas. Suas contrapartes yin são internas, receptivas, dissolventes, frias, úmidas, escuras e femininas. Cada uma contém em si uma pequena quantidade da outra.

GRUPO EDITORIAL PENSAMENTO

O Grupo Editorial Pensamento é formado por quatro selos:
Pensamento, Cultrix, Seoman e Jangada.

Para saber mais sobre os títulos e autores do Grupo
visite o site: www.grupopensamento.com.br

Acompanhe também nossas redes sociais e fique por dentro dos próximos lançamentos, conteúdos exclusivos, eventos, promoções e sorteios.

f / 📷
editoracultrix
editorajangada
editoraseoman
grupoeditorialpensamento

Em caso de dúvidas, estamos prontos para ajudar:
atendimento@grupopensamento.com.br

Pensamento Cultrix SEOMAN JANGADA
GRUPO EDITORIAL PENSAMENTO